MARK R. LEVIN
MARXISMO AMERICANO

Título original: *American Marxism*

Copyright ©2021 por Mark Levin

Marxismo americano

1ª edição: Setembro 2021

Direitos reservados desta edição: CDG Edições e Publicações

O conteúdo desta obra é de total responsabilidade do autor e não reflete necessariamente a opinião da editora.

Autor:
Mark. R. Levin

Tradução:
Antonietta Braga

Preparação de texto:
Karina Gercke

Revisão:
Equipe Citadel

Projeto gráfico e capa:
Jéssica Wendy

DADOS INTERNACIONAIS DE CATALOGAÇÃO NA PUBLICAÇÃO (CIP)

Levin, Mark R. (Mark Reed), 1957
　　Marxismo americano / Mark R. Levin ; tradução de Antonietta Braga. – São Paulo : Citadel, 2021.
　　320 p.

ISBN: 978-65-5047-113-2

Título original: American marxism

1. Marxismo 2. Estados Unidos - Política e governo 3. Comunismo I. Título II. Braga, Antonietta

21-3592　　　　　　　　　　　　　　　　　　　　　　CDD 335.43

Angélica Ilacqua - Bibliotecária - CRB-8/7057

Produção editorial e distribuição:

contato@citadel.com.br
www.citadel.com.br

MARK R. LEVIN

MARXISMO AMERICANO

Entenda como a cartilha marxista está difundida nas escolas, universidades, grandes corporações em toda a América e até em Hollywood e descubra quais são os interesses por trás das tentativas de disfarçá-la de ativista social e defensora da democracia.

2021

SUMÁRIO

CAPÍTULO UM: Está aqui 7

CAPÍTULO DOIS: Criar turbas 21

CAPÍTULO TRÊS: Odeia a América, Ltda. 51

CAPÍTULO QUATRO: Racismo, genderismo e marxismo 91

CAPÍTULO CINCO: Fanatismo da "mudança climática" 153

CAPÍTULO SEIS: Propaganda, censura e subversão 209

CAPÍTULO SETE: *Escolhemos a liberdade!* 259

DEDICATÓRIA 296

NOTAS 297

CAPÍTULO UM

ESTÁ AQUI

A contrarrevolução da Revolução Americana está a todo vapor. E não pode mais ser desprezada ou ignorada, porque está devorando nossa sociedade e cultura, girando em torno de nossa vida diária, e está presente em nossa política, nas escolas, na mídia e no entretenimento. Antes um movimento sem identificação, marginal e oculto, ele está aqui – está em todos os lugares. Você, seus filhos e seus netos estão agora imersos nela, e ela ameaça destruir a maior nação jamais estabelecida, junto com sua liberdade, família e segurança. É claro, a diferença primária entre a contrarrevolução e a Revolução Americana é que a primeira busca destruir a sociedade americana e impor regulamentação autocrática, e a última pretende proteger a sociedade americana e instituir governo representativo.

A contrarrevolução, ou movimento de que falo, é o marxismo. Escrevi sobre o marxismo em dois livros anteriores – *Ameritopia* e *Rediscovering Americanism and the Tyranny of Progressivism* – e o discuto regularmente em meus programas de rádio e televisão. Também existem inúmeros livros escritos sobre marxismo. Não é meu objetivo contribuir com mais um longo tratado além dos muitos que existem, nem isso é possível, considerando o foco e as limitações deste livro. Mas a aplicação e adaptação de ensinamentos marxistas centrais à sociedade e à cultura americanas – o que chamo de Marxismo Americano – devem ser abordados e confrontados, ou seremos esmagados por suas manifestações modernas. E não se engane, a situação atual é terrível.

Na América, muitos marxistas se escondem em expressões como "progressistas", "socialistas democratas", "ativistas sociais", "ativistas comunitários", etc., já que a maioria dos americanos se mantém abertamente hostil ao nome marxismo. Eles atuam sob uma variedade de nomenclaturas organizacionais ou identificadoras recém-criadas, como *Black Lives Matter* (BLM – Vidas Negras Importam), "Antifa", "The Squad", etc. E afirmam promover "justiça econômica", "justiça ambiental", "equidade racial", "equidade de gênero", etc. Até inventaram novas teorias, como Teoria Crítica da Raça, e frases e terminologias, associadas à construção marxista ou adequadas a ela. Mais que isso, eles afirmam que a "cultura dominante" e o sistema capitalista são injustos e não equitativos, racistas e sexistas, colonialistas e imperialistas, materialistas e destrutivos do ambiente. É claro, o objetivo é destruir e dividir a nação por mil razões de dez mil maneiras, assim desanimando e desmoralizando o povo; minando a confiança do cidadão nas instituições, tradições e costumes da nação; criando uma calamidade atrás da outra; enfraquecendo a nação de dentro para fora; e, em última análise, destruindo o que conhecemos como republicanismo e capitalismo americano.

No entanto, não deve haver dúvida de que vários líderes dessa contrarrevolução são cada vez mais eloquentes e ousados sobre quem são, incluindo grupos de professores e ativistas abertamente marxistas, e são apoiados por um grupo central de seguidores que lembram zumbis. Sejam quais forem seus rótulos e autodescrições, as características essenciais de suas crenças, afirmações e políticas exibem o dogma central marxista. Além disso, eles ocupam nossas faculdades e universidades, redações de jornais e mídia social, salas de reunião e entretenimento, e suas ideias são proeminentes no Partido Democrata, no Salão Oval e nos corredores do Congresso. A influência deles é vista e sentida entre os mais atentos, tanto quanto entre os mais inocentes, e nas matérias jornalísticas, nos filmes, programas de televisão e comerciais, publicações e esportes, bem como nos cursos de educação e no currículo das salas de aula em todo o sistema de ensino público dos Estados Unidos. Eles usam as táticas de propaganda e doutrinação, e exigem conformidade e obediência, silenciando vozes contrárias por meio de táticas repressivas, como a "cultura do cancelamento", que destrói reputações e carreiras, censurando e banindo pontos de vista patrióticos e contrários na mídia social, incluindo até o ex-presidente Donald Trump, e atacando a liberdade acadêmica e o intercâmbio intelectual na educação superior. De fato, eles apontam para todos os aspectos da cultura – monumentos históricos (inclusive memoriais em homenagem a Abraham Lincoln, George Washington, o abolicionista Frederick Douglas, e o 54° regimento negro da União de Massachusetts), Mark Twain, William Shakespeare. Sr. Cabeça de Batata, Dr. Seuss, animações da Disney, e a lista é infinita. Pronomes são banidos e substituídos por palavras indefinidas, de forma a não ofender cinquenta e oito sabores de identificação de gênero. Antigos *posts* na mídia social são vasculhados em busca de indicações antigas ou fidelidade insuficiente à atual hegemonia marxista. Jornalismo e páginas de editorial são sanitizados de descrentes.

No entanto, experiência histórica e atual mostra que marxismo e seu suposto "paraíso dos trabalhadores" são responsáveis pela morte de dezenas de milhões de seres humanos, e pelo empobrecimento e escravidão de mais de um bilhão. Na verdade, Marx estava errado sobre quase tudo. A Revolução Industrial criou uma vasta classe média sem comparação em qualquer tempo na história do mundo, em oposição

MARXISMO AMERICANO

a um exército de furiosos revolucionários do proletariado decididos a derrubar o sistema capitalista. E apesar da aula de retórica de guerra marxista dos políticos do Partido Democrata e seus suplentes, com avanços tecnológicos e outros avanços, o capitalismo criou riqueza inimaginável e sem paralelos para mais gente em todas as áreas da vida do que qualquer outro sistema econômico.

A insistência de Marx sobre só o trabalho criar valor também é incorreta. Se fosse assim, o Terceiro Mundo não seria o Terceiro Mundo. Seria próspero. Expedientes mais longos não garantem criação de riqueza ou crescimento. É claro, o trabalho é uma parte muito importante do valor e da produção econômica, mas sem investimento de capital, empreendedorismo e adoção de risco sensato, administração sábia etc., negócios faliriam, como muitos falem. Como qualquer empresário vai lhe dizer, há muitas decisões envolvidas em um empreendimento bem-sucedido. Além do mais, nem todo trabalho é igual – isto é, existem especialidades, histórias e abordagens diferentes tanto na força de trabalho quanto aplicáveis a certos negócios que fazem referências à bobagem do "proletariado".

Adicionalmente, só o trabalho não determina o valor de um produto ou serviço. Obviamente, contribui para ele. No entanto, os consumidores desempenham o papel mais importante. Eles criam a demanda. E dependendo da demanda, empresa e trabalho suprem essa demanda. Em outras palavras, o capitalismo atende a desejos e necessidades "das massas". Além disso, lucro não cria exploração do trabalhador, como Marx insistia em dizer. Pelo contrário. Torna possível maior pagamento, mais benefícios, segurança e oportunidades de emprego ao trabalhador.

O sucesso econômico inicial da América também não foi construído sobre imperialismo ou colonialismo. Os próprios recursos que a América é falsamente acusada de saquear de outros países não construíram a riqueza desses países, embora eles sejam o repositório dos recursos. O *know-how* e a engenhosidade americanos, nascidos de liberdade e capitalismo, são a origem de desenvolvimento e progresso societal e econômico.

Qual é, então, o apelo do marxismo? O marxismo americano adaptou o vocabulário e a atração do *utopismo*, sobre o qual escrevi extensivamente em meu livro *Ameritopia*. Ele é "tirania disfarçada de desejável, funcional e até paradisíaca ideologia governamental. Existem... ilimitadas construções utópicas, porque a mente é capaz de fantasias infinitas. Mas há temas comuns. As fantasias tomam a forma de grandes planos ou experimentos sociais, cuja impossibilidade ou inviabilidade, de pequenas e grandes formas, levam à subjugação do indivíduo".[1] De fato, a agenda econômica e cultural conduzida pelo Presidente Joe Biden e pelo Partido Democrata oferece muitos exemplos dessa ideologia e do comportamento em ação. Incluem amplo gasto deficitário, tributação confiscatória e regulamentação de todas as coisas grandes e pequenas – encharcadas de propaganda marxista de guerra de classes – e uma coleção de ordens executivas alegando pôr fim a numerosas injustiças históricas e culturais.

Como também faz a demanda deles pelo controle absoluto de um partido sobre o corpo político por intermédio de vários esquemas extraconstitucionais e outros meios, já que o marxismo não tolera a competição de ideias ou partidos políticos. Esses esforços incluem mudar o sistema de votação para garantir o controle do Partido Democrata por décadas, o que tem como objetivo a erradicação do Partido Republicano e da competição política; tentar eliminar a regra de obstrução do Senado, de forma que todas as leis possam ser impostas ao país sem deliberação ou contestação efetiva; ameaçar acabar com a separação de poderes e a independência do judiciário tramando entupir a Suprema Corte de ideólogos de mentalidade semelhante; planejar adicionar assentos Democratas ao Senado para garantir seu controle sobre aquele

MARXISMO AMERICANO

corpo; usar dezenas de bilhões em fundos do contribuinte para subsidiar e fortalecer partes centrais da base do Partido Democrata (como sindicatos e ativistas políticos); e facilitar imigração ilegal massiva, cujo propósito é, entre outras coisas, alterar a demografia do país e, em algum momento, aumentar significativamente a base eleitoral do Partido Democrata. Essas ações e pretensões, entre outras, são evidência de um movimento ideológico autocrático, faminto por poder, que rejeita cortesia tradicional e política e busca permanentemente esmagar sua oposição – e emergir como única força política e governamental.

Esse último objetivo explica a verdadeira motivação e a guerra obsessiva e incansável contra a candidatura e a presidência de Donald Trump, e suas dezenas de milhões de apoiadores. O Partido Democrata, alinhado a seus suplentes na mídia, academia e no Leviatã burocrático, conspirou para desacreditar e alijar a presidência de Trump e destrui-lo pessoalmente, promovendo um ataque de difamadores, teorias de conspiração e investigações criminais e congressionais, *impeachments* e tentativas de golpe como a nação jamais viveu. A incansável, harmonizada e feroz *blitz* foi direcionada não só contra o ex-presidente, mas contra seus eleitores e seguidores. O objetivo era quebrar a espinha e o espírito da oposição política, e limpar o campo de obstáculos para o poder e o governo. De fato, o Partido Democrata continua perseguindo o agora cidadão privado Trump, obtendo acesso a sua declaração de imposto por meio de gabinetes de representantes Democratas eleitos, incluindo o promotor de Manhattan, um agressivo partidário.

A campanha de deslegitimar e marginalizar a oposição política ao Partido Democrata fica mais evidente na incauta retórica racial de Biden ao acusar os Republicanos da Geórgia de instituir as leis Jim Crow para impedir cidadãos negros de votar, uma mentira desprezível criada para agitar minorias e jogá-las contra o Partido Republicano. Embora usar raça como arma não seja novidade para o Partido Democrata, dado seu *pedigree* histórico – de apoiar a escravidão à segregação – e a oposição vocal e ativa de Biden à integração, no início de sua carreira no senado, é chocante testemunhar seu grotesco renascimento como ferramenta política.

E durante as violentas manifestações no último verão e nesta primavera, que envolveram saque, incêndio criminoso e até assassinato em diversas cidades ao longo de vários meses, e nas quais Antifa e BLM desempenharam proeminentes papeis organizacionais, a liderança do Partido Democrata basicamente regurgitou a retórica e as afirmações dos grupos e manifestantes anarquistas/marxistas, inclusive a ampla condenação das forças da lei como "sistematicamente racistas", e não só relutou em denunciar a violência, mas, inacreditavelmente, declarou os manifestantes como "majoritariamente pacíficos" e suas demandas para retirar fundos da política (mais tarde transformada em cortar orçamento) como legítimas. Na verdade, um cofundador do BLM declarou no verão de 2020 que um de seus "objetivos é destituir Trump agora".[2] Cidades controladas pelos Democratas deram às ruas nomes relacionados ao grupo. E numerosos integrantes da campanha de Biden fizeram doações para um fundo que pagava fiança dos que eram detidos e levados à prisão.[3] Obviamente, o Partido Democrata e a campanha de Biden perceberam uma sobreposição ou sinergia de interesses políticos e objetivos com os manifestantes.

O Partido Democrata busca se fortalecer rompendo muralhas constitucionais; contornando, quando não erradicando regras, tradições e costumes; adotando a linguagem de Marx da guerra de classes; e alinhando-se a certos grupos declarados marxistas e causas ideológicas, entre outras coisas. Mais ainda, ele aparelha o governo para seu fortalecimento político e seus propósitos. A verdade é que os interesses do Partido Democrata vêm antes dos do país. E fidelidade ao partido é mais importante que fidelidade ao país. Ele tem essas características em comum com outros partidos autocratas e comunistas pelo mundo.

O marxismo é especialmente atraente e ativamente apoiado por indivíduos que consideram a construção da guerra de classes entre opressor-oprimido do marxismo interessante por várias razões. A primeira é que as pessoas querem pertencer a grupos, inclusive grupos étnicos, raciais, religiosos e econômicos. As pessoas encontram identidade, comunalidade, propósito e até valor pessoal nessas ligações. De fato, acredito que este é o mais potente dos paradigmas de Marx, porque explora o apelo instintivamente humano e psicologicamente emocional para criar aderentes e revolucionários apaixonados e até fanáticos. Essa é outra característica do Marxismo Americano e do Partido Democrata.

Isso me leva ao segundo ponto. Dentro dessa construção da guerra de classes, os adeptos e possíveis seguidores do marxismo são incentivados a se verem e aos grupos com que se identificam como oprimidos – isto é, as vítimas. E seus opressores são encontrados na sociedade, na cultura e no sistema econômico existentes, dos quais o oprimido precisa se libertar e libertar seus companheiros de viagem, ou seja, as vítimas que se identificam com o mesmo grupo ou também são membros dele. Essa é uma razão primária pela qual o marxismo enfatiza o classismo em detrimento do individualismo. O indivíduo é desumanizado e não é nada, a menos que ele se identifique com um grupo – o grupo oprimido e vitimizado. E os indivíduos que criam grupos opositores, ou não conformes, são coletivamente desumanizados, condenados e odiados como inimigos. Mais uma vez, essa é uma característica do Marxismo Americano e do Partido Democrata.

É claro, essa formulação é especialmente sedutora para os descontentes, desencantados, desafetos e insatisfeitos. Para eles, liberdade individual e capitalismo expõem as próprias deficiências e falhas, suas dificuldades e talvez incapacidade de funcionar em uma sociedade aberta.

O marxismo fornece uma moldura teórica e institucional por meio da qual pode projetar as próprias limitações e fraquezas no "sistema" e em seus "opressores", em vez de assumir a responsabilidade pelos próprios apuros, reais ou imaginários. Mais uma vez, como escrevi em *Ameritopia*, esses indivíduos são "atraídos pelas falsas esperanças e promessas da transformação utópica e pelas críticas à sociedade existente, com as quais sua conexão é hesitante ou não existente. Melhorar o quinhão dos descontentes passa a ter relação com a causa utópica".[4] Muitos nessa população são suscetíveis a manipulação, especialmente por demagogos e propagandistas, e à sedução da transformação revolucionária.

De maneira importante, se o indivíduo se identifica ou está entre a classe do oprimido ou vitimizado é uma questão de autodeterminação e autorrealização. Em outras palavras, não existem regras rígidas e conjunto de normas. Além disso, eles e seu grupo também podem definir e identificar o que e quem, para eles, é o opressor. No fim, Marx e seus substitutos dos tempos modernos direcionam sua ira contra a sociedade e a cultura existentes, que devem ser derrubadas para que a vida tenha sentido e comece novamente no paraíso igualitário recém-criado.

Assim, aqueles da sociedade existente que são bem-sucedidos, contentes e felizes são atormentados e expostos, porque estão entre os opressores ou grupos opressores e, portanto, apoiam o *status quo*. Mais ainda, aqueles que sancionam a sociedade existente, ou se recusam a apoiar ou concordar com a agenda e as demandas do oprimido, também são submetidos a pressões e condutas danosas e destrutivas. Ou você é parte da revolução justa pela libertação e transformação, ou não é. A partir daí, o suposto oprimido se torna o real opressor, e detém poder substancial sobre a sociedade e a cultura, apesar de seu apelo limitado e dos números menores. E eles se tornam mais beligerantes, exigentes e até violentos enquanto seu apetite por controle e revolução cresce e precisa ser constantemente saciado.

Isso também explica, mas só em parte, a covardia de corporativistas, atletas profissionais, locutores, artistas, atores, escritores e jornalistas que, diante de tamanho tumulto, se curvam à pressão, buscam escapar à atenção da turba por meio de várias formas de atendimento e capitulação, e em alguns casos participam da própria transfiguração e até evisceração. Para outros, seus conselhos, administração e força de trabalho são solidários e "prontos para a revolução", povoados com as fileiras de universitários ideologicamente doutrinados, especialmente entre a elite da Ivy School, sindicatos de professores, ou o cada vez mais radicalizado Partido Democrata, do qual são membros, simpatizantes e/ou apoiadores. E, é claro, muitos corporativistas simplesmente abandonaram o capitalismo pelo estatismo e pela centralização governamental/econômica, e apoiam grupos como BLM e várias causas radicais, como um jeito de obter favores, senão se associar a autocratas políticos e burocratas para destruir a concorrência e melhorar sua posição financeira.

Ted McAllister, professor de Políticas Públicas na Pepperdine University, afirma de maneira convincente que a classe dominante ou elite atual despreza nosso país. Em um ensaio de 2021 intitulado "Thus Always to Bad Elites", ele escreve:

Hoje temos uma elite muito diferente do que havia na América dos anos de 1980 em termos de natureza, objetivos, ambições, estilo e maneiras de exercer o poder. O mais profundo fato de nosso tempo é que a América tem uma elite má, uma elite falsa cujas habilidades, valores, objetivos, gostos e tipos de conhecimento são hostis às culturas herdadas e aos povos plurais de nossa nação. A nova elite que surgiu na última geração, ou nas duas últimas, não tem interesse em preservar nada, exceto talvez o próprio poder. Elas não têm visão e conhecimento histórico, carência que suplantam com ou trocam pelos poderes de transformação e mudança. Inebriadas pelo poder possível com tecnologias emergentes, inspiradas por visões que só uma perspectiva globalista desenraizada poderia tornar atraente, essa elite pensa em destruição criativa aplicada à cultura.

Como vencedores no que imaginam ser uma luta meritocrática, não conseguem ver um mundo herdado digno de preservação por seu próprio sucesso. As características peculiares desse poder em evolução deram à nossa nova elite a alma da arte adolescente aplicada a uma tela global. Falta lastro experimental ou histórico para ampará-la, reduzir a velocidade dessa elite em fazer tudo de acordo com sua vontade. Para ela, poder simplificado é fundamental para a criação, e os obstáculos irritantes a suas novas criações não são realmente verificações para impedir tirania, mas, em vez disso, limitações... resistência desnecessária na corrida direta para transformar.

Para essa nova elite, por exemplo, o bem do discurso livre tornou-se invisível porque, para eles, discurso livre é simplesmente discordância, resistência a seus objetivos. A eliminação do discurso de ódio é o objetivo, o bem impossível de impedir, que a franqueza do livre discurso impede. Em meia geração, o trabalho de séculos é desfeito e as camadas de tirania são instaladas.[5]

Na verdade, isso é o melhor que pode ser dito sobre a elite contemporânea.

Infelizmente, muitos entre nós encontram um falso conforto na crença de que nunca poderia haver uma revolução baseada no marxismo ou orientada para ele na América, e o que estão testemunhando é só mais um em um ciclo de movimentos liberais, que contribuem para a evolução da sociedade e da cultura americanas e, portanto, é digno de aprovação e apoio passivo.

Coletivamente, existem os "idiotas úteis" com os quais os marxistas contam – isto é, indivíduos e organizações que não são sérios e não despertam com as sinistras nuvens de tirania e, ainda pior, participam do próprio fim e o do país.

Para muitos, o marxismo chega se esgueirando. Ainda não são pessoalmente ameaçados e, pelo menos por enquanto, não são incomodados ou pessoalmente afetados por ele; ou tem aqueles que estão ocupados demais com a vida diária para perceber o que está acontecendo, ou podem desqualificar essas ameaças como eventos amorfos, distantes ou passageiros; e tem ainda os que não conseguem acreditar que seu país sucumbiria a influências e ao despotismo marxista.

O propósito deste livro é despertar os milhões de patriotas americanos que amam seu país, sua liberdade e família para a realidade da influência marxista que se espalha rapidamente por nossa nação. O que está acontecendo em nosso país não é uma modinha temporária ou um evento passageiro. O Marxismo Americano existe, está aqui e agora, e é pervasivo, de fato, e sua multidão de movimentos híbridos, mas frequentemente interligados, agem ativamente para destruir nossa sociedade e nossa cultura, e destruir o país como o conhecemos. Muitos indivíduos e grupos que compõem esse movimento coletivamente são desconhecidos para muitos americanos, ou funcionam de maneiras sobre as quais a maioria dos americanos não tem consciência. Portanto, este livro é escrito para apresentar a você uma amostra representativa deles, alguns mais familiares que outros, talvez, e para fornecer exemplos específicos dos textos, das ideias e atividades deles, de forma que você possa saber sobre eles e ouvi-los. É claro, ofereço comentários e análises por todo o livro. Também forneço alguns pensamentos sobre ações táticas que podem ser adotadas para ajudar a deter o desmoronamento da nação e reverter esse curso. Embora este seja o livro mais longo que escrevi, há muito mais a ser dito sobre esse assunto. Portanto, espero escrever um segundo volume.

O Marxismo Americano fez grande progresso rumo à instituição de seus objetivos ao longo dos últimos vários anos. Para que seja derrotado, como deve ser – embora essa seja uma missão assombrosa e complexa – sua existência deve ser antes reconhecida e rotulada pelo que é, a urgência do momento deve ser percebida, e a emergência de uma frente patriótica unificada de facções e forças societais, culturais e políticas antes dóceis, divergentes e/ou debatedoras, que têm em comum a crença de que vale a pena defender a América, deve acontecer imediatamente e se dedicar à causa. Devemos responder ao desafio, como fizeram nossos Pais Fundadores, quando confrontaram a mais poderosa força na Terra, o Império Britânico, e a derrotaram. Sem dúvida, a ameaça hoje é mais complexa de várias maneiras, uma vez que agora habita a maioria de nossas instituições e ameaça de dentro para fora, tornando o engajamento difícil e complicado. Mesmo assim, acredito com fervor que a América como a conhecemos estará perdida para sempre, se não prevalecermos.

Encerrei meu livro *Liberty and Tyranny*, que foi publicado há meros doze anos, com a fatídica e presciente observação do Presidente Ronald Reagan, que chama nossa atenção especialmente agora por ser mais imperativa que nunca: "Liberdade nunca está a mais de uma geração da extinção. Não a transmitimos para nossos filhos na corrente sanguínea. Ela deve ser defendida pela luta, protegida e entregue a eles para que façam a mesma coisa, ou um dia passaremos nossos anos de ocaso contando aos nossos filhos e aos filhos dos nossos filhos como foram os Estados Unidos um dia, quando os homens eram livres".[6]

PATRIOTAS DA AMÉRICA, UNAM-SE!

CAPÍTULO DOIS

CRIAR TURBAS

Há quase uma década, e antes de a Antifa ser amplamente conhecida e o *Black Lives Matter* (BLM) se estabelecer, escrevi sobre movimentos de massa em meu livro *Ameritopia* no contexto do utopismo. Utopismo, seja na forma de marxismo, fascismo, ou alguma outra forma de estatismo autocrata, é atraente para muita gente porque, em sua essência, eles fazem gloriosas declarações de um futuro paradisíaco e da perfeição do homem, desde que a sociedade e a cultura existentes sejam radicalmente transformadas ou completamente abandonadas, e o indivíduo ceda mais de sua liberdade, vontade e segurança à causa. Essa é a natureza dos movimentos de massa.

Expliquei que os movimentos de massa tentam devorar o indivíduo de duas maneiras: consumir sua identidade e singularidade, tornando-o, portanto, indistinguível "da massa", mas também atribuindo a ele uma identidade de grupo baseada em raça, idade, renda etc., para estabelecer distinções de classe. "Assim [os demagogos e propagandistas] podem falar ao bem-estar 'do povo' como um todo, enquanto o divide jogando uns contra os outros, empurrando-os, portanto, em

MARXISMO AMERICANO

uma ou outra direção conforme a necessidade para promover o colapso da sociedade existente ou governar a nova."[1]

E quem entre nós é atraído por esses movimentos de massa? Mais uma vez, como indiquei: "[Uma] audiência receptiva [é encontrada] entre os desencantados, desafetos, insatisfeitos e desajustados da sociedade, que não têm disposição ou capacidade para assumir a responsabilidade por suas condições reais ou percebidas, mas, em vez disso, culpam, o ambiente, 'o sistema' e os outros. São atraídos pelas falsas esperanças e promessas de transformação utópica e pelas críticas à sociedade existente, com a qual mantêm uma conexão hesitante ou nenhuma conexão. Melhorar o quinhão do descontente torna-se algo relacionado à causa utópica. Além disso, desqualificar e diminuir o bem-sucedido e realizado torna-se uma tática essencial. Ninguém deveria ser melhor que ninguém, independentemente dos méritos ou valor de sua contribuição. Pela exploração das fragilidades, frustrações, invejas e desigualdades humanas, cria-se uma noção de significado e valor pessoal na vida de outra forma infeliz e sem rumo do descontente."[2]

Mais ainda, em movimentos de massa, "o indivíduo não tem importância como pessoa e só é útil como uma parte insignificante de uma aglomeração de partes insignificantes. Ele é um trabalhador, parte da massa; nada mais, nada menos. Sua existência é sem alma. Obediência absoluta é a mais elevada virtude. Afinal, só um exército de teleguiados é capaz de construir um arco-íris para o paraíso."[3]

Há quase um século, o filósofo e ensaísta francês Julien Benda observou que movimentos de massa se formam frequentemente em torno de indivíduos que compartilham o mesmo ódio político. Ele escreveu: "Graças ao progresso da comunicação e, mais ainda, ao espírito de grupo, é claro que os detentores do mesmo ódio político agora formam uma massa compacta apaixonada, da qual cada indivíduo sente-se em contato com os números infinitos de outros, enquanto um século atrás essas pessoas viviam relativamente sem contato entre elas e odiavam de um jeito 'espalhado'... Pode ser dito que essas coerências terão a propensão de se desenvolver ainda mais, porque a vontade do grupo é uma das características mais profundas do mundo moderno, que até nos domínios mais inesperados (por exemplo, o domínio do pensamento) torna-se mais e mais o mundo das ligas, de 'uniões' e 'grupos'. É necessário dizer que a paixão do indivíduo é fortalecida pela sensação de estar perto dessas milhares de paixões semelhantes?... O indivíduo atribui uma personalidade mística à associação de que se sente um membro, e confere a ela uma adoração religiosa, que é simplesmente o endeusamento de sua própria paixão e um importante estímulo a sua intensidade."[4]

Benda também concluiu que esses movimentos são, muitas vezes, como cultos. "A coerência descrita pode ser chamada de coerência de superfície, mas adicionada a ela existe uma coerência de essência. Pela mesma razão que leva os detentores da mesma paixão política a formarem um grupo mais compacto e apaixonado, eles também formam um grupo mais *homogêneo*, apaixonado, no qual as maneiras individuais de sentir desaparecem e o fanatismo de cada membro assume mais e mais as cores dos outros."[5]

Hoje, é evidente que o movimento Antifa é povoado por "soldados" indistinguíveis vestidos uniformemente com roupas pretas e coberturas faciais. Suas identidades e seus nomes são desconhecidos. Eles são doutrinados em uma ideologia marxista-anarquista, treinados na violência e convencidos de que são "uma ideia". Obviamente, isso é mais que uma ideia. É um movimento brutal e perigoso formado por fanáticos raivosos.[6]

O BLM também é um movimento marxista-anarquista. No entanto, identifica-se como um movimento de poder preto e libertação preta quando, de fato, sua agenda vai muito além de raça, para as habituais demandas marxistas de destruição da sociedade existente.[7]

MARXISMO AMERICANO

É claro, esses movimentos, como todos os movimentos de massa, não toleram nem sobrevivem a ideias ou vozes rivais ou concorrentes. Exigem pensamento grupal e conformidade. Vimos até essa ortodoxia se espalhar por nossa cultura, com a disseminada exposição, anulação, banimento, intimidação e outras formas de abuso contra aqueles que se atrevem a manifestar visões contrárias ou diferentes, questionar ou desafiar, por exemplo, a missão do BLM. Esse ataque contra o individualismo e o não conformismo é tão onipresente na sociedade atual, que ganhou o próprio nome moderno, a "cultura do cancelamento". Mas isso não é novo, só mais prevalente, aberto e intenso.

Mais uma vez, escrevi há quase uma década que esses movimentos de massa são "intolerante à diversidade, unicidade, debate etc., porque [seu] propósito requer um foco singular. Não pode haver vozes ou causas concorrentes para retardar ou obstruir a longa e digna marcha da sociedade. [Eles se valem] de mentira, propaganda, dependência, intimidação e força. Em seu estado mais agressivo, quando a malignidade da empreitada se torna mais dolorosa e sua impossibilidade, mais óbvia, incita a violência de todas as formas possíveis para a eliminação da livre expressão e da dissenção civil. Violência torna-se o principal recurso do indivíduo e a principal resposta do Estado. Em última análise, a única saída é a terminação do Estado."[8]

Portanto, movimentos de massa se baseiam de maneira significativa em doutrinação e lavagem cerebral. São iniciados e motivados "por uma inteligência entusiasmada ou 'especialistas' profissionalmente engajados no desenvolvimento e na disseminação de fantasias utópicas... [Eles] são imunes à inviabilidade e às consequências de suas pegadas, porque raramente se apresentam para cargos públicos. Em vez disso, buscam influenciar aqueles que o fazem. Legislam sem assumir responsabilidade."[9]

Onde esses "especialistas" são encontrados? Como veremos, primariamente entre os professores estáveis de nossas faculdades e universidades, cuja lealdade intelectual e emocional é mais alinhada, pelo menos na parte significativa, com as prescrições ideológicas de Jean-Jacques Rousseau, Georg Wilhelm Friedrich Hegel e, é claro, Karl Marx.

Rousseau, Hegel e Marx, à sua maneira, argumentam pela subjugação do indivíduo à vontade geral, ou ao bem maior, ou à causa maior construída sobre o igualitarismo radical – ou seja, "o coletivo". É claro, como lógica, razão e experiência demonstram, esse é um tijolo para a construção de causas e regimes totalitários. Enquanto o Estado se torna progressivamente autoritário e despótico, controlando discurso, mobilidade e até o pensamento, quando possível, alega perpetuar e celebrar um tipo de vontade e libertação populares, ou voltadas para o povo.

Para entender melhor as sutilezas filosóficas da Antifa, do BLM e de semelhantes movimentos antiamericanos, vamos dar uma olhada rápida em Rousseau, Hegel e Marx nesse contexto. Rousseau explicou: "Concebo dois tipos de iniquidade na espécie humana: uma que chamo de natural e física, porque é estabelecida pela natureza e consiste em diferença de idade, saúde, força física e qualidade de mente e alma. A outra pode ser chamada de iniquidade moral ou política, porque depende de um tipo de convenção e é estabelecida, ou autorizada, pelo menos, pelo consentimento dos homens. Este segundo tipo de iniquidade consiste em diferentes privilégios desfrutados por alguns à custa de outros, como ser rico, mais honrado, mais poderoso que eles, ou mesmo se fazer obedecer por eles".[10]

Rousseau disse ainda que "se seguirmos o avanço da iniquidade [na história dos sistemas de governo], vamos descobrir que o primeiro estágio foi o estabelecimento da lei e do direito à propriedade, o segundo estágio foi a instituição da magistratura, e o terceiro e último estágio foi a transformação de poder legítimo em poder arbitrário. Assim, a condição de rico e pobre foi autorizada pela primeira etapa, a de fortes e fracos, pela segunda, e a de senhores e escravos pela terceira: o último grau de iniquidade e o limite ao qual todas as outras conduzem, finalmente, até novas revoluções dissolverem completamente o governo ou o levarem mais próximo de uma instituição legítima".[11]

Como saberemos quando a "legítima instituição" foi alcançada além da construção teórica? Rousseau não diz.

Para Hegel, o indivíduo encontra sua realização – liberdade, felicidade, satisfação – por meio do Estado. Mas não qualquer Estado. O Estado evolui com o tempo, levando, em última análise a um plenamente desenvolvido, ou ao "objetivo final". Nesse Estado, o indivíduo se torna de um todo universalizado, coletivo. O que precede o fim não tem importância. Mais uma vez, o indivíduo é subserviente ao Estado tanto para a própria realização quanto para o bem maior do coletivo.

A essa altura, "o Estado como uma realidade completa é o todo ético e a concretização da liberdade. É o propósito absoluto da razão que a liberdade seja concretizada, o Estado é o espírito, que se conforma com o mundo e lá se realiza conscientemente... Só quando é presente na consciência, conhecendo-se como um objeto existente, ele é o Estado. Ao pensar na liberdade, não devemos ter como ponto de partida a individualidade ou a autoconsciência do indivíduo, mas a essência da autoconsciência. Quer o homem tenha consciência disso ou não, essa essência se realiza como um poder independente, no qual pessoas em particular são apenas fases. O Estado é a marcha de Deus no mundo; seu território ou sua casa é o poder da razão realizando-se igualmente".[12]

Como sabemos quando chegamos ao "propósito final" além da construção teórica? Hegel não diz.

Com sua ênfase no materialismo histórico, Marx escreveu: "A sociedade burguesa moderna, que brotou das ruínas da sociedade feudal, não eliminou os antagonismos de classe. A sociedade como um todo se divide cada vez mais em dois grandes campos hostis, em duas grandes classes diretamente opostas: burguesia [os capitalistas, donos da propriedade e dos meios de produção] e o proletariado [trabalhadores, a classe trabalhadora industrial]..."[13]

Marx argumenta que "não são só [os proletários] escravos da classe burguesa e do Estado burguês, eles são diariamente, e todas as horas, escravizados pela máquina, pelo supervisor e, acima de tudo, pelo próprio fabricante burguês".[14] Consequentemente, o destino do proletariado está em um beco sem saída. A menos, é claro, que adote a revolução prescrita por Marx. Essa é a única saída.

Para eliminar as classes econômicas e transformar a sociedade em um paraíso igualitário, o proletariado deve limpar o passado do presente – primeiro, derrubando o regime existente e esmagando o capitalismo, substituindo-os por um Estado proletário centralizado, e quando a sociedade e a cultura forem limpas do passado, o Estado vai se retrair, e o que virá será uma utopia amorfa fortalecida pelo povo por meio do coletivo. Como declara Marx: "É claro, no começo isso não pode ser feito, senão por incursões despóticas aos direitos de propriedade e às condições de produção da burguesia; por meio de medidas, portanto, que parecem economicamente insuficientes e inalcançáveis, mas que, ao longo do movimento, se ultrapassam, necessitam de novas incursões sobre a velha ordem social e são inevitáveis como meios de revolucionar inteiramente o modo de produção".[15]

Novamente, Marx insiste que a realização e a salvação do indivíduo são descobertas por meio de sua identidade com a revolução proletária e, então, a existência aperfeiçoada sob a vontade coletiva do povo que, de alguma forma e de algum jeito, se desenvolve a partir de um Estado policial que precede o completo atrofiamento do Estado.

Como sabemos quando chegamos ao "paraíso dos trabalhadores" além de uma construção teórica? Marx não diz.

A inviabilidade e, de fato, a impossibilidade dessas ideologias, parecem ser estranhamente sedutoras àqueles que as defendem. Além disso, o paraíso que cada uma promete, depois do sucesso da revolução para dissolver o *status quo* e o Estado existente, não vai além do ponto de um estado policial centralizado, no qual o indivíduo é, de fato, descartável e "as massas" são compelidas a servir aos propósitos do partido ou dos indivíduos no comando desse Estado. Exemplos desse Estado incluem China, Coreia do Norte, Venezuela, Cuba etc.

Há setenta anos, Eric Hoffer escreveu um livro icônico, *The True Believer*, sobre a natureza dos movimentos de massa. Hoffer explicou que movimentos de massa são construídos de indivíduos profundamente falhos com ideias profundamente falhas. Ele apontou que "um movimento de massa atrai e cativa seguidores não por poder satisfazer o desejo de progresso pessoal, mas por poder satisfazer a paixão por sacrifício pessoal. Pessoas que consideram a própria vida irremediavelmente arruinada não conseguem encontrar um objetivo válido para avanço pessoal... Consideram o interesse próprio como algo corrupto e mau; algo sujo e malfadado. Qualquer coisa assumida sob os auspícios do eu parece ser predestinada ao fracasso. Nada que tenha suas raízes e razões no eu pode ser bom e nobre".[16]

Além disso, a maioria dos movimentos de massa são movimentos raivosos e depressivos, hostis em relação aos indivíduos bem-ajustados, felizes e bem-sucedidos. Mais uma vez, isso é evidente nos movimentos Antifa e BLM, entre outros. Hoffer observou que "não só um movimento de massa retrata o presente como cruel e miserável – ele deliberadamente o torna tudo isso. Cria um padrão de existência individual que é azedo, duro, repressivo e sem graça. Condena os prazeres e confortos e exalta a vida rigorosa. Vê o prazer comum como trivial ou até condenável, e representa a busca da felicidade pessoal como algo imoral... O principal objetivo do ideal ascético pregado por muitos movimentos é plantar o desprezo pelo presente...".[17]

De fato, existe um tipo de prazer e empolgação psicóticos destruindo a sociedade dos tempos atuais, incluindo, embora não especialmente, uma sociedade tão livre, humana, tolerante e virtuosa quanto a nossa. "O que surpreende, quando ouvimos os frustrados desacreditando o presente e todos as suas obras", escreveu Hoffer, "é a enorme alegria que deriva disso. Tal prazer não pode ser consequência da mera manifestação de um aborrecimento... Ao discursar sobre a incurável infâmia e maldade dos tempos, o frustrado muitas vezes ameniza seu sentimento de fracasso e isolamento... Portanto, ao depreciar o presente, eles alcançam um vago sentimento de igualdade".[18]

A "causa", propriamente dita, torna-se a razão da existência do indivíduo. Como Hoffer apontou, "os meios... que um movimento de massa usa para tornar o presente intragável fazem vibrar uma corda responsiva no frustrado. O autodomínio necessário para a superação de seus apetites dá a eles uma ilusão de força. Eles sentem que, quando se controlam, controlam o mundo...[19] Adquire-se a impressão de que o frustrado obtém tanta satisfação – se não mais – dos meios que um movimento de massa usa quanto do fim que ela defende..."[20]

Isso também explica por que "o fim" dessas revoluções nunca é visível. Mesmo quando os revolucionários tomam o poder, a revolução persiste, porque a causa não tem fim por ser, em última análise, inatingível, já que homem e sociedade não são passíveis de perfeição. Mas o apetite do verdadeiro crédulo pela revolução é insaciável.

Mesmo assim, como Hoffer indica, e como Rousseau, Hegel e Marx advogaram, "o radical tem uma fé apaixonada na infinita perfectibilidade da natureza humana. Ele acredita que, mudando o ambiente do homem e aperfeiçoando uma técnica de formação de alma, é possível forjar uma sociedade inteiramente nova e sem precedentes..."[21]

E, é claro, lavagem cerebral e idolatria à causa são o sangue que dá vida aos movimentos de massa. Por exemplo, quando diante de evidências estatísticas de que a polícia não é sistematicamente racista, "É a capacidade do verdadeiro crente para 'fechar os olhos e bloquear os ouvidos' aos fatos, que não merecem ser vistos ou ouvidos, que serve de fonte de sua força e constância incomparáveis. Ele não tem medo do perigo e não desanima com obstáculos, nem se confunde com contradições porque nega a existência deles... E é a certeza de sua doutrina infalível que torna o verdadeiro crente impenetrável às incertezas, surpresas e realidades desagradáveis do mundo à sua volta..."[22] "É óbvio... que para ser eficiente, uma doutrina não deve ser entendida, mas acreditada... O devoto é sempre incentivado a procurar a verdade absoluta com o coração, não com a mente."[23]

Assim, Hoffer descreve um fanático e o fanatismo. "A ligação passional do fanático é a essência de sua devoção e religiosidade cegas, e ele vê nela a fonte de toda virtude e força. Embora sua dedicação obsessiva seja um apego desesperado, ele se vê facilmente como apoiador e defensor da causa santa a que se agarra..."[24]

Quando o fanático é confrontado com fatos, estatísticas, história, experiência, princípios, fé, ou qualquer outra coisa, nada disso tem importância. Ele encontrou sua vocação e não será dissuadido dela. Mais uma vez, "a causa" é maior que todas as coisas.

Hoffer explica assim: "O fanático não pode ser desmamado de sua causa por um apelo à razão ou ao senso moral. Ele teme se comprometer e não se deixa convencer a qualificar a certeza e a dignidade de sua causa santa... Seu apego passional é mais vital que a qualidade da causa à que ele está apegado".[25] Ele continua: "Viver sem uma dedicação ardente é estar à deriva e abandonado. Ele vê na tolerância um sinal de fraqueza, frivolidade e ignorância. Tem fome da profunda garantia que vem com a total rendição, com o apego integral a um credo e a uma causa. O que importa não é o conteúdo da causa, mas a total dedicação e a comunhão com a congregação".[26]

O fanático vem de todas as esferas da vida e de todas as origens. Por exemplo, o multimilionário George Soros injeta somas enormes de dinheiro em causas e grupos radicais[27]; atletas profissionais como Colin Kaepernick e LeBron James são maledicentes vociferantes e detratores da sociedade americana; muitos professores universitários são provedores de história americana revisionista e ideologias antiamericanas; alunos universitários de classe média e famílias ricas são cada vez mais oponentes militantes da sociedade civil; e, é claro, várias comunidades são cada vez mais radicalizadas por distinções raciais, econômicas, educacionais e outras disparidades.

Como Benda, Hoffer vê o fanático e o movimento de massa centrados em um ódio intenso, senão obsessivo. "Ódio apaixonado pode dar significado e propósito a uma vida vazia", explicou Hoffer. "Assim, pessoas atormentadas pela falta de objetivos de vida, tentam encontrar uma nova satisfação não apenas se dedicando a uma causa santa, mas nutrindo um ressentimento fanático. Um movimento de massa oferece a elas oportunidades ilimitadas para ambos".[28] De fato, a periculosidade desse ódio, quando associado a uma causa, pode ter consequências societais e humanas desastrosas. Leva à escolha de bodes expiatórios, balcanização, violência e, em sua forma mais agressiva, limpeza étnica. Mais ampla e simultaneamente, esse ódio busca maldizer, detratar, difamar e, em última análise, derrubar o *status quo* e a sociedade civil – por exemplo, a base americana (o "Projeto 1619", abordado no Capítulo 4), a Constituição, o capitalismo, a força policial etc.

Hoffer descreveu o modelo pelo qual é criado o solo fértil para o nascimento de movimentos de massa: "1) desacreditar credos e instituições prevalentes e afastá-los da lealdade do povo; 2) criar indiretamente uma fome de fé no coração daqueles que não podem viver sem isso, de forma que, quando uma nova fé for pregada, encontrará uma resposta ávida entre as massas desiludidas; 3) projetando a doutrina e os *slogans* da nova fé; 4) minando as convicções das 'pessoas melhores' – aquelas que vivem bem sem fé – de forma que, quando o novo fanatismo chegar, elas não tenham capacidade de resistir a ele."[29]

No fim, se esses movimentos de massa alcançam o sucesso, o resultado é totalitarismo. Hannah Arendt, em seu livro *The Origins of Totalitarism*, defendeu que esses movimentos de massa são a base para violência e despotismo: "A atração do mal e do crime para a mentalidade de turba não é novidade. Sempre foi verdadeiro que a turba justifica grandes atos de violência com o comentário de admiração: 'pode ser cruel, mas é muito esperto'. O fator assustador no sucesso do totalitarismo é o verdadeiro altruísmo de seus aderentes..."[30]

Na verdade, movimentos de massa são os precursores necessários para a construção de revoluções e a queda de governos – no exemplo imediato, nossa república – por várias e concorrentes abordagens táticas. Mas como foi descrito anteriormente, existe uma comunalidade e uma metodologia essencial para essa contrarrevolução e transformação societal – a promoção do "coletivo" em que todos os revolucionários ou "ativistas sociais" serão absorvidos.

Sem que a maioria saiba, esse tema, chamado genericamente de "teoria do movimento social" entre acadêmicos, é amplamente analisado, debatido, ensinado e promovido pelo professorado nas universidades e faculdades da nação. Além disso, revolução e movimentos de massa são frequentemente romantizados e glamorizados como respostas justas e irrepreocháveis a uma sociedade opressora, desigual, injusta, racista e imoral. É claro, isso é de grande importância por causa do efeito que essa educação no *campus* universitário e na comunicação por meio de livros didáticos formais e artigos acadêmicos – que, muitas vezes, também assumem a forma de doutrinação e lavagem cerebral – têm nas ideias que saturam e envolvem não só estudantes, mas a cultura e a sociedade, e manifestam-se nas ruas, nas salas de reuniões corporativas, na política e nas redações de jornais dos Estados Unidos. Portanto, é necessário examinar brevemente exemplos dessa pedagogia.

Frontiers in Social Movement Theory (1992) é uma compilação desses ensaios de autoria de diversos ativistas sociais acadêmicos, muitos deles professores. Como vai ficar claro, esses acadêmicos construíram seus argumentos e proposições essencialmente para o ativismo social, e até revolução, baseados nos textos ideológicos de Rousseau, Hegel e Marx, e a maioria segue as características e a fórmula dos movimentos de massa descritos por mim, Benda, Hoffer.

O prefácio do livro resume sua premissa abrangente: "Esperamos que este volume ilumine algumas questões fundamentais relacionadas a um tópico importante, pois, como Lewis Coser [um proeminente socialista, sociólogo e defensor do conflito social] nos lembra... 'movimentos sociais são instrumentos para abolir, ou ao menos enfraquecer, estruturas de dominação política e social'. Ele também apontou que muita gente que participa de movimentos sociais o faz com grande sacrifício, porque "tiram o apoio não do aumento de satisfação presente, mas de perspectiva de longo prazo sustentada pela firme crença na chegada de uma sociedade que incorporará justiça e igualdade democrática, em vez do aqui e agora de exploração e negação de dignidade humana".[31]

Um dos ensaístas, Professor William A. Gamson da Boston College, enfatiza, como Rousseau, a importância da "identidade coletiva". Ele escreve, em parte, que "participação em movimentos sociais frequentemente implicam uma ampliação de identidade pessoal para os participantes e oferece gratificação e realização pessoal. Participação em movimentos por direitos civis, direitos das mulheres, e Nova Esquerda, por exemplo, foi frequentemente uma experiência transformadora, central para a autodefinição de muitos participantes em sua vida posterior".[32] "A construção de uma identidade coletiva é a tarefa mais central dos 'novos' movimentos sociais."[33]

MARXISMO AMERICANO

Identidade de grupo é necessária e fundamental ao sucesso do movimento. "Quando as pessoas associam seu destino ao destino de um grupo", argumenta Gamson, "sentem-se pessoalmente ameaçadas quando o grupo é ameaçado. Solidariedade e identidade coletiva operam para apagar a distinção entre interesse do indivíduo e do grupo, minando as premissas sobre as quais esses modelos utilitários operam."[34]

Gamson insiste em dizer que, para um movimento se mobilizar com eficiência, ele deve ser visto e, na verdade, deve se tornar a identidade pela qual o indivíduo se enxerga. "Identidade coletiva é um conceito no nível cultural, mas para funcionar em mobilização, os indivíduos devem torná-la parte de sua identidade pessoal. Solidariedade gira em torno de como os indivíduos se comprometem e comprometem os recursos que controlam com algum tipo de ator coletivo – uma organização ou rede de defesa. Adotar uma mentalidade de ação coletiva envolve incorporar um produto do sistema cultural – uma compreensão particular compartilhada do mundo – à consciência política dos indivíduos. Níveis individual e sociocultural são ligados por intermédio de atos de mobilização em encontros cara a cara."[35]

A professora assistente Debra Friedman e o professor Doug McAdam, então da Universidade do Arizona, declaram sem rodeios: "A identidade coletiva de organização de movimento social é uma designação abreviada que anuncia um *status* – um conjunto de atitudes, compromissos e regras de comportamento – que aqueles que assumem a identidade devem adotar".[36] Eles continuam: "Também é um anúncio individual de afiliação, de conexão com outras pessoas. Compartilhar de uma identidade coletiva é reconstituir o eu individual em torno de uma nova e valorizada identidade."[37]

Em resumo, portanto, o indivíduo é reinventado e refeito, condicionado e programado em um dedicado ativista social ou revolucionário preso inseparavelmente à causa por meio do movimento. "Em relação ao movimento social", escrevem Friedman e McAdam, "identidade coletiva refere-se àquela identidade ou ao *status* que se liga ao indivíduo em virtude de sua participação em atividades do movimento. Um dos mais poderosos motivadores da ação individual é o desejo de confirmar pelo comportamento uma identidade desejada. No caso de um movimento, a oportunidade para isso pode ser vista em um incentivo seletivo mais disponível para aqueles que são integrados a redes ativistas do que aos que não são. A integração a essas redes aumenta a probabilidade de o indivíduo valorizar a identidade de 'ativista' e escolher agir em concordância com ela."[38]

Além da identidade coletiva, as crenças coletivas do movimento devem ser incutidas no indivíduo. Professor Bert Klandemans da Universidade Livre da Holanda, afirma: "Crenças coletivas e a maneira como são formadas e transformadas são a essência da construção social de protesto; redes interpessoais submersas em campos multiorganizacionais são os condutores desse processo de construção de significado. Crenças coletivas são construídas e reconstruídas muitas vezes; no discurso público, durante a mobilização de consenso e no processo de elevação de consciência durante episódios de ação coletiva. As crenças coletivas são formadas e transformadas nas interações interpessoais, por isso tentar mudar a mente do indivíduo não seria muito eficiente para a transformação das crenças coletivas, a menos que o indivíduo seja influente em seu círculo interpessoal. Informação que chega é processada e ancorada em crenças coletivas existentes por meio de interação interpessoal. Só quando são capazes de dirigir essa interação, de forma que suas mensagens sejam ancoradas em crenças existentes, os atores podem transformar crenças coletivas. Assim, cada ator será capaz de mobilizar consenso com mais facilidade em alguns grupos e categorias do que em outros."[39]

MARXISMO AMERICANO

E tem a consciência de classe, incluindo identidade de classe e de grupo, como mais um meio para absorver o indivíduo no coletivo – isto é, o movimento de massa e revolução. Professor Aldon D. Morris da Northwestern University argumenta: "Estudos empíricos usando diversas metodologias e molduras conceituais demonstraram que consciência de classe se desenvolveu em várias sociedades e períodos históricos e afetou importantes revoluções e movimentos sociais. De fato, consciência de classe tem sido um dos determinantes-chave de mudança social e histórica".[40]

As observações de Morris refletem, de uma maneira significante, os ensinamentos de Marx no sentido de ver sociedade e cultura fraturadas em classes que estão em constante estado de competição e conflito. "Consciência de classe", ele escreve, "é importante exatamente por influenciar a própria natureza do conflito de classe e ajudar a determinar os tipos de estruturas sociais – sindicatos, partidos políticos, associações de trabalhadores – que serão construídas e afetarão o desfecho do conflito de classes."[41]

Consequentemente, grupos são dominados e oprimidos olhando para os preconceitos e as iniquidades históricos e estruturais da sociedade e da cultura, e o efeito de sua influência política. Morris declara que "interesses de grupo se tornam fundamentais porque sistemas de dominação não têm significado fora do acúmulo e da defesa desses interesses. A tarefa de identificar com precisão os grupos que se beneficiam de um sistema como esse é complexa, porque vários grupos se beneficiam, usualmente, embora de maneira desigual. Uma tarefa importante, portanto, é estabelecer as posições relativas de privilégio desfrutado por grupos hierarquicamente posicionados dentro de sistemas de dominação e mostrar como essas posições relativas afetam sua consciência política. Nessa abordagem, atenção acadêmica é dirigida para as persistentes divisões dentro de uma sociedade e as precondições estruturais (ameaças de violência, associação política, recursos econômicos como controle de empregos, e assim por diante) inerentes aos sistemas de dominação que permitem que certos grupos comandem. No mesmo sentido, a atenção é focada nas precondições estruturais (redes de comunicações, organização social formal e informal, disponibilidade de liderança, recursos financeiros e assim por diante) fundamentais ao eficiente e sustentado protesto de grupos oprimidos".[42]

Dadas as injustiças, os preconceitos e a iniquidade impostos por grupos dominantes da sociedade contra grupos oprimidos, os grupos oprimidos devem despertar para seu *status* inferior, tornar-se politicamente consciente e, então, se levantar em protesto e até em revolução contra a sociedade existente. Morris argumenta: "Minha abordagem dirige atenção à cultura – consciência política. Essa consciência também é analisada dentro do contexto de grandes divisões sociais e sistemas de dominação... Tanto o grupo dominante quanto o oprimido têm tradições antigas de consciência política. Consciência hegemônica está sempre presente, mas muitas vezes não é reconhecida por causa de sua habilidade de se disfarçar com sucesso como a mentalidade geral enquanto, ao mesmo tempo, protege os interesses de grupos dominantes. No entanto, protesto social efetivo informado por uma consciência de oposição madura permite que grupos desafiantes dispam as vestes de universalidade da consciência hegemônica, revelando suas características essenciais. Isso é exatamente o que o moderno movimento pelos direitos civis realizou no Sul, forçando a nação a decidir publicamente, sobre o palco do mundo, se continuaria a ser guiada pela flagrante ideologia da supremacia branca".[43]

O oprimido deve ser incentivado a se levantar e se unir em protesto e até em revolução. "Consciência de oposição", explica Morris, "muitas vezes está adormecida dentro das instituições, de estilos de vida e da cultura de grupos oprimidos. Membros desses grupos normalmente

MARXISMO AMERICANO

têm identidades coletivas básicas, ideias de injustiça e coisas do tipo, que são condutivas ao protesto social individual e coletivo."[44]

Morris defende que as sementes do protesto opositivo e da revolução já existem em comunidades oprimidas, o que torna possível o nascimento de novas e mais eficientes formas de ativismo coletivo. "Fenômenos culturais não são reduzíveis simplesmente a dinâmicas de organização e estruturais. Na verdade, variadas formas de consciência opositiva são importantes justamente porque conseguem sobreviver sob as mais adversas condições estruturais. Em muitos sentidos, comunidades oprimidas nutrem ideias opositivas durante intensos períodos de repressão, criando assim o espaço social e cultural para o surgimento de condições estruturais mais favoráveis condutivas à ação coletiva..."[45]

Além disso, muito se pode aprender a partir das experiências de protestos de oposição "prontos para o combate" bem-sucedidos – isto é, veteranos dos movimentos de protestos – que ajudam a espalhar e sustentar o ativismo. Morris escreve: "Consciência opositiva pronta para o combate pode ter um efeito independente sobre determinantes estruturais de ação coletiva. Uma vez que um exemplo de protesto bem-sucedido acontece... ele afeta a ação coletiva de duas maneiras: fornece aos ativistas que participaram diretamente uma compreensão de como aquilo aconteceu e por que funcionou, e atrai outros não participantes que querem internalizar essas lições de forma a transplantar o modelo para outras localidades, aumentando assim o volume de ação coletiva. Portanto, os dois conjuntos de atores se tornam trabalhadores culturais para o movimento incutindo ainda mais o conjunto de pontos de vista que antes estava adormecido dentro da consciência opositiva histórica, tornando-os relevantes para a cena contemporânea. Assim, esses pontos de vista se tornam as ideias definidoras sobre como iniciar e manter protestos sociais."[46]

No fim, essas discussões de identidade coletiva, crenças coletivas e consciência de classe, em apoio aos movimentos de massa, têm, deliberadamente ou não, uma formulação marxista, e formam a base não só para protestos pacíficos, para violência, tumultos e revolução – do tipo que temos visto em nossas cidades com coisas como Antifa, BLM e outros grupos radicais violentos. Na verdade, elas tentam fornecer o verniz de uma *expertise* ou abordagem acadêmica para a agitação societal, o ataque às instituições e à rebelião pura e simples.

Professores Frances Fox Piven e o falecido Richard A. Cloward escreveram menos sobre teoria do movimento social e, de maneira mais extensiva e aberta, em apoio aos levantes militantes. E foram mais diretos e detalhados que muitos outros em suas prescrições do uso do ativismo para desenvolver agitação, criar crises, destruir instituições e promover tumultos como coisas legítimas e necessárias para transformar a sociedade. Portanto, considerando seus trabalhos abrangentes e sua influência sobre estratégias revolucionárias radicais e até violentas, eles requerem uma exposição mais consistente aqui.

Em 1966, os professores escreveram o que é considerado por ativistas radicais um ensaio seminal na *Nation*, de extrema esquerda, intitulado "The Weight of the Poor: A Strategy to End Poverty" (O peso dos pobres: uma estratégia para acabar com a pobreza), focado em raça e pobreza. Eles declaram abertamente sua intenção: "Nosso objetivo é avançar uma estratégica que forneça a base para uma convergência de organizações de direitos civis, grupos militantes contra a pobreza e os pobres. Se essa estratégia fosse implementada, resultaria dela uma crise política que poderia levar à legislação de uma renda anual garantida, que acabaria com a pobreza."[47]

A dupla conduziu o argumento defendendo que auxílio social é um direito, que os pagamentos feitos a pessoas inseridas nesses programas são inferiores ao que elas têm direito, e que esforços para reduzir as folhas de pagamento dos programas sociais são um ataque ao bem-estar dos pobres e das minorias. Eles defendem que mais pessoas deveriam entrar no sistema, inundá-lo, na verdade, e os que estão no sistema deveriam exigir mais benefícios a que têm direito. Isso criaria uma importante crise social. Piven e Cloward escreveram que "existe uma vasta discrepância entre os benefícios a que as pessoas têm direito nos programas públicos de assistência social e os valores que elas realmente recebem. Essa defasagem não é reconhecida em uma sociedade que é totalmente orientada para indignar-se e tirar as pessoas das folhas de pagamento de programas sociais... Essa discrepância não é acidente que deriva de ineficácia burocrática; em vez disso, é uma característica integral do sistema de bem-estar social que, se desafiado, precipitaria uma profunda crise financeira e política. A força para esse desafio, e a estratégia que propomos, é uma ampla investida para recrutar os pobres para as folhas de pagamento do serviço social."[48]

Piven e Cloward também argumentaram que, em certos períodos passados, o Partido Democrata era a instituição política por meio da qual mudança radical era realizada como resultado de crises econômicas, e que esse partido deve novamente ser abordado e recrutado para esses propósitos. Além disso, as reformas também foram instituídas para construir e fortalecer uma nova coalização Democrata. "As reformas legislativas dos anos da Grande Depressão, por exemplo, foram impulsionadas nem tanto por interesses organizados exercidos por meio de regulares processos eleitorais, mas por crise econômica abrangente. Essa crise precipitou a perturbação das coalizações regionais que eram base para os partidos nacionais. Durante os realinhamentos de 1932, uma nova coalização Democrata foi formada, baseando-se em grupos da classe trabalhadora urbana. Uma vez no poder, a liderança Democrata nacional propôs e implementou as reformas econômicas do Novo Acordo. Embora essas medidas fossem uma resposta ao imperativo da crise econômica, os tipos de medidas adotadas foram criados para garantir e estabilizar a nova coalização Democrata."[49]

Para Piven e Cloward, revolução está associada, pelo menos em parte, às comunidades negras radicalizadas influenciando e ligadas ao Partido Democrata. "Diante de uma crise como essa, líderes políticos urbanos bem podem ser paralisados por um aparato do partido que os atrela a grupos constituintes mais antigos, mesmo que os números desses grupos estejam diminuindo. A liderança Democrata nacional, no entanto, está alerta para a importância do voto Negro urbano, especialmente em disputas nacionais em que a lealdade de outros grupos urbanos enfraquece. De fato, muitas reformas legislativas da Grande Sociedade podem ser entendidas como esforços, embora frágeis, para encorajar a lealdade de crescentes guetos eleitorais à Administração Democrata nacional."[50]

De fato, hoje a lealdade da comunidade negra ao Partido Democrata é esmagadora. E uma estratégia semelhante se desenvolve em relação às comunidades hispânica e asiática.

Em 1968, Piven e Cloward também escreveram sobre "Movimentos e Política de Dissenso", defendendo explicitamente que, entre outras coisas, "incendiarismo" e "agitações" são atos legítimos e necessários de movimentos de massa. Eles declararam que "pessoas pobres ganham principalmente quando se mobilizam em protestos perturbadores, pela razão óbvia de que não têm os recursos para exercer influência dos modos convencionais, como, por exemplo, formando organizações, fazendo petições, *lobby*, influenciando a mídia, comprando políticos. Quando falamos em protestos perturbadores, nos referimos a atos como incendiarismo, tumultos, paralisações em vias públicas e outras formas de desobediência civil, grandes aumentos de demandas por desagravamento fiscal, boicotes, greves-relâmpago, ou obstrução da produção em linhas de montagem."[51]

O objetivo é forçar o enfraquecimento do sistema ou, como eles chamam, do "regime", tornando-o vulnerável às exigências do movimento. "Agitação em massa, tanto o surgimento quanto o sucesso, está intimamente ligada à política eleitoral... Quando um regime é inseguro... é maior a probabilidade de ele negociar ativamente em troca de apoio, e pode, então, fazer apelos que sinalizam sua vulnerabilidade a demandas que vêm de baixo."[52]

"Movimentos sociais prosperam no conflito", escreveram Piven e Cloward. "Em oposição, a política eleitoral exige estratégias de consenso e coalizão. Movimentos têm o impacto que têm sobre a política eleitoral principalmente porque as questões que levantam e a luta que geram aumentam as diferenças entre os grupos de eleitores. Chamamos isso de 'política de dissenso' para diferenciá-la do processo habitual de construir influência eleitoral pelo recrutamento de aderentes e montar coalizões, ou o que poderia ser chamado de política de 'consenso'... Não é muito provável que os movimentos tenham grande impacto, a menos que condições econômicas e sociais já estejam corroendo lealdades e coalizões eleitorais estabelecidas. Mas também acontece que movimentos orientados para a mudança não tenham a probabilidade de aparecer, exceto durante períodos de instabilidade econômica e social."[53]

Se isso parece familiar, é porque é. Essa estratégia também foi amplamente usada nas ruas e na política dos Estados Unidos, com Antifa, BLM e outros grupos marxistas-anarquistas explorando tanto o início do colapso econômico provocado pelo coronavírus quanto a morte de George Floyd. Esses e outros grupos foram cruciais para fomentar as agitações violentas, principalmente, mas não exclusivamente nas cidades de interior, confrontos de militantes com a polícia, destruição de monumentos públicos e o ataque a um tribunal federal e à Casa Branca, ocupação de partes de cidade e ataque e ameaças contra cidadãos em restaurantes e outros locais públicos.

Piven e Cloward também enxergam oportunidade na transformação do Partido Democrata. "As descontinuidades entre experiência social e política eleitoral, que resultam de um sistema estático de partidos, bem podem criar o cenário para o realinhamento. E sinais de descontentamento eleitoral podem até promover algumas mudanças retóricas em apelos de campanha de importantes operativos do partido."[54] De fato, essa transformação aconteceu durante o último ciclo eleitoral, quando a liderança do partido Democrata relutou em criticar os movimentos revolucionários violentos e, aliás, depreciando frequentemente esforços para os controlar. Além disso, dentro do Partido Democrata existe uma crescente lealdade a esses movimentos e suas causas, como Piven e Cloward esperavam, que é refletido, em parte, pela retórica do partido e radicalização política, inclusive a agenda "única" Biden-Sanders de 110 páginas lançada durante a campanha[55] e a onda de ordens executivas e iniciativas legislativas. Além disso, existe claramente uma crescente radicalização dos membros eleitos do partido, inclusive os membros do chamado Squad – os representantes Alexandria Ocasio-Cortez, Ilhan Omar, Ayanna Pressley e Rashida Tlaib. Mas para Piven e Cloward, ainda mais é necessário, e o ritmo deve ser acelerado.

Os professores argumentam que o progresso dos movimentos de massa será sempre muito lento, pois o sistema americano é difícil de moldar em uma verdadeira força revolucionária. No entanto, haverá oportunidades para usar o sistema contra o sistema, e para criar tumulto interno e externo, exercendo pressão por mudança revolucionária. "Mesmo assim, no geral, líderes políticos se mantêm tímidos e conservadores, tentando suprimir o potencial para realinhamento reduzindo possíveis divisões com símbolos gerais e vagas promessas. Nessas condições confusas, eleitores descontentes podem ser tão pulverizados e ineficientes quanto todos os eleitores supostamente são na ausência de partidos."[56]

MARXISMO AMERICANO

Ativistas sociais devem estar preparados para abandonar os partidos políticos como outra maneira de exercer pressão sobre eles. "Da mesma forma que as pessoas precisam ser mobilizadas para apoiar partidos e os temas e candidatos que propõem", declaram, "também é preciso mobilizá-las para que os abandonem. Movimentos sociais são frequentemente os mobilizadores de desafeição. Em particular... movimentos sociais são politicamente eficientes justamente quando mobilizam desafeição eleitoral."[57]

Mesmo assim, a dupla proclama que o sistema de partidos é problemático no sentido de que até o partido perdedor conserva algum poder, atrapalhando ou retardando o progresso revolucionário. "Um sistema de governo fragmentado nos Estados Unidos significa que o partido de oposição normalmente continua controlando alguma parte do aparato governamental, e assim é, ele mesmo, limitado pela necessidade de manter uma maioria para promover consenso."[58] Consequentemente, existe uma necessidade por constante revolta para exercer pressão por mudança.

Piven e Cloward escrevem que, como partidos políticos buscam consenso, sempre haverá divisões e questões discordantes entre e em meio a grupos que devem ser explorados por ativistas sociais. "Para reconhecer o papel dos movimentos sociais na precipitação da convulsão e do realinhamento eleitoral, temos que prestar atenção à dinâmica distinta dos movimentos sociais que permitem que eles façam o que partidos políticos não fazem...[59] Movimentos sociais, inclusive os que não são particularmente perturbadores, podem fazer o que líderes partidários e candidatos ao gabinete em um sistema de dois partidos não farão: podem levantar questões profundamente discordantes. De fato, movimentos sociais prosperam no drama, na urgência e na solidariedade que resultam de levantar questões discordantes. Se conflito é mortal para a estratégia de um partido que tenta construir uma coalizão majoritária, é exatamente ele que faz crescer os movimentos sociais."[60] Daí, como vemos hoje, o surgimento de numerosos movimentos baseados em, por exemplo, raça, gênero, desigualdade de renda, justiça ambiental etc.

Novamente, quando as condições econômicas enfraquecem, provocando o mesmo efeito nas condições sociais, dizem que o sistema político está maduro para transformação. "Movimentos sociais tendem a emergir em momentos quando o próprio sistema eleitoral sinaliza o surgimento de novos conflitos em potencial. Sinais de maior volatilidade surgem na política eleitoral, normalmente associados a mudanças na economia ou na vida social que geram novos descontentes ou incentivam novas aspirações. A evidência de volatilidade do eleitor, por sua vez, pode levar líderes partidários a fazer o que costumam fazer, tentar manter unida sua coalização. Só que agora eles vão empregar retórica mais expansiva, reconhecendo ressentimentos entre seus constituintes que são normalmente ignorados ou citados e, portanto, talvez alimentando as aspirações que estão apenas começando a surgir. Até a ameaça de deserções que prejudicam uma maioria pode induzir líderes eleitorais a fazerem os pronunciamentos que contribuem para o clima de mudança e a possibilidade de nutrir movimentos."[61]

De fato, a pandemia do coronavírus e o fechamento da nossa economia, de escolas e atividades sociais, e os efeitos coletivos econômicos e psicológicos sobre nossa sociedade criaram um ambiente maduro para exploração. E essa exploração tem acontecido tanto nos corredores do poder, com ações legislativas e executivas de longo alcance, quanto nas ruas, onde a violência organizada está se tornando comum demais.

Tendo criado conflito e luta, os movimentos precisam controlar a narrativa. Piven e Cloward explicaram: "Políticos não são os únicos comunicadores. Os conflitos que movimentos geram muitas vezes garantem a eles considerável força comunicativa. Isso não é pouco. Normalmente, comunicação política é dominada por líderes políticos

MARXISMO AMERICANO

e pela mídia de massa que, juntos, definem os parâmetros do universo político, inclusive compreensões de que tipo de problemas devem ser devidamente considerados problemas políticos e que tipo de remédios estão disponíveis... É difícil disputar o monopólio da comunicação pública e política, pelo menos na ausência de movimentos.[62] Movimentos podem quebrar esse monopólio, pelo menos por um breve momento. Movimentos programam marchas e ataques, greves e ocupações, confrontos teatrais e, às vezes, violentos. A retórica inflamatória e as representações dramáticas de indignação coletiva associadas a essas táticas projetam novas definições de realidade social, ou definições de realidade social de novos grupos, em discurso público. Movimentos mudam compreensões não só do que é real, mas do que é possível e do que é justo. Como resultado, ressentimentos que são, de outra forma, aclimatados ou ofuscados tornam-se questões políticas."[63]

Por exemplo, o BLM conseguiu controlar a narrativa. Repetidas vezes, confrontos violentos com a polícia são descritos pela mídia como "protestos tranquilos, de maneira geral".[64] Saques são praticamente ignorados e certamente tolerados. Comandar a narrativa e criar divisões são ingredientes-chave para a expansão e o fortalecimento de mais movimentos revolucionários. "Movimentos levantam novas questões", escrevem Piven e Cloward, "e quando novas questões ocupam o centro do palco na política, o equilíbrio entre forças políticas muda de duas maneiras. Primeiro, levantando novas questões ou articulando questões latentes, os movimentos ativam grupos que, de outra forma, poderiam permanecer inativos. Segundo, novas questões provavelmente criam novas divisões, com consequências mais abrangentes para o equilíbrio entre forças concorrentes. Divisões são o que políticas eleitorais procuram evitar, mas são a chave para compreender o impacto dos movimentos sobre as políticas eleitorais e, em particular, para compreender por que os movimentos às vezes alcançam vitórias."[65]

Além disso, até agora, políticos moderados ou relutantes podem ser pressionados para acomodar e acolher movimentos radicais, se sua sobrevivência política estiver em jogo. Os professores explicaram que "movimentos arrancam concessões de líderes políticos relutantes quando concessões são vistas como um meio de evitar ameaças de desafeições, ou de segurar [*sic*] o fluxo de deserções já em andamento, ou, às vezes, quando concessões são vistas como um meio de reconstruir uma coalização já fragmentada pelo aumento ou solidificação do apoio de um lado da linha divisória".[66]

Recentemente, Piven voltou à revista *Nation* para falar especificamente em "deter Trump", que ela e a grande maioria da academia odeiam, é claro. Em seu artigo de 2017, intitulado "Throw Sand in the Gears of Everything" (Jogar areia nas engrenagens de tudo), Piven escreveu, em parte: "O que faz dos movimentos uma força – quando eles são uma força – é o desenvolvimento de um poder distinto que surge da capacidade de pessoas furiosas e indignadas de, às vezes, desafiar as regras que normalmente garantem sua cooperação e aquiescência. Os movimentos podem mobilizar as pessoas a se recusarem, desobedecerem, realmente entrarem em greve. Em outras palavras, pessoas em ação, em movimentos, podem jogar areia nas engrenagens das instituições que dependem de sua cooperação. Portanto, os movimentos precisam de números, mas também precisam de uma estratégia que mapeie o impacto de sua oposição e das consequentes perturbações impostas à autoridade dos tomadores de decisão".[67] "Ao bloquear ou sabotar as iniciativas políticas do regime, movimentos de resistência podem criar ou aprofundar divisões eleitorais ou de elite."[68]

Mais uma vez, formar e ativar uma turba violenta, criar fissuras societais, atacar distinções raciais e econômicas, minar a vida cívica e associações sociais etc. Em outras palavras, usar a liberdade assegurada pela Constituição para atacar aquilo que a Constituição tem a intenção

MARXISMO AMERICANO

de proteger. Piven afirma que as grandes cidades com seus prefeitos esquerdistas estão particularmente prontas para a inquietação. De fato, eventos aconteceram como Piven incentivou, com seguidores da Antifa e do BLM, entre outros, criando agitação e os prefeitos esquerdistas Democratas que administram essas cidades tolerando a maior parte deles. Piven declarou: "A repercussão dessas recusas em massa podem ter longo alcance, simplesmente porque a vida social depende de sistemas de complexa cooperação. Como nosso sistema de governo. Talvez o governo dos Estados Unidos, com sua famosa separação de poderes no nível nacional e sua estrutura federal decentralizada seja especialmente vulnerável ao desafio coletivo... As grandes cidades, onde vive a maioria da população, não foram capturadas [pela 'direita']. Prefeitos de esquerda comandam cidades como Nova York, Los Angeles, Boston, Seattle e San Francisco, por exemplo. E isso pode nutrir movimentos urbanos de resistência."[69]

Mais recentemente, como que liderando um movimento de resistência contra o Presidente Trump e seus apoiadores, essa cidadã-sênior revolucionária afirmou que ação em massa devia começar imediatamente contra eles: "Movimentos de resistência são duros: eles devem mobilizar ação desafiadora coletiva contra probabilidades que parecem formidáveis, e correm o risco de provocar duras represálias. Além disso, frequentemente operam no escuro, sem conhecer os pontos fracos do regime que enfrentam ou as forças entre seus aliados. Isso descreve nossa situação: não sabemos muito sobre as possíveis fissuras entre esses grupos e indivíduos que Trump está convidando para ingressar no governo nacional... Mas sabemos alguma coisa sobre os perigos políticos de uma administração Trump com liberdade para avançar sem resistência em massa."[70]

Como se falasse para Piven e literalmente centenas de revolucionários de mentalidade semelhante povoando nossas instalações universitárias, o falecido filósofo e professor Allan Bloom escreveu em seu livro de 1987, *The Closing of American Mind*, que "todo sistema educacional tem um objetivo moral que tenta alcançar, e que informa seu currículo. Ele quer produzir um certo tipo de ser humano. Essa intenção é mais ou menos explícita, mais ou menos um resultado de reflexão; mas até os assuntos neutros, como leitura, redação e matemática, ocupam seu lugar em uma visão da pessoa educada... Educação democrata... quer e precisa produzir homens e mulher [que sejam] apoiadores de um regime democrático".[71] Bloom avisou que "temos uma cultura na qual enraizar a educação, mas começamos a miná-la. O idealismo da fundação americana tem sido explicado como mítico, motivado por egoísmo e racista. E assim nossa cultura tem sido desvalorizada".[72] "Ninguém acredita que os velhos livros contenham, ou mesmo que poderiam conter a verdade... Tradição se tornou supérflua."[73]

De fato, as faculdades e universidades americanas transformaram suas salas em criadouros de resistência, rebelião e revolução contra a sociedade americana, bem como em receptores de doutrinação e propaganda marxista ou semelhante à marxista. A liberdade acadêmica existe, antes e acima de tudo, para os professores militantes, e a concorrência de ideias é um conceito fraco do que a educação superior era ou deveria ser. Mas marxismo não tem a ver com discurso livre e debate, tem a ver com dominação, repressão, doutrinação, conformidade e obediência. A sociedade e a cultura existentes e os que nelas prosperam (intelectualmente, espiritualmente e economicamente), bem como os que a defendem, devem ser denunciados e difamados. Desilusão com o *status quo* é a chave. O marxismo apresenta uma "nova fé", digamos, que promete uma sociedade nova e melhor, pela qual uma paixão, senão uma obsessão, é incutida nas gerações futuras – apesar de seu rastro de morte em massa, escravidão e empobrecimento.

CAPÍTULO TRÊS

ODEIA A AMÉRICA, LTDA.

Os intelectuais progressistas do fim dos anos de 1800 e início dos anos de 1900 construíram a base para a atual aceitação e doutrinação da ideologia marxista na academia, na sociedade e na cultura. Eles deixaram claro sua hostilidade com o capitalismo e o sistema republicano constitucional que estabelecia barreiras contra tiranias de vários tipos, inclusive a que nasce da autocracia centralizada ou da turba – e, é claro, o que se tornaria conhecido como progressismo. Eles entendiam que o cidadão geralmente não era receptivo a seus objetivos estranhos. Portanto, desenvolveram uma longa campanha para educar, ou melhor dizendo, reeducar e doutrinar futuros exércitos de radicais e revolucionários, como estudantes e defensores de estudantes, por meio de escolas públicas e instituições de ensino superior.

Os primeiros intelectuais progressistas eram simpáticos à ideologia marxista, como são hoje, e até acatavam seus temas centrais. E eles adotaram, mais ou menos, a abordagem rousseauniana da doutrinação educacional – isto é, enquanto defendiam que o estudante deveria ser livre para aprender o que interessa a ele e o motiva como indivíduo, na verdade o instrutor deveria manipular com astúcia o que interessa ao estudante e o motiva. Porque a proposta final da educação pública é submeter a vontade do indivíduo à vontade geral. Por isso o progressista fala frequentemente em nome dos desejos e das vontades do indivíduo, mas só no sentido ou contexto do "bem maior" e "dos interesses da comunidade".

Mais recentemente, mas há mais de três décadas, em um artigo pouco lembrado sobre a influência marxista nas faculdades e universidades americanas, a redatora de educação do *New York Times*, Felicity Barringer, escreveu "The Mainstreaming of Marxism in U.S. Colleges" (A integração do marxismo nas faculdades dos Estados Unidos). Em 29 de outubro de 1989, ela revelou, em parte, que "enquanto herdeiros de Karl Marx em nações comunistas se esforçam para transformar seu legado político, seus herdeiros intelectuais nos *campi* americanos praticamente completaram sua transformação de excluídos sitiados e impertinentes a assimilados integrantes acadêmicos. Essa poderia ser considerada uma história de sucesso para os estudantes da classe menos privilegiada, que já foram vistos como subversivos. Mas alguns acadêmicos dizem que, como os marxistas se adaptaram, seus laços com o filósofo alemão do século 19 fragmentaram-se em um tricô frouxo que junta teorias que pouco têm em comum. E na década passada, enquanto a prosperidade das economias ocidentais tornou o marxismo irrelevante para muitos, novas teorias radicais rivais surgiram para desafiar os próprios marxistas."[1]

Portanto, houve uma adaptação americanizada do marxismo, que usa os preceitos centrais de Marx e os contextualiza no sistema americano, a fim de derrubar efetivamente o sistema – governamental, econômico, social e cultural. De fato, o relatório segue: "Marxismo e feminismo, marxismo e desconstrução, marxismo e raça – é aí que estão os debates empolgantes", disse Jonathan M. Wiener, professor de História na Universidade da Califórnia em Irvine."[2] De fato, em 1989, na época da publicação desse artigo, as sementes de uma ideologia que beirava o radicalismo, a Teoria Crítica, que discuto de maneira mais ampla em um capítulo subsequente, e o desemaranhar da sociedade existente, pelo uso da cultura como arma contra ela mesma, começou seu desabrochar por toda a paisagem americana, mas com pouca atenção pública.

De fato, Barringer expõe de maneira desavisada o que se tornaria um princípio central da Teoria Crítica da Raça e outras adaptações do marxismo ao americanismo – isto é, o ataque à história, às instituições e tradições americanas ou à "cultura branca dominante", inclusive por seu empregador e *publisher*, o *New York Times*, em esquemas como o Projeto 1619. Ela escreveu: "Desconstrucionistas negam que se possa entender qualquer experiência do passado porque a evidência de qualquer conclusão deriva das observações das pessoas, muitas delas em um texto. Desconstrucionistas sustentam que textos são apenas histórias contadas por pessoas que excluem o que não consideram importante, e que tais omissões impedem a história escrita de se tornar evidência confiável da realidade".[3] Portanto, a guerra contra o ensino tradicional de História começa sua metástase através da academia.

Nas faculdades e universidades americanas, não há limite para como professores podem usar e usam o marxismo como instrumento doutrinador. Barringer explicou: "Diversidade é hoje a assinatura do antes monolítico marxismo. A Professora [Gayatri] Spivak, [que leciona]... inglês na Universidade de Pittsburgh, se diz uma feminista marxista, o Professor [John] Roemer, professor de Economia na Universidade da Califórnia em Davis, projeta economias marxistas orientadas para o mercado, e Erik Olin Wright, professor de Sociologia na Universidade de Wisconsin, se diz um marxista analítico e tenta fragmentar a grande teoria de Marx em seus componentes".[4]

Embora a exposição de Barringer seja muito precisa, e as consequências das aplicações multifacetadas do marxismo manifestem-se hoje por toda América moderna, os marxistas "excluídos" ainda existem e são cada vez mais numerosos no *campus* e na sociedade, na cultura e no governo.

MARXISMO AMERICANO

Além disso, os primeiros progressistas entenderam que precisavam institucionalizar seu ativismo educacional controlando, entre outras coisas, a administração da educação e a sala de aula por meio de uma legião de professores contratados e sindicalizados, e instrutores de pensamento semelhante armados de um currículo ideologicamente direcionado ("ativismo social") povoam todos os níveis das instituições educacionais e muitas vezes escolhem seus sucessores, e são protegidos de investigação e concorrência. Por esses e outros motivos, eles se opõem terminantemente às provas padronizadas, às avaliações de professores baseadas em mérito, escolha da escola, e coisas do tipo. Afinal, seu objetivo é eliminar abordagens educacionais tradicionais, pré-progressistas, e abrir caminho para as abordagens ideologicamente baseadas no progressismo de orientação marxista.

Vale a pena lembrar também que os primeiros progressistas, como seus herdeiros modernos, são filhos intelectuais de Rousseau, Hegel e Marx. Compartilham a visão ampla de que o indivíduo deve ser subjugado pela comunidade maior. Herbert Croly (1869-1930), um líder progressista mentor e fundador da *New Republic*, explicou em seu livro de 1909, *The Promise of American Life*, que "o futuro melhor que os americanos propõem construir não é mais que uma ideia que deve, em certos aspectos essenciais, libertá-los de seu passado. A história americana contém muito material digno de orgulho e congratulação, e muito material digno de pesar e humilhação... [Americanos] devem estar preparados para sacrificar essa visão tradicional, até o jeito tradicional americano de realizá-la".[5] Consequentemente, Croly denuncia o passado da América e insiste para que não apenas seja rejeitado, mas para que o povo americano aprenda a rejeitá-lo. Em outras palavras, como Marx pregava, o cidadão deve condenar e banir a própria história para que haja progresso individual e social. É claro, essa atitude agora está enraizada na academia e transbordou para boa parte de nossa cultura.

Croly continuou: "É o individualismo econômico de nosso sistema nacional existente que inflige o mais sério dano à individualidade americana; e a realização individual americana na política, na ciência e nas artes permanecerá parcialmente empobrecida enquanto nossos compatriotas negligenciarem ou se recusarem sistematicamente a regular a distribuição de riqueza pelo interesse nacional... Americanos sempre associaram liberdade individual com o desfrute ilimitado de todas as oportunidades econômicas disponíveis pelo povo. No entanto, seria muito mais verdadeiro dizer que desfrutar de oportunidades econômicas praticamente irrestritas é o que cria a escravidão individual..."[6]

É claro, esse é um tema central de Rousseau, Hegel e Marx – isto é, o indivíduo deve sacrificar sua independência, sua livre vontade e pretensões pessoais pelo bem maior, e dessa maneira não só se tornará mais satisfeito e realizado, mas toda a comunidade também se beneficiará. Na América, capitalismo e constitucionalismo são muralhas contra o marxismo e o progressismo e, portanto, devem ser desacreditados e, no fim, demolidos. Para o progressista, como o marxista, poder econômico e político deve estar nas mesmas mãos, nas mãos de relativamente poucos que comandam o Estado.

No entanto, muito trabalho de base deve ser feito para criar ampla aquiescência ou aceitação a essa transformação estranham em que os reis dos filósofos e mentores intelectuais desmontam e, portanto, refazem a sociedade. A solução: doutrinar "as massas", que foram ensinadas a respeitar e reverenciar os ideais de tradição, costume, fé e patriotismo, para que abandonem suas crenças supostamente obsoletas pela promessa de uma utopia organizada, coletiva. Mudar o povo para acomodar e, no fim, apoiar um governo autocrata que alega poder administrar a vida das pessoas melhor que elas. Isso necessita da transformação e de apoderar-se da cultura e das instrumentalidades governantes.

MARXISMO AMERICANO

Croly escreveu que "não se pode afirmar que a maioria dos milhões de insuficientemente educados não é capaz de ter uma educação tão boa quanto os milhares para quem ciência [o estado administrativo centralizado comandado por mentores "especialistas"] passa a ter um significado real. A sociedade só os privou de uma oportunidade. Pode haver algumas boas razões para essa negligência por parte da sociedade; mas enquanto ela existir, deve ser reconhecida como uma boa razão em si mesma para a impopularidade dos especialistas. A melhor maneira de popularizar [progressismo], e de capacitar a democracia para considerar agentes altamente educados como representantes é popularizar a educação superior. Uma administração de especialistas não pode ser suficientemente representativa até que passe a representar um eleitorado mais bem-educado".[7]

Isso explica, em parte, a pressão do Partido Democrata por educação superior gratuita para todos, ou o cancelamento de empréstimos estudantis para incentivar maior frequência nas faculdades e universidades. O objetivo tem menos a ver com ensinar a educação liberal clássica ou ciência, tecnologia, engenharia e matemática para um maior número de estudantes, e mais com fazer exatamente o que Croly sugeriu – doutrinar tantos jovens quanto for possível para apoiarem seu dogma radical.

Além disso, embora tenha havido um aumento no número de jovens que se formaram em cursos universitários de quatro anos (menos de 6% em 1940)[8], apenas um terço da população adulta atual realmente se forma em um curso universitário de quatro anos.[9] Portanto, é necessário começar o processo de doutrinação desde cedo. Daí o aumento do trabalho e dos livros didáticos ideologicamente orientados em escolas públicas primárias e secundárias. Isso também explica a guerra contra a verdadeira liberdade acadêmica e a livre expressão no *campus*, por meio de intimidação e até violência contra aqueles que ensinam, escrevem ou falam bem do americanismo, ou apenas desafiam, ou não se conformam com a ortodoxia centrada no marxismo.

Ainda mais prolífico e proeminente que Croly, John Dewey (1859-1952) teve um papel na drástica transformação dos propósitos tradicionais da educação em movimento de ativismo social que se manifesta hoje na educação. Dewey reconheceu e aprovou a influência do marxismo no movimento progressista e seu relacionamento com ele: "A questão que Marx levantou – a relação da estrutura econômica com a política – persiste ativamente. De fato, ela forma a única base das atuais questões políticas... Estamos à beira de algum tipo de socialismo, dê a ele o nome que quiser, e o nome não vai ter importância quando ele for concretizado. Determinismo econômico [a teoria de Marx da luta econômica de classes entre, por exemplo, o capitalista e o proletário] é agora um fato, não uma teoria. Mas existe uma diferença e uma escolha entre um determinismo cego, caótico e não planejado, derivado de negócios conduzidos por lucro pecuniário, e a determinação de um acontecimento socialmente planejado e organizado. É a diferença e a escolha entre um socialismo que é público e outro que é capitalista".[10]

Mas não existe "determinismo econômico" quando os indivíduos são livres para perseguir seus objetivos e sonhos. "Dificuldade econômica" é um falso rótulo atribuído a trabalho duro, concorrência, livre vontade, responsabilidade pessoal e lições de vida – o exercício da livre vontade, de motivações pessoais, a satisfação de necessidades e desejos individuais, a criação e busca de oportunidades, responsabilidade pessoal etc. Isto é, os anseios e complexidades de cada ser humano. E nesse contexto, liberdade individual e capitalismo andam de mãos dadas. Portanto, o capitalismo deve ser caluniado e, em última análise, eviscerado, para que o indivíduo aceite e se conforme com as demandas dos poucos em nome dos muitos. Daí o clamor de Dewey por um "socialismo" público, de cima para baixo, administrado pelo governo, em vez de um socialismo bagunçado que rasteje lentamente para o interior da economia capitalista.

É claro, capitalismo é uma forma espontânea de comércio que surge do ingresso voluntário de indivíduos em relações econômicas. Não é um sistema econômico planejado imposto ao povo por um regime de governo. Para Dewey et al., esse é o problema. Autoridade, engenharia social, planos grandiosos etc., tudo isso só pode "funcionar" se for imposto à população, o que requer usurpar a própria fundação do propósito dos Estados Unidos. Constitucionalismo e capitalismo limitam o papel ou a possibilidade de um autoritarismo centralizado e, opostamente, fortalecem o individual na sociedade civil. Dessa forma, são inteiramente incompatíveis com o marxismo e sua cria – o progressismo, que pretende a mais ampla latitude sobre o desenvolvimento e o estado futuro de uma sociedade. O partido controla o governo e o governo controla a sociedade. Há pouco espaço para diversidade filosófica ou política.

Nos tempos recentes, isso tem sido demonstrado por ameaças dos mais altos níveis do Partido Democrata contra a independência do judiciário, lotando os tribunais com ideólogos progressistas; instituindo permanentemente uma maioria do Partido Democrata no Senado expandindo os números da câmara com membros adicionais das fortalezas do Partido Democrata; eliminando a regra de obstrução do Senado a fim de impor, sem debate ou desafio efetivo, legislação progressista de longo alcance; e nacionalizando o sistema eleitoral de maneira a garantir controle permanente do Partido Democrata sobre as partes eleitas do nosso governo. Juntas, essas políticas enfraqueceriam, desuniriam e marginalizariam dezenas de milhões de cidadãos de áreas mais conservadoras e Republicanas do país de qualquer papel na governança da nação. Republicanismo e governo representativo estariam efetivamente mortos.

Isso é ainda mais evidenciado com a inundação de planos anti-capitalistas e mortais para o mercado dos infinitos programas do tipo socialista, centrados no governo promovidos pelo Partido Democrata, que se enquadram na nomenclatura recém-criada do "Green New Deal" (novo acordo verde) e a guerra contra a "mudança climática criada pelo homem", que discuto em um capítulo posterior. Esses planos são tão abrangentes, que o princípio dos direitos à propriedade privada seria extirpado – de novo, em nome do bem maior e da comunidade.

Além disso, desde a instituição do imposto federal sobre a renda há mais de um século, no nascimento do progressismo americano, a redistribuição da riqueza por meio de uma pesada taxação sobre mão de obra, renda e riqueza, apoiada pela propaganda política da guerra de classes tipicamente marxista, é um objetivo central do Partido Democrata. Infelizmente, ele hoje faz sentido para uma porção significativa da população. De fato, sob o pretexto da pandemia do coronavírus, o Partido Democrata tem expandido em larga escala o escopo e o alcance do estado social, não só direcionando trilhões de dólares para apoiar sua base política e ideológica, mas também enredando um número cada vez maior de indivíduos com subsídios do governo e pagamento de auxílios.

A transformação educacional levou, em muitos sentidos, à transformação social pretendida pelos primeiros intelectuais progressistas. Dewey condenava o sistema educacional de seu tempo e insistia em sua conversão em um moinho de pensamento progressista. Embora ele tentasse descrever suas intenções como um treinamento para ensinar os estudantes a pensar, como Sócrates, na verdade sua ambição era o oposto: doutrinar crianças, como Rousseau esperava e Marx exigiu. Também existe uma semelhança com *A República*, a versão de Platão de uma sociedade utópica, que era nada mais que uma forma de tirania organizada. Como Dewey escreveu: "O aluno aprende símbolos sem a chave para seu significado. Ele adquiriu um corpo técnico de informação sem a capacidade de traçar suas ligações com os objetos e operações que conhece – muitas vezes, ele adquire apenas um vocabulário peculiar. Há uma forte tentação de presumir que apresentar o tema da matéria em sua forma aperfeiçoada proporciona uma estrada real para o aprendizado. O que é mais natural que supor que o imaturo pode ter tempo e energia poupados e ser protegido do erro desnecessário começando onde competentes investigações pararam? O resultado está gravado na história da educação. Os alunos começam a estudar Ciências com livros em que o tema é organizado em tópicos de acordo com a ordem do especialista. Conceitos técnicos, com suas definições, são introduzidos no início. Leis são introduzidas bem cedo, na melhor das hipóteses com algumas poucas indicações do caminho pelo qual se chegou nelas. Os alunos aprendem uma "ciência", em vez de aprender o jeito científico de tratar material conhecido de experiência comum. O método do estudante avançado domina a didática na faculdade: a abordagem da faculdade é transferida para o ensino médio, e assim escala abaixo, com tantas omissões quantas puderem tornar o assunto mais fácil..."[11]

Portanto, Dewey argumentou, como Marx fez, que a juventude da nação devia ser libertada de maneiras, valores, sistemas de crenças, tradições, costumes e coisas do tipo existentes, por meio da educação pública, e preparada para outro tipo de programação. E por que não? A sala de aula proporciona uma plateia cativa de milhões de crianças, um cenário perfeito para a doutrinação orientada para o marxismo. Dewey, como seus pares intelectuais, descreveu tudo isso como aplicar "ciência" e "razão". Como Dewey escreveu: "Sob a influência das condições criadas pela não existência de ciência experimental, experiência foi contraposta em todas as filosofias governantes do passado a razão e ao realmente racional. Conhecimento empírico significava o conhecimento acumulado por uma variedade de instâncias passadas sem conhecimento inteligente dos princípios contidos nele... Ciência é experiência que se torna racional. O efeito da ciência é, portanto, mudar a ideia dos homens da natureza e inerentes possibilidades de experiência... Ela busca libertar uma experiência de tudo que é puramente pessoal e estritamente imediato; procura destacar o que ela tem em comum com o tema de outras experiências, e que, sendo comum, pode ser guardada para uso posterior... Do ponto de vista da ciência, esse material é acidental, enquanto as características que são amplamente compartilhadas são essenciais... Ao emancipar uma ideia do contexto específico em que ela foi originada e dar a ela uma referência mais ampla, os resultados da experiência de qualquer indivíduo são postos à disposição de todos os homens. Assim, em última análise e filosoficamente, ciência é o órgão do progresso social geral".[12]

Em outras palavras, Dewey procura abandonar o que é e o que foi, por uma ideologia disfarçada de ciência e razão. É claro, a arrogância dos progressistas, como a dos marxistas, é ilimitada, esperada daqueles que nos governariam. Dito isso, para ser claro, pessoas de tradição, fé e costume não rejeitam ciência ou razão, mas também não as idolatram. Elas aprenderam e experimentaram o valor das verdades eternas e da sabedoria passada, inclusive dos antigos, que refletem a base da fundação dos Estados Unidos, como declarado de maneira concisa na Declaração da Independência.

Como Rousseau, Dewey propôs sua abordagem educacional como um conjunto que abriria a mente do estudante e insistiria em obediência; ou, mais precisamente, abriria a mente para render-se a doutrinação e conformidade. Como Dewey declarou: "A conclusão fundamental é que a escola deve ser transformada em uma instituição social vital muito além do que se tem no presente... Interesse no bem-estar social da comunidade, um interesse que é intelectual e prático, bem como emocional – um interesse, digamos, em perceber tudo que leva a ordem social e progresso, e levar esses princípios à execução – é o hábito ético final ao qual todos os hábitos escolares especiais devem estar relacionados."[13]

Não é surpreendente que Dewey fosse fã da União Soviética e seu "sistema educacional" – ou, mais precisamente, seus esforços de propaganda nos quais obediência e conformidade eram distorcidas como uma nova unidade. Ele visitou o regime comunista e, em dezembro de 1928, escreveu na *New Republic* que "no estado 'transicional' da Rússia (é claro, regimes comunistas estão sempre em 'estados transicionais') o principal significado se associa à mudança mental e moral (segue os marxianos) que está acontecendo; isso enquanto, no fim, essa transformação deve ser um meio para mudança econômica e política, porque o presente é o contrário. Isso equivale a dizer que a importância de todas as instituições é educacional no sentido amplo – o de seus efeitos sobre disposição e atitude. A função delas é criar hábitos de forma que as pessoas ajam de maneira cooperativa e coletiva tão prontamente quanto agem agora de maneira individualista nos países capitalistas".[14]

Então, aqui está um dos pais fundadores do movimento progressista da América, que discursou sobre "ciência e razão", elogiando a lavagem cerebral imposta à população russa pelo regime brutal do ditador comunista Joseph Stalin. E lembre-se, Dewey permanece no centro do pensamento progressista na academia, na mídia e em todos os outros lugares.

Dewey continuou: "A mesma consideração define a importância e o propósito das agências educativas menores, as escolas. Elas representam um esforço direto e concentrado para obter o efeito que outras instituições desenvolvem de maneira difusa e rotunda. As escolas são, na fase atual, o 'braço ideológico da Revolução'. Consequentemente, as atividades das escolas se encaixam da maneira mais extraordinária, tanto na administração e organização quanto em objetivo e espírito, em todas as outras agências e interesses sociais".[15]

Ah, "a revolução". O objetivo é controlar as escolas e o currículo, controlar os professores e a sala de aula, e assim, com o tempo, controlar a mente e o coração da população. Não é esse o estado de coisas que vemos na educação nos Estados Unidos hoje em dia? E como veremos mais adiante, a radicalização da cultura por intermédio da educação e da propaganda da mídia com ideologias radicais, baseadas no marxismo, como a Teoria Crítica.

"Durante o regime de transição", escreveu Dewey, "a escola não pode contar com a educação maior para criar de nenhuma maneira única e honesta a necessária mentalidade coletiva e cooperativa. Os costumes tradicionais e as instituições do camponês, seus pequenos terrenos, seu sistema agrícola de três campos, a influência do lar e da Igreja, tudo trabalha automaticamente para criar nele uma ideologia individualista. Apesar da inclinação maior do trabalhador urbano em direção ao coletivismo, até seu ambiente social trabalha em sentido contrário, em muitos aspectos. Daí a grande tarefa da escola ser contra-atacar e transformar essas tendências domésticas e de vizinhança que ainda são tão fortes, mesmo em um regime nominalmente coletivista".[16]

Essa é uma proclamação extraordinária direta de Dewey sobre o que devem ser as escolas públicas e, de fato, agora se tornaram. "A necessária mentalidade coletiva e cooperativa?" Marx teria ficado orgulhoso de seus descendentes progressistas. De fato, é assustador que Dewey tenha apontado especificamente os camponeses como um obstáculo à utopia coletiva. Em 1932, cerca de quatro anos depois da publicação do artigo de Dewey, Stalin escolheu a população ucraniana, especificamente os camponeses, para a extinção através de uma campanha de fome cruel e massiva, porque eles não cediam seus "pequenos terrenos" ao regime comunista e não cediam à agenda coletivista de Stalin. Milhões perderam a vida. Na verdade, em um esforço para proteger as ideias declaradas e os supostos princípios por trás da Revolução Russa, entre eles libertar o povo, promover igualdade e instituir justiça, o *New York Times*, um dos jornais mais influentes dos Estados Unidos, foi instrumento de propaganda para o início do regime de Stalin e ajudou a encobrir o genocídio e as atrocidades contra os ucranianos.[17]

Mais uma vez, não podia ser mais claro que os fundamentos do moderno movimento progressista foram paridos pelo útero marxista. O elo é indiscutível. É claro, todas as encarnações marxistas, como praticadas e onde impostas, não precisam ser idênticas em todos os aspectos e, de fato, diferem. Mas as mesmas crenças centrais e os argumentos verbalizados estão, de maneira inconfundível, entre os progressistas da América. E o resultado, um processo de décadas de doutrinação e manipulação progressista, na cultura e no governo, exerceram seu efeito. Em vez de aprender lealdade à base e aos ideais da nação e celebrar uma sociedade livre e civil, sucessivas gerações de estudantes são ensinadas a desdenhar do próprio país, de sua história e de sua fundação, e incentivados a renunciar a ele.

Muitos pais que mandam seus filhos para as escolas administradas pelo governo, ou mais tarde apoiam voluntariamente a ida dos filhos para escolas de aprendizado superior, na esperança de que ampliem suas futuras oportunidades de emprego na sociedade pós-educação, muitas vezes se chocam ao ver a transformação dos filhos, que passam do que foram criados para acreditar como parte de uma família, para o que foram doutrinados a acreditar como parte de um esforço de doutrinação e movimento ideológico.

Quando o progressivo controle sobre educação, cultura e sociedade começou a se impor em 1948, o professor da Universidade de Chicago Richard M. Weaver, em seu livro *Ideas Have Consequences*, avisou que a educação e a sociedade civil estavam ruindo. Ele escreveu: "Certamente temos motivos para dizer sobre nosso tempo: Se você procura o monumento à nossa loucura, olhe para si mesmo".[18] Ele condenou o que via corretamente como a rejeição das antigas verdades e fé, resultando em desumanidade inimaginável. "Em nosso tempo", Weaver explicou, vimos cidades obliteradas e fés antigas atacadas. Podemos perguntar, nas palavras de Mateus, se não estamos diante de 'grande tribulação, como não se via desde o início do mundo'. Por muitos anos, seguimos com a confiança de que o homem tinha conquistado uma posição de independência que tornaria desnecessárias as antigas restrições. Agora, na primeira metade do século vinte, no auge do progresso moderno, vemos explosões sem precedentes de ódio e violência; vimos nações inteiras arrasadas por guerra e transformadas em campos penais por seus conquistadores; vemos metade da humanidade considerando a outra metade como criminosa. Em todos os lugares ocorrem sintomas de psicose em massa. Mais grave que tudo, parece haver bases divergentes de valores, de forma que nosso globo planetário único é motivo de chacota para mundos de diferente compreensão. Esses sinais de desintegração despertam medo, e o medo leva a desesperados esforços unilaterais pela sobrevivência, o que só acelera o processo."[19]

Weaver explicou que "religião começa a assumir uma dignidade ambígua, e a questão sobre se ela pode resistir em um mundo de racionalismo e ciência precisa ser encarada". Nasce "a anomalia de uma religião 'humanizada'".[20] Realmente, a humanidade agora será definida por seu ambiente e, em particular, pelo materialismo – o princípio de base por trás do marxismo, também conhecido como historicismo material. "O materialismo pairava... no horizonte, porque era implícito no que já havia sido delimitado. Portanto, logo tornou-se imperativo explicar o homem por seu ambiente... Se o homem chegou a este século deixando rastros de nuvens de glória transcendental, ele agora era relatado de um jeito que satisfaria os positivistas."[21] Isto é, por aqueles intelectuais que rejeitam verdades eternas e experiências através de eras em prol da engenharia social de supostos especialistas e seu estado administrativo

– que alegam usar dados, ciência e empirismo para analisar, administrar e controlar a sociedade.

Weaver também fez referência a Charles Darwin e sua teoria da evolução, escrevendo que "necessidade biológica, que resulta na sobrevivência do mais forte, foi oferecida como a *causa causans* [a causa primária de ação] depois de a importante questão sobre a origem humana ter sido decidida em favor do materialismo científico. Depois de ter sido acatado que o homem é moldado inteiramente por pressões ambientais, é preciso, forçosamente, que o indivíduo estenda a mesma teoria de causalidade a suas instituições. Os filósofos sociais do século dezenove encontraram em Darwin um poderoso apoio para sua tese de que o ser humano age sempre a partir de incentivos econômicos, e foram eles quem concluíram a abolição do livre arbítrio. O grande cortejo da história então se torna reduzível às empreitadas econômicas de indivíduos e classes; e elaborados prognósticos foram construídos sobre a teoria dos conflitos econômicos e resolução. O homem criado à imagem divina, os protagonistas de um grande drama no qual a alma estava em jogo, foi substituído pelo homem animal que busca riqueza e consome."[22]

Em outras palavras, a complexidade e natureza da existência humana são reduzidas a nada mais que uma simplista e falha teoria econômica na qual o indivíduo é pouco mais que uma criatura unidimensional, focada unicamente no consumo material.

"Finalmente, veio o behaviorismo psicológico", escreveu Weaver, "que negava não só o livre arbítrio, mas até meios elementares de direção, como o instinto." O que está acontecendo agora "é uma redução do absurdo da linha de raciocínio que começou quando o homem se despediu animado do conceito de transcendência [isto é, espírito, fé, Deus]. Não há palavra apropriada para descrever a condição em que ele agora é deixado, exceto 'abismalidade'. Ele está no escuro e profundo abismo, e ele não tem com o que se levantar... Com os problemas se acumulando sobre ele, o homem alimenta a confusão enfrentando-os com políticas *ad hoc*."[23]

É claro, isso leva de novo ao assunto da educação. A religião foi abandonada e substituída pela educação, que, como Weaver observou, "supostamente teria a mesma eficácia. A separação da educação de religião, uma das mais orgulhosas conquistas do modernismo, não é mais que uma extensão da separação de conhecimento da metafísica. E a educação assim separada pode fornecer a doutrinação do tipo deles. Incluímos... a educação da sala de aula, porque toda essa instrução institucionalizada acontece sobre as presunções do Estado. Mas a educação que melhor realiza seu propósito é a doutrinação sistemática do dia a dia de toda cidadania por meio de canais de informação e entretenimento."[24] Mal sabia Weaver como estava certo, e quanto isso ficaria pior quase oitenta anos mais tarde.

Isso nos leva ao período do fim dos anos de 1950 e ao início dos anos de 1970, que deram origem ao movimento da Nova Esquerda nos *campi* universitários da América, muito enaltecido pelos marxistas de hoje. *Students for a Democratic Society* (SDS) [Estudantes para uma Sociedade Democrática], entre os mais proeminentes dos grupos da Nova Esquerda, foi fundado em 1959 e lançou seu manifesto político, *The Port Huron Statement*, em 1962. *The Port Huron Statement* é um ensaio banal, sem grande coerência, pop-psicanalítico condenando o capitalismo e endossando uma revolução do tipo marxista. A Nova Esquerda "geralmente evitava formas tradicionais de organização política em favor de estratégias de protesto de massa, ações diretas e desobediência civil".[25] O movimento foi grandemente influenciado por um marxista alemão, Herbert Marcuse, que, conforme o esperado, era um feroz anticapitalista. Também de acordo com o esperado, Marcuse lecionou em várias universidades americanas durante sua carreira, entre elas Columbia, Harvard e Brandeis. Escritor prolífico, seu livro de

1964, *One Dimensional Man*, foi muito lido, especialmente pela Nova Esquerda, e seu sucesso ajudou a transformar Marcuse de um relativamente desconhecido professor universitário em profeta e figura paterna do florescente movimento estudantil antiguerra".[26] Como veremos mais adiante, sua influência se estende muito além da Nova Esquerda para os movimentos modernos da Teoria Crítica, que buscam ativamente minar e, em última análise, suplantar a sociedade e a cultura americana. Portanto, é preciso dar séria atenção a seus textos.

Como muitos professores marxistas, Marcuse não se contentava com a mera doutrinação, mas incentivava o ativismo – revolução concreta. A explicação de Marcuse para a ausência de um levante marxista nos Estados Unidos mudaria de tempos em tempos. Em um dado momento ele acreditou que isso seria conduzido "pelas massas". Mais tarde, ele insistiu que a afluência da sociedade capitalista tornou impossível essa revolução. Consequentemente, ele alegou que a revolução emergiria dos intelectuais trabalhando com os desfavorecidos. No entanto, com o advento do movimento estudantil, ele se aproximou mais da ideia de um movimento popular revolucionário.[27] De qualquer maneira, Marcuse afirmou, como Marx, que qualquer coisa menos que uma revolução de pleno direito não seria suficiente para retirar o flagelo do capitalismo e a cultura dominante.

Marcuse argumentou, em parte, que o sistema capitalista ou "máquina industrial" era psicologicamente e economicamente onipresente, a ponto até de devorar e cooptar a classe trabalhadora e os movimentos trabalhistas. "Em virtude de como organizou sua base tecnológica", declarou Marcuse, "a sociedade industrial contemporânea tende a ser totalitária. Porque 'totalitarismo' não é só uma coordenação política terrorista em sociedade, mas é também uma coordenação técnico-econômica não terrorista que opera por meio da manipulação de necessidades de interesses dominados. Assim, ele exclui o surgimento de uma oposição efetiva contra o todo. Não só uma forma específica de governo ou domínio de partido representa o totalitarismo, mas também um sistema específico de produção e distribuição que bem pode ser compatível com um 'pluralismo' de partidos, jornais, 'poderes compensatórios', etc."[28]

Tão poderoso é o controle do capitalismo, afirmou Marcuse, que ele é usado pelo governo para comandar e controlar a sociedade. "O poder político atual se impõe por intermédio de seu poder sobre o processo de máquina e sobre a organização técnica do aparato", escreveu Marcuse. "O governo de sociedades industriais desenvolvidas e em desenvolvimento só pode se manter e se garantir quando consegue mobilizar, organizar e explorar a produtividade técnica, científica e mecânica disponível para a civilização industrial. E essa produtividade mobiliza a sociedade como um todo, acima e além de qualquer indivíduo específico ou grupo de interesses. O fato bruto de o... poder físico da máquina ultrapassar o industrial, e o de qualquer grupo particular de indivíduos, faz da máquina o mais eficiente instrumento político em qualquer sociedade cuja organização básica seja a do processo de máquina."[29]

Mas Marcuse defendeu que existe uma saída para escapar das garras "da máquina". São necessários novos modos de realização, correspondentes às novas capacidades da sociedade. Esses novos modos podem ser indicados apenas em termos negativos, porque equivaleriam à negação dos modos prevalentes. Assim, liberdade econômica significaria liberdade *da* economia – de ser controlado por forças e relacionamentos econômicos; liberdade da luta diária da existência, de ganhar a vida. Liberdade política significaria libertação dos indivíduos *de* políticas sobre as quais eles não têm controle efetivo... A forma mais efetiva e duradoura de guerra contra a libertação é implantar necessidades materiais e intelectuais que perpetuem formas obsoletas de luta pela existência."[30]

As contradições internas do marxismo e seus defensores, como Marcuse, são gritantes. Liberdade individual e econômica significa abrir mão do capitalismo de livre mercado pelo coletivismo? O indivíduo é satisfeito e livre de necessidades e dificuldades? O governo vai acabar atrofiando e desaparecendo? Foi assim que o marxismo funcionou pelo mundo ou em algum lugar? É claro que não. Por exemplo, existe um regime marxista em algum lugar da Terra que não seja um estado policial? China, Coreia do Norte, Cuba, Venezuela? A imposição da ideologia marxista, de uma abstração à realidade, deixou dezenas de milhões de seres humanos mortos e em sofrimento em seu rastro.

De qualquer maneira, Marcuse argumentou, depois de fracassar em realmente destituir a sociedade existente, que existem agora sérias rachaduras em sua base. "Há indicações de que a 'mensagem' da Nova Esquerda se espalhou e foi ouvida além de suas esferas. Há, é claro, razões para isso. A estabilidade do capitalismo foi abalada, e em escala internacional; o sistema expõe mais e mais de sua destrutividade inerente e irracionalidade. É a partir desse ponto que os protestos crescem e se espalham, mesmo que muito desorganizados, difusos, desconectados e ainda sem nenhum objetivo socialista evidente, de início. Entre os trabalhadores, o protesto se expressa na forma de greves-relâmpago, absenteísmo e sabotagem disfarçada, ou aparece em ataques contra a liderança do sindicato; aparece também nas lutas das minorias sociais oprimidas e, finalmente, no movimento de libertação das mulheres. É óbvio que existe uma desintegração geral do moral do trabalhador, uma desconfiança dos valores básicos da sociedade capitalista e sua moralidade hipócrita; a quebra geral de confiança nas prioridades e hierarquias estabelecidas pelo capitalismo é aparente."[31]

Nas últimas várias décadas, se desenvolvendo sobre a obra de Dewey e adotando ideias marxistas desenvolvidas e adotadas por Marcuse e outros, e as adaptando para a sociedade e a cultura americanas, o ensinamento e a promoção do marxismo e de ideias marxistas na sala de aula têm sido abertos e abrangentes nos *campi* universitários da América. Como apontei anteriormente, isso mereceu até uma denúncia no *New York Times* há uns trinta anos.[32]

Caso alguém se engane, a questão não é se os ensinamentos marxistas em nossas salas de aula se desenvolveram em um "tricô frouxo que junta teorias que pouco têm em comum", como o *Times* relatou na época, tornando, portanto, as mensagens e o impacto menos preocupantes, mas que os conceitos do marxismo são usados de formas variadas para atacar a sociedade e a cultura americanas em diversas frentes, tornando esses movimentos muito mais difíceis de confrontar e desafiar.

Vale a pena ressaltar que o Professor Jonathan M. Wiener disse ao *Times*: "'Marxismo e feminismo, marxismo e desconstrução, marxismo e raça – é aí que estão os debates empolgantes'.[33] E diversidade é agora a assinatura do marxismo antes monolítico."[34]

Realmente, como o marxismo deu à luz diversas repetições dele mesmo, com seus defensores buscando eliminar um ou outro aspecto da vida cultural e social, com sua constante exploração das imperfeições sociais e da insatisfação individual, e o arquétipo marxista da teoria da luta de classes do opressor e do oprimido (burguesia contra proletariado), os tentáculos do marxismo penetraram profundamente na sociedade americana. E sua onipresença levou a um tipo de concordância ou acolhimento passivo, das salas de reuniões corporativas e dos esportes profissionais à maioria das redações de jornais e além – ou é até abertamente celebrado, embora sob diferentes nomenclaturas. Em seu centro, no entanto, o marxismo tem o nome do homem e da ideologia que ele propôs extensivamente em numerosos textos. Seus princípios e argumentos fornecem a base para a dissolução da nossa república constitucional e da economia baseada no mercado, independentemente e apesar de suas várias alterações na academia e em outros lugares.

MARXISMO AMERICANO

Como é enfatizado neste capítulo, no entanto, é a academia e seu papel na educação de gerações de estudantes que serve com a força mais potente para a doutrinação e a defesa marxista, e com o mais poderoso ímpeto para sua aceitação e difusão. E são esses estudantes, o verdadeiro alvo do pensamento marxista, que formam a base da resistência, rebelião e até revolução.

Em seu livro de 2011, *Heaven on Earth*, o Professor Richard Landes, da Universidade de Boston, explica, entre outras cosias, o *drive* emocional, intelectual, religioso e espiritual dos milenaristas. Embora ele pretenda dar à palavra "milenarista" mais significado do que abordo aqui, ela é muito útil para descrever a mentalidade e as motivações dos jovens, especialmente os universitários, atraídos pelo marxismo e pelos movimentos revolucionários. Quando ressalto parte de seus textos, mantenha em mente que o uso da palavra "milenarista" pretende incorporar um tipo de "millenials"; mas para meus propósitos analíticos aqui, se você preferir, substitua a palavra milenarista por *millenials*. De qualquer maneira, o conhecimento acadêmico de Landes é importante e relevante para compreender a mentalidade que fomenta agitação social nos *campi* universitários.

Landes explica que "milenaristas têm uma paixão por justiça. Acham que distinguem bem o bem e o mal. Quando olham para a humanidade, muitos veem não um amplo e variado espectro de pessoas, mas alguns santos e um vasto mar de pecadores, alguns redimíveis, alguns (a maioria) não. Eles são bem claros sobre quem vai sofrer punição, e quem vai ter recompensa na Revelação final. E quando acreditam que o momento chegou, não admitem concessões. Antecipam a absoluta erradicação do mal – corrupção, violência, opressão – e a maravilhosa glória do reino justo para os bons... Para os milenaristas, o mundo cinza do *corpus permixtum* [corpo misto de crentes e descrentes] é uma ilusão na qual os 'maus' são os primeiros apenas por enquanto; ela vai, ela *tem* que passar. Então, os últimos, os dóceis, os humildes, os indefesos serão os primeiros".[35]

Isso faz do marxismo uma ideologia unicamente sedutora no sentido de que Marx reveste sua ideologia com o vocabulário dos sofredores e oprimidos, e clama pela erradicação do *status quo* dito totalmente corrupto.

"Todos os milenaristas esperam que o compromisso com suas crenças se espalhe mais e mais", escreve Landes, "o suficiente para promover uma transformação do universo social e político. Essa é a essência do milenarismo, em oposição a outras formas de escatologia: *os justos viverão livres neste mundo*. É uma salvação coletiva, um misticismo social. Pode acontecer, mas essa promessa não é algo improvável. Ela imagina uma transformação da humanidade, um salto evolutivo para um jeito diferente de interação humana que pode ter enorme apelo emocional. Para usar a linguagem da ciência política, milenarismo é uma (talvez a primeira) ideologia revolucionária."[36]

Assim, para seus pregadores e seguidores, existe um aspecto teológico no marxismo. Uma prometida transformação fundamental da sociedade e a purificação da natureza do homem por meio de um renascimento da sociedade, substituída por uma "salvação coletiva" encontrada no igualitarismo comunitário.

Landes continua: "Ideologias revolucionárias só começam a interessar a grandes números (isto é, o *meme* só se espalha em larga escala) quando as pessoas se sentem próximas do momento de transformação. De fato, embora muitos de nós sejam milenaristas de algum jeito (isto é, esperamos que, em algum momento, a humanidade entre em um novo estágio de paz e justiça), poucos de nós são milenaristas apocalípticos (isto é, acreditam que esse evento histórico mundial está para acontecer). Só naqueles momentos relativamente raros, quando grandes números são convencidos e mobilizados pela convicção de que, finalmente, *o tempo chegou*, o milenarismo se torna um movimento que entrou no vórtice apocalíptico".[37]

É claro, vimos isso acontecer no verão de 2020, com violentos e disseminados tumultos iniciados e organizados por *Black Lives Matter* (BLM), Antifa e outros grupos orientados para o marxismo. Também vimos aceitação e apoio de toda cultura ao BLM, inclusive no Partido Democrata, em corporações, esportes profissionais e redações de jornais, para citar alguns.

"Para as pessoas que entraram no tempo apocalíptico", explica Landes, "tudo acelera, ganha vida, coesão. Eles se tornam semioticamente despertos – tudo tem significado, padrões. O menor incidente pode ter imensa importância e abrir o caminho para uma visão de mundo inteiramente nova, uma visão na qual operam forças invisíveis para outros mortais. Se o guerreiro vive com a morte no ombro, guerreiros apocalípticos vivem com a salvação cósmica diante deles, logo ali, além de seu alcance".[38]

Além disso, o revolucionário é intolerante com crenças ou ideias divergentes, desafios intelectuais ou oposição. Ele exige conformidade, que chama de unidade e comunalidade. Landes afirma que "milenaristas são prolíficos no que fazem. Vivem em um mundo encantado e empolgante, e não querem mais do que levar todos nós para dentro dele. Ou, se nos recusamos a ir, eles trarão o mundo para nós. E se ainda resistimos, o que é muito frequente, eles nos derrubam como o inimigo apocalíptico ou nos obrigam a derrubá-los".[39]

Consequentemente, não é surpreendente que os mais renomados e notórios revolucionários marxistas do mundo tenham sido influenciados em grande medida por suas experiências e seus estudos na universidade. Por exemplo, a biografia de Vladimir Ilyich Ulyanov da Rússia, vulgo Lenin, relata que ele "nasceu... em uma família bem-educada. Foi excelente aluno e estudou Direito. Na universidade, foi exposto a pensamento radical, e suas opiniões também foram influenciadas pela execução do irmão mais velho, membro de um grupo revolucionário. Expulso da universidade por suas políticas radicais, Lenin concluiu o curso de Direito como aluno externo (sem permissão para frequentar as aulas) em 1891. Mudou-se para Petersburgo e se tornou um revolucionário profissional."[40]

Embora Mao Tsé-Tung da China tenha nascido em uma família de camponeses, sua biografia explica que "ele estudou para ser professor e viajou a Pequim, onde trabalhou na Biblioteca da Universidade. Foi durante esse tempo que ele começou a ler literatura marxista. Em 1921, ele se tornou membro fundador do Partido Comunista da China (PCC) e estabeleceu um braço em Hunan".[41]

Pol Pot, do Camboja, nasceu de uma família relativamente próspera. Sua biografia conta que ele "foi educado em uma série de escolas de língua francesa. Em 1949, ganhou uma bolsa para estudar em Paris, onde se envolveu com política comunista".[42]

O que acontece em nossas faculdades e universidade é, em grande parte, ignorado ou apoiado por muitos americanos, inclusive pais que muitas vezes patrocinam os filhos nessas escolas, e contribuintes que subsidiam essas instituições em dezenas de bilhões de dólares todos os anos. Essa é uma falha grave de responsabilidade, até um fracasso multigeracional.

É necessário, portanto, empreender uma breve, mesmo que incompleta, revisão das influências marxistas e relacionadas ao marxismo em ação hoje em nossa educação superior. É suficiente, por ora, focar nos ensinamentos e textos do falecido professor Jean Anyon. Anyon era professor de Política Social e da Educação no Programa de Doutorado em Educação Urbana do Centro de Graduação da Universidade da Cidade de Nova York. Embora desconhecido para a maioria fora da academia, e um de muitos professores que usam sua sala de aula para promover doutrinação marxista ou relacionada ao marxismo, sua influência na educação superior é bem-estabelecida e perdura até hoje.

Ao escrever sobre o amigo de longa data, Lois Weis, Ph.D., Universidade de Buffalo, explicou: "Relativamente poucos estudantes graduados nos últimos trinta e cinco anos nos Estados Unidos, Canadá, Austrália, Nova Zelândia e Reino Unido nas áreas de Educação Urbana, Sociologia da Educação, Estudos Curriculares e Antropologia da Educação não encontraram a obra [de Anyon]. Desde o fim da década de 1970, Anyon ocupa o centro do movimento acadêmico para revelar a natureza do que posteriormente foi chamado de 'currículo oficial': o que é; como conquistou esse *status*; e a quem serve. Mobilizados por clamores por uma 'nova sociologia da educação' na Inglaterra no início da década de 1970, acadêmicos começaram a abordar questões relacionadas ao que constitui o conhecimento 'oficial' e os meios pelos quais esse conhecimento é distribuído diferencialmente pelas escolas. O ponto de partida teórico para a maioria dessas análises é articulado por Michael F. D. Young (1971), que argumenta que existe uma 'relação dialética entre acesso ao poder e a oportunidade de legitimar categorias dominantes, e o processo pelo qual a disponibilidade dessas categorias para alguns grupos permite a eles exercício de poder e controle sobre outros'. Ampliando essa mentalidade geral, numerosos escritores afirmam que a organização do conhecimento, as formas de sua transmissão e a avaliação de sua aquisição são fatores na reprodução dos relacionamentos de classe em sociedades capitalistas avançadas".[43]

Posto de maneira clara, Anyon promoveu seu tipo simplificado de ideologia marxista na sala de aula em detrimento de uma abordagem tradicional de obtenção de conhecimento. Por exemplo, ela escreveu: "A propriedade privada da produção no Capitalismo é... distinta de um sistema socialista/comunista como foi imaginado por Marx, no qual todo mundo contribuiu para a produção de bens econômicos de acordo com sua capacidade, e recebe renda e bens de acordo com a necessidade de cada pessoa".[44]

Ela alardeava a habitual luta de classes entre burguesia (capitalistas donos de propriedade) e proletariado (trabalhadores assalariados), como se um mundo complexo e relacionamentos complicados fossem tão fáceis de reduzir a um sistema de castas. Em seu livro de 2011, *Marx and Education*, ela afirmou: "Um importante *insight* de Marx foi que o capitalismo é um sistema econômico que não pode funcionar sem iniquidade fundamental – o que significa que a desigualdade é embutida em como o sistema funciona. Proprietários de empresas precisam lucrar para sobreviver, e os que não são donos de seus negócios precisam encontrar empregos e trabalhar nesses empreendimentos, se quiserem prover a si mesmos e à família. Trabalhadores (e outros empregados) são bens, comprados e vendidos no mercado como qualquer outro, pelo menor preço. A fim de ter lucro, o capitalista tem que pagar ao trabalhador um valor inferior àquele pelo que pode vender o produto que ele fez. (Se o produto é um serviço como cuidados de saúde ou trabalho com computador, o dono da empresa precisa ganhar mais dinheiro com ele do que paga aos empregados, para o negócio sobreviver.) O dinheiro extra da venda do produto ou da prestação do serviço é o lucro mantido pelo capitalista. É importante notar que, embora a margem de lucro dos pequenos negócios seja muitas vezes relativamente pequena, grandes corporações – e os acionistas, executivos e administradores desses negócios – normalmente têm grandes lucros, que achatam os salários dos empregados... Esse relacionamento profundamente desigual entre trabalhadores/empregados e proprietários está na base do sistema e, para Marx, é fundamental para sua definição."[45]

Obviamente, essa teoria rejeita, entre as outras coisas, toda evidência de mobilidade econômica e social que existe em sociedades capitalistas, e especialmente nos Estados Unidos. As histórias de "miséria à riqueza" e "riqueza à miséria" são infinitas. De fato, a extensão em que milhões de indivíduos buscam refúgio na América, arriscando a própria vida e a de seus familiares, particularmente aqueles que fogem dos chamados paraísos comunistas pelo mundo procurando uma vida melhor também é ilimitada. Onde estão os exemplos concomitantes do contrário – isto é, indivíduos "fugindo" das "desigualdades do capitalismo americano" em troca de uma vida melhor nos regimes comunistas? Toda a ideologia é construída sobre um conto de fadas, mas entrega um pesadelo de horrores.

Anyon, como todos os marxistas, também explora o fato da desigualdade humana, que existe por variadas razões, muitas delas sem nenhuma relação com opressão econômica ou deslocamento, discriminação histórica ou injustiça, mas com a natureza e as consequências de conduta individual, motivação, ética no trabalho, sorte (boa ou má), etc. Além disso, verdadeira igualdade no contexto econômico é impraticável e impossível. O que significa, exatamente, igualdade econômica? Em que medida ela pode ser imposta a uma população de indivíduos únicos e diversos? E por quais meios e métodos ela deveria ser imposta? Como medimos quando a igualdade econômica foi alcançada? E como garantimos que dure de uma geração a outra? Igualdade econômica não depende do olhar do observador? E que efeito terá igualdade econômica, seja o que for e como instalada, sobre o crescimento econômico, oportunidade e bem-estar da sociedade em geral? Em mais de 190 países, inclusive em regimes comunistas, onde a igualdade econômica realmente existe? As questões são intermináveis, mas profundamente importantes para a abordagem da teoria marxista e suas implicações para as sociedades reais.

Além do mais, o paradigma "proprietário x trabalhador" não é racional. Frequentemente, a linha ou distinção entre um "proprietário" e "trabalhador" é ambígua, senão existente. Se uma pessoa tem uma lojinha de varejo ou um negócio *on-line* e é autônomo, ele é proprietário, trabalhador ou ambos? Muita gente diria que os dois. Um trabalhador que investe em ações emitidas por uma empresa pública que o emprega, ou que compra ações por meio de seus investimentos e plano de pensão, também é dono dessas empresas? A resposta é sim. E porque se presume, como uma questão de fato empírica, que um empregador está explorando seus empregados em um sistema econômico capitalista? Por exemplo, quem está melhor – empregados que trabalham para grandes e pequenas empresas americanas, ou aqueles que trabalham em condições análogas à escravidão na Coreia do Norte, Cuba e Venezuela? Ou vejamos a China Comunista. Cidadãos chineses não têm liberdade para mudar de emprego; a eles são atribuídos créditos sociais baseados em sua estrita obediência às regras governamentais; eles devem idolatrar o brutal ditador chinês Xi Jinping como um líder supremo; religião é banida; o sistema jurídico existe para aplicar a ortodoxia do Partido Comunista; existe uma ampla rede de campos de concentração; etc. Para muita gente convincente, isso é muito distante do nirvana idílico prometido pelos propagandistas marxistas, especialmente professores universitários.

O falecido Raymond Aron, que era filósofo e jornalista, tinha um profundo conhecimento do pensamento de intelectuais e elites marxistas. Em 1955, ele escreveu em *The Opium of the Intellectuals*: "No mito da Revolução, essa luta inconclusiva é representada como uma necessidade inevitável. A resistência de interesses investidos, de elementos hostis ao futuro radiante, lírico, só pode ser vencida pela força. Diante disso, Revolução e Razão são diametralmente opostas: esta sugere discussão, aquela, violência. Ou se argumenta e acaba convencendo o oponente, ou se renuncia à discussão e se recorre às armas. Mas violência foi e continua sendo o último recurso de uma certa impaciência racionalista. Os que afirmam conhecer que forma as instituições devem ser forçadas a assumir são enfurecidos pela cegueira de seus companheiros e perdem a fé nas palavras, esquecendo que os mesmos obstáculos que surgem da natureza de indivíduos e sociedades sempre existirão, e os revolucionários, quando se tiverem feito senhores do Estado, serão confrontados pela mesma opção de compromisso ou despotismo".[46]

De qualquer maneira, apesar da experiência do mundo com a realidade do marxismo, professores como Anyon seguem em frente. Por exemplo, ela escreveu, o que é ortodoxia marxista básica, que "como salários mais altos e benefícios para os empregados reduziria a margem de lucro dos proprietários, os capitalistas são (por definição e na maioria dos casos concretos) diametralmente opostos aos interesses dos trabalhadores – que geralmente querem sindicatos, salário-mínimo mais alto e benefícios mais fortes. Assim, o relacionamento trabalhador/proprietário pode ser visto como contraditório. As contradições entre as principais classes (trabalhadora e capitalista) levam a tensão e batalhas contínuas (greves, reduções no ritmo de produção, demonstrações políticas), e é vencendo esses embates de classe que os trabalhadores podem se libertar das 'correntes' que Marx via prendê-los em fábricas, escritórios e outros empreendimentos capitalistas. É essa luta de classes que Marx via como o caminho para derrubar o capitalismo e, possivelmente, desenvolver o socialismo e o comunismo – um compartilhamento democrático de recursos e lucros. Marx alegava que, em um sistema socialista: "No lugar da velha sociedade burguesa, com suas classes e seu antagonismo de classe, teremos uma associação na qual a liberdade de movimento de cada um é a condição para o livre desenvolvimento de todos" (Marx e Engels, 1848)".[47]

Na verdade, a grande maioria de empregados do setor privado não é afiliada a sindicatos[48], não por causa de alguma conspiração para impedir a disseminação de sindicatos, mas porque sindicatos são ultrapassados em muitas áreas, eliminam empregos em outras e não servem para nada nas indústrias adicionais. Além disso, muitos, se não a maioria dos empregados, entendem que maltratar sua força de trabalho é autodestrutivo, pois dificulta o preenchimento de vagas, a retenção de empregados nos quais se investiu muito tempo, treinamento e recursos, e a manutenção de uma força de trabalho leal e produtiva. Para o marxista americano, no entanto, eles são úteis para a centralização do controle da mão de obra nas mãos de relativamente poucos, que compartilham uma agenda coletivista. Com muita frequência, o sindicato se torna mais uma voz para o Estado do que para os membros que afirma representar, como se vêm em muitos regimes totalitários. No fim, no entanto, o declínio dos sindicatos no setor privado é uma consequência natural das preferências e necessidades tanto da administração, quanto dos empregados em uma sociedade aberta.[49]

Anyon afirmou que "no capitalismo, de acordo com Marx, as relações das classes econômicas influenciam intensamente a situação social fora do local de trabalho, afetando os mundos doméstico e cívico em que as pessoas vivem... Ele argumentou que "O modo de produção da vida material condiciona os processos da vida social, política e intelectual de maneira geral. Não é a consciência dos homens que determina seu ser, mas, pelo contrário, seu ser social que determina sua consciência". (1859) Marx afirmou, nesse sentido, que a relação econômica e o contexto social em que a classe trabalhadora existe limitam a capacidade do trabalhador para transcender sua situação social... Homens e mulheres, Marx defendeu, têm alguma liberdade e ação, mas não são tão livres para determinar as próprias chances quanto sugeriria viver em uma democracia (capitalista). 'Homens [e mulheres] fazem a própria história', ele disse, 'mas não a fazem como querem, eles não fazem sua história sob circunstâncias que escolhem, mas sob circunstâncias que já existem, são dadas e transmitidas desde o passado'".[50]

Mais evidente nessa falácia é a asserção de que nossa nação existe em algum tipo de casta ou sistema de classes, que toda nossa existência é determinada por nossa condição econômica em um dado momento da vida, e que não há habilidade ou esperança para transcender essa suposta condição. Porém, em uma sociedade relativamente livre, com um sistema econômico relativamente livre, o oposto é verdadeiro. Na verdade, os exemplos de mobilidade individual para cima e para baixo na cadeia econômica são infinitos. Simplesmente não existem sistemas sociais estáticos de classe ou castas. Isso não significa que não existe esnobismo social e coisas do tipo, que ocorrem em qualquer sociedade. No entanto, em nenhum lugar um sistema impenetrável de casta ou classe existe mais profundamente do que nos regimes comunistas pelo mundo, onde uma aristocracia governamental e um partido levam uma vida que a população por eles comandadas jamais poderá ter.

Aron também revela isso. Ele escreveu: "A missão designada ao proletariado sugere menor grau de esperança do que a virtude que era atribuída ao povo. Acreditar no povo era acreditar na humanidade como um todo. Acreditar no proletariado é acreditar na eleição por sofrimento. Povo e proletariado simbolizam a verdade de criaturas simples, mas o povo permanece, por lei, universal – pode-se conceber, em uma situação crítica, que os privilegiados poderiam ser incluídos na comunhão – enquanto o proletariado é uma classe entre muitas outras, alcança seu triunfo liquidando as outras classes e não pode se identificar com o todo social, exceto depois de muita luta e muito sangue derramado. Quem fala em nome do proletariado vai lembrar, ao longo dos séculos, escravos enfrentando seus senhores; ele não é mais capaz de acreditar no desenvolvimento progressivo de uma ordem natural, mas conta com a revolta final dos escravos para eliminar a escravidão".[51]

Apesar desses fatos observáveis, Anyon repete a propaganda marxista escrevendo que "classe social é outro conceito de Marx que os neomarxistas na educação usaram extensivamente. Classe social é definida como a relação de uma pessoa ou de um grupo com os meios de produção – isto é, se sua relação com fábricas, corporações e outras empresas é de propriedade e controle, ou de trabalhador que depende de contratação. Marx descreveu duas classes principais como características do sistema capitalista. Membros da classe trabalhadora... estão em relação desigual e contraditória com os proprietários que os contratam. Capitalistas estão em posição de posse e garantem renda não pelo trabalho, mas se apropriando do dinheiro extra produzido pelos trabalhadores. Marx via as classes sociais como uma categoria social fundamental, baseadas em como a produção de bens e serviços é organizada e distribuída na economia".[52]

Anyon continuou: "Marx dizia... que 'a classe que tem os meios de produção material à sua disposição [isto é, capital industrial e financeiro], tem controle, ao mesmo tempo, sobre os meios de produção mental [isto é, escolas, impressão de livros, fontes de notícias, etc.]'... Essas ideologias são expressas e legitimadas nas instituições em que vivemos e aprendemos (em escolas, por exemplo, como competição curricular e individual). Foi por causa do poder das ideologias promulgadas por aqueles com o poder econômico para formar as crianças e os jovens em uma sociedade que Marx disse que 'precisamos resgatar a educação da influência da classe dominante'".[53]

Essa declaração é simplesmente errada. Professores e alunos em nossas escolas primárias e secundárias vêm de todas as origens e condições econômicas. Não são intérpretes ou representantes dos ricos, sejam eles quem forem. Na verdade, "a classe dominante" em nossas escolas públicas consiste primariamente de professores que são esmagadoramente "progressistas" e sindicatos de professores que são o baluarte do Marxismo Americano.[54] Além disso, o currículo escolar é frequentemente ensinado com o viés político desses professores[55] – inclusive a Teoria Crítica da Raça, que discuto em um capítulo adiante. Anyon se opõe ao fato de a revolução marxista e a derrubada da sociedade existente não terem sido impostas com mais vigor e mais depressa nas escolas públicas. Portanto, o fracasso em dar vida a seus padrões radicais é, de maneira absurda, evidência do controle da burguesia sobre as salas de aula.

"Minha geração chegou à vida adulta na década de 1960, e essa pode ter sido uma das razões pelas quais, como acadêmicos, muitos foram atraídos por uma teoria que desafiava o que nos tinham ensinado sobre a sociedade americana. Em vez de focar em meritocracia, democracia e patriotismo, como nos ensinaram nossos livros da escola, focamos no que pareciam, para nós, desigualdades estruturais – e o que víamos como meios sistêmicos pelos quais grupos inteiros e culturas (por exemplo, trabalhadores, afro-americanos, mulheres) eram excluídos do Sonho Americano."[56]

"Desigualdades estruturais" e "meios sistêmicos". Parece familiar? É claro, essas expressões caracterizam nossa sociedade como interminavelmente dissoluta, injusta e imoral. Não pode haver justiça ou melhoria. Toda a empreitada foi irredimível desde o princípio, e nada melhorou ou pode melhorar de maneira significativa a sociedade. Ela deve ser incansavelmente atacada e condenada, agredida de pequenas e grandes maneiras e, no fim, substituída por uma sociedade fantasiosa que gerou, em toda sua história e em suas várias imposições, nada além de sofrimento humano.

Anyon e sua laia enxergam toda a sociedade americana como um sistema interligado de opressão universal e inevitável que serve a forças obscuras e arcaicas agarradas desesperadamente ao seu poder. Além disso, esses objetivos são considerados formalmente instituídos e entronados pela Constituição e pelo sistema capitalista. Para todo lugar que ela olha, há discriminação, injustiça e subjugação. Mas, de novo, a chave para avançar "a causa" é a doutrinação.

Anyon explica: "Um princípio central da pedagogia crítica é que os alunos nem sempre são incorporados à ideologia dominante, eles resistem, às vezes. De fato, podem resistir mais do que sabemos".[57] Anyon escreveu que os estudos neomarxistas do fim da década de 1970 a 1989 estabeleceu que "escolas dos Estados Unidos não eram neutras em relação à exclusão ou opressão social, mas estavam criticamente implicadas na reprodução de desigualdades econômicas e ideologias sociais. O período seguinte, 1990-2005, abordou a crítica de que raça e gênero estavam ausentes de nossa análise e levou o neomarxismo em novas direções". Anyon argumentou que seu trabalho evoluiu de "análise de manifestações de classe na educação formal para investigação de meios pelos quais as decisões econômicas e políticas de poderosas corporações e corpos legislativos dão forma, fundamentalmente, a sistemas escolares e às oportunidades que eles representam (ou negam) para vários grupos de estudantes".[58]

"Além de ampliar a teoria marxista", escreveu Anyon, "novas condições requerem uma ampliação da nossa prática. Pedagogia crítica é uma forma importante, duradoura de prática neomarxista para a educação em todos os níveis. A fim de tornar essa prática mais eficiente no incentivo da participação política dos jovens nas lutas por justiça social, precisamos levar nosso trabalho além das paredes da sala de aula e para os mundos em que vivem estudantes de baixa renda, negros e latinos, e imigrantes. Podemos... envolver nossos alunos na contestação em locais públicos – lutas públicas por direitos, justiça e oportunidade".[59]

Consequentemente, não é suficiente ensinar o marxismo, mas os alunos devem ser recrutados pela revolução. Anyon defendeu que há várias razões para as pessoas se envolverem em disputa política. Isso "tem a ver com como elas interpretam seu ambiente político e eco-

MARXISMO AMERICANO

nômico – e as mudanças nele. Para se dispor a participar do protesto social, as pessoas precisam ver os acontecimentos atuais como oportunidades que se apresentam para travar a luta... Situações que foram previamente entendidas como opressoras, mas imutáveis, podem ser reimaginadas e percebidas como úteis".[60] "Educadores críticos hoje têm um papel importante a desempenhar ajudando o aluno a apreender possibilidades nas quais, à primeira vista, pode parecer haver sobredeterminada ou imutável subordinação racial, de classe ou de gênero".[61]

Anyon e outros introduziram a palavra "reimaginar" no léxico marxista, e o propósito disso é abrandar o marxismo com um apelo não ameaçador. Essa descrição também se tornou popular entre os políticos do Partido Democrata e a mídia. Você a ouviu mais recentemente na solicitação para retirada de fundos dos departamentos de polícia. Por exemplo, "é hora de reimaginar a autoridade policial". Portanto, Anyon escreve: "Educadores críticos estão envolvidos no processo vital de reimaginar escolas e salas de aula como espaços de construção de justiça social. Esse é um trabalho incrivelmente difícil, mas... não mais impossível do que reimaginar relações econômicas, a igreja e a cultura que os americanos negros promoveram para conquistar as vitórias no movimento dos direitos civis".[62]

Reimaginar uma sociedade inteiramente nova, construída sobre preceitos marxistas, sem deixar uma só pedra social no lugar. É claro, não há motivo para imaginar tal coisa, considerando a infernal experiência da sociedade com o totalitarismo e o genocídio marxista. Mesmo assim, pouco é mencionado sobre esse conhecimento, apesar de sua familiaridade e de suas consequências no mundo real, e nas raras ocasiões em que isso é mencionado, o tema é emoldurado de forma a se desviar de seus desfechos constantemente desumanos. Com frequência, a distração envolve afirmações como: "Bem, Stalin era uma pessoa cheia de defeitos e não era um comunista de verdade", ou "Mao melhorou as condições dos camponeses", ou "a Cuba de Castro tem serviço de saúde universal", etc. Em outras palavras, usam digressão semântica para justificar os horrores do despotismo.

Anyon não era só uma acadêmica, como muitos na mesma profissão. Ela incentivava, como Marx, o ataque às muralhas da sociedade civil. "Reimaginar mudanças econômicas e instituições como potencialmente opositivas não promove, por si só, mudança social. E desenvolver consciência crítica nas pessoas por meio de informação, leituras e discussão as induz, por si só, a participar de políticas transgressivas – embora promova uma base crítica para compreensão. Para estimular as pessoas a criarem ou se juntarem à disputa política, é importante de fato envolvê-las em algum tipo de atividade de protesto".[63] Realmente, escreveu, Anyon, "mudanças na identidade política não só motivam a ação de disputa política, como desenvolvem uma consequência lógica dela. Desenvolve-se uma identidade e um compromisso políticos – uma mudança de consciência – pelo engajamento em demonstrações, passeatas, ocupações, atividades de organizações de justiça social no bairro etc. A participação cria indivíduos participantes; e conduz os grupos ao desenvolvimento da própria identidade coletiva como agentes de mudança social".[64]

Se você se perguntava por que pessoas da faixa etária universitária participaram dos violentos protestos durante o verão de 2020 e a partir deles, certamente uma razão primária foi a doutrinação a que têm sido submetidas para "se unirem à revolução" e à "resistência", lideradas por grupos como BLM e Antifa. E considerando que a maioria dos *campi* universitários tem estado fechada à frequência física por causa do coronavírus, eles tiveram tempo e oportunidade para participarem dos "protestos majoritariamente pacíficos".

Realmente, como Anyon escreveu: "A fim de desenvolver uma noção deles mesmos como agentes de mudança, como atores políticos ativos, os jovens também precisam de oportunidades para o engajamento nessas atividades... Engajamento propriamente dito é, então, uma parte necessária para assumir ainda mais engajamentos futuros. Como andar de bicicleta, é preciso praticar para aprender... Há uma razão adicional muito importante para as pessoas se tornarem ativas, e ela é o fato de essas pessoas já serem parte de organizações e redes que já são ativas".[65]

Lavagem cerebral contra a base e a sociedade civil americanas e doutrinação sobre ativismo e protesto – até violento, se necessário – são pregadas constantemente na academia. O objetivo é criar uma geração de revolucionários. Anyon defende que "embora educadores críticos acertem ao compartilhar com os alunos informações sobre causas sistêmicas de subordinação, isso não é suficiente para envolver os estudantes na luta por justiça social... [Existe] a necessidade de ajudá-los a interpretar acontecimentos econômicos e políticos como oportunidades de participação, ajudá-los a se apropriar de formas institucionais e de organização existentes para fornecer o apoio físico e emocional para... real disputa política e o desenvolvimento deles mesmos como agentes ativos no próprio futuro e no futuro de suas comunidades... Dando aos estudantes experiência direta com o trabalho de justiça social, podemos educá-los para apreciar e valorizar aquelas formas do processo democrático que são direcionadas especificamente para a criação de uma sociedade mais equitativa – luta pública pela progressiva mudança social. Criando situações na experiência escolar que permitam a prática da disputa política e auxiliando os alunos a adquirir essa competência, legitimamos esse trabalho e desenvolvemos nos alunos a predisposição para se envolver com ele".[66]

Portanto, a agenda do membro do corpo docente marxista é clara: criar um exército de jovens antiamericanos que farão a proposta do corpo docente marxista ao saírem da academia e entrarem no mercado de trabalho. Anyon declarou: "Reimaginar mudança de formas econômicas, de instituições e culturais como potencialmente opositivas não promove, por si só, mudança social. E desenvolver "consciência crítica" nas pessoas por meio de informação, leituras e discussão não as induz, por si só, a participar de políticas transgressivas – embora crie uma base crucial de compreensão. Para mobilizar as pessoas para criarem ou se juntarem a um movimento social, é importante envolvê-las, de fato, em algum tipo de atividade de protesto... Desenvolve-se uma identidade e compromisso político – uma mudança na consciência – falando, andando, marchando, cantando, tentando votar, "ocupando", ou demonstrando de outras maneiras com outras pessoas".[67]

Em seu livro de 2020, *The Breakdown oh Higher Education*, John M. Ellis, distinto professor emérito da Universidade da Califórnia, Santa Cruz, cita uma pesquisa de 2006 conduzida por Neil Gros e Solon Simmons, com uma amostra muito grande de 927 professores de diferentes instituições. Ellis estudou os dados da pesquisa e concluiu que "o corpo docente em sua amostra era 9% conservador (embora só moderadamente, em média), e 80% solidamente de esquerda, com bem mais da metade dessa população sendo de extrema esquerda... Eles descobriram que um em cada cinco professores das Ciências Sociais se identificava como "marxista". (No campo da sociologia, a proporção era mais de um em cada quatro) ... "Espantoso nessa estatística", escreveu Ellis, "é que ela quase certamente subestima a questão. O mundo 'marxista' não se dá muito bem com o público em geral, e muitos cuja mentalidade foi formada em grande parte pelas ideias de Marx preferem se descrever como 'socialistas' e 'progressivos', ou simplesmente 'ativistas'. Podemos presumir, portanto, que o verdadeiro número de pessoas motivadas pelas ideias marxistas entre os professores de Ciências Sociais é maior – aproximadamente o dobro do número encontrado por Gross e Simmons, mas certamente muito mais que um em cada cinco".[68]

MARXISMO AMERICANO

Ellis declara que "é seguro dizer que autodeclarados marxistas não são mais que uma pequena fração do povo dos Estados Unidos, o que significa que existe uma imensa discrepância entre esse pequeno grupo da população e o grande grupo encontrado entre os professores de Ciências Sociais".[69] Isso ajuda a explicar por que o Partido Democrata em geral, e o Senador Bernie Sanders em particular, pressionam por universidade gratuita e o cancelamento dos empréstimos estudantis. Quanto mais jovens ingressarem nas faculdades e universidades da América, maior a chance de revolução deles.

CAPÍTULO QUATRO

RACISMO, GENDERISMO E MARXISMO

A questão de base: o que é Teoria Crítica, de onde surgiram esses outros movimentos de Teoria Crítica/Marxista? Uri Harris explica em *Quillette*: "A teoria crítica se baseia fortemente na noção de *ideologia* de Karl Marx. Como a burguesia controlava os meios de produção, Marx sugeriu que ela controlava a cultura. Consequentemente, as leis, crenças e moralidade da sociedade refletiam os interesses da burguesia. E, importante, o povo não tinha consciência disso. Em outras palavras, o capitalismo criou uma situação na qual os interesses de um grupo específico de pessoas – aquelas que controlavam a sociedade – eram mostrados como se fossem verdades e valores universais, quando, na verdade, não eram".[1]

Harris continua: "Os fundadores da teoria crítica desenvolveram essa ideia. Ao identificar os efeitos deformadores que o poder exercia sobre as crenças e os valores da sociedade, eles acreditavam que poderiam ter um retrato mais preciso do mundo. E quando as pessoas viam as coisas como elas realmente eram, libertavam-se. 'Teoria", eles sugeriam, sempre servem aos interesses de certas pessoas; teoria *tradicional*, porque não é crítica em relação ao poder, serve automaticamente aos poderosos, enquanto teoria *crítica*, porque desmascara esses interesses, serve aos que não têm o poder. Toda teoria é política, eles disseram, e quando escolhe a teoria crítica à teoria tradicional, o indivíduo escolhe desafiar o *status quo*, de acordo com a famosa declaração de Marx: 'Os filósofos até aqui interpretaram o mundo de várias maneiras; o objetivo é transformá-lo".[2]

Herbert Marcuse é considerado o mentor da ideologia da Teoria Crítica, a partir da qual o movimento racial, o de gênero e outros movimentos baseados na Teoria Crítica foram iniciados na América. Conforme mencionado anteriormente, ele era um ideólogo alemão hegeliano-marxista da Escola Franklin de teóricos políticos. É mais conhecido por tentar explicar por que o chamado proletariado (trabalhadores) nos Estados Unidos e em outros lugares não se levantou para derrubar o sistema capitalista da burguesia dominante. Portanto, temos que mergulhar mais fundo no "conhecimento" de Marcuse.

Em seu trabalho de 1965, "Repressive Tolerance" (Tolerância repressiva), cujo título é uma distorção realmente perversa, senão bizarra de lógica e realidade, Marcuse escreveu, em parte: "Este ensaio examina a ideia de tolerância em nossa sociedade industrial avançada. A conclusão a que se chegou é que a realização do objetivo de tolerância pediria intolerância com políticas, atitudes e opiniões prevalentes e a extensão da tolerância a políticos, atitudes e opiniões que são proscritas ou suprimidas. Em outras palavras, a tolerância hoje parece novamente com o que era em suas origens, no início do período normal – um objetivo partidário, uma noção e prática libertadora subversiva. Contrariamente, o que é proclamado e praticado como tolerância hoje está, em muitas de suas manifestações mais efetivas, servindo à causa da opressão".[3]

Assim, para Marcuse, tolerância é atualmente um estratagema instituído pelas forças poderosas e coniventes da burguesia contra o proletariado desavisado, em que as massas são enganadas e programadas para apoiar seus opressores. Resumindo, tolerância é usada para suprimir o povo.

"Tolerância é um fim em si mesmo", declarou Marcuse. "A eliminação da violência e a dedução da supressão na medida requerida para proteger homens e animais de crueldade e agressão são precondições para a criação de uma sociedade humana. Essa sociedade ainda não existe; o progresso na direção dela é, talvez mais que antes, impedido por violência e supressão em uma escala global. Como impedimentos contra a guerra nuclear, como ação policial contra a subversão, como a ajuda técnica na luta contra imperialismo e comunismo, como métodos de pacificação em massacres neocoloniais, violência e supressão são promulgadas, praticadas e defendidas por governos democráticos e autoritários igualmente, e as pessoas submetidas a esses governos são educadas para manter essas práticas como necessárias à preservação do *status quo*".[4]

Portanto, o público em sociedades não marxistas ou não revolucionárias é muito insensível para perceber que é oprimido e que sua existência está a serviço dos ricos e poderosos que controlam a sociedade.

Marcuse alega que "tolerância é estendida a políticas, condições e modos de comportamento que não deveriam ser tolerados, porque impedem, se não destroem, as chances de criar uma existência sem medo e sofrimento. Esse tipo de tolerância fortalece a tirania da maioria contra a qual protestaram os autênticos liberais. O local político da tolerância mudou: embora seja mais ou menos discreta e constitucionalmente retirada da oposição, foi feita comportamento compulsório com relação a políticas estabelecidas. Tolerância é desviada de estado ativo para estado passivo, de prática para não prática: *laissez-faire* as autoridades constituídas. É o povo que tolera o governo, que por sua vez tolera oposição dentro dos limites determinados por autoridades constituídas. Tolerância com o que é radicalmente mau agora parece ser bom, porque serve à coesão do todo no caminho para afluência ou mais afluência. A tolerância da idiotização sistemática de crianças e adultos pela publicidade e propaganda, o alívio da destrutividade na direção agressiva, o recrutamento e treinamento para forças especiais, a impotente e benevolente tolerância com a mentira descarada em *merchandising*, desperdício e obsolescência programada não são distorções e aberrações: são a essência de um sistema que acolhe tolerância como um meio de perpetuação da luta pela sobrevivência e da supressão de alternativas. As autoridades em educação, moral e psicologia vociferam contra o aumento da delinquência juvenil; vociferam menos contra a orgulhosa apresentação, em palavras, atos e imagens, de cada mais poderosos mísseis, foguetes, bombas... a delinquência madura de toda uma civilização".[5]

Em outras palavras, a América como uma terra de oportunidades e liberdade é uma ficção, e a maioria do povo que aceita essa ficção é composta por zumbis descerebrados, incapazes de pensar por si mesmos – servos involuntários de seus perseguidores, que minam a causa da libertação econômica e política. Tolerância é o meio pelo qual essa suposta farsa é realizada.

De fato, Marcuse insistiu em que "a tolerância que aumentava o alcance e o conteúdo da liberdade sempre foi partidária – intolerante com os protagonistas do *status quo* repressivo. A questão era só o grau e a extensão da intolerância. Na sociedade liberal firmemente estabelecida da Inglaterra e dos Estados Unidos, liberdade de discurso e reunião foi concedida apenas aos inimigos radicais da sociedade, desde que eles não fizessem a transição da palavra ao ato, do discurso à ação".[6]

Assim, se a sociedade americana não tolera a própria morte ou derrubada pelas mãos de ideólogos e movimentos marxistas, ela não pode ser considerada realmente tolerante. Portanto, Marcuse afirma que uma sociedade não é realmente tolerante, se não planta as sementes do próprio fim por marxistas revolucionários.

Marcuse cria desculpas pelo fracasso de sua ideologia em criar raízes entre as pessoas americanas. Ele acrescenta: "Com o real declínio de forças dissidentes na sociedade, a oposição está isolada em grupos pequenos e frequentemente antagônicos que, mesmo quando tolerados dentro dos limites estreitos estabelecidos pela estrutura hierárquica da sociedade, são impotentes enquanto se mantêm nesses limites. Mas a tolerância demonstrada a eles é enganosa e promove coordenação. E sobre as bases firmes de uma sociedade coordenada praticamente fechada contra mudança qualitativa, a tolerância serve para conter essa mudança, em vez de promovê-la. Essas mesmas condições tornam a crítica a essa tolerância abstrata e acadêmica, e a proposta de que o equilíbrio entre tolerância com a Direita e a Esquerda teria que ser radicalmente revista a fim de restaurar a função libertadora da tolerância torna-se apenas uma especulação irreal. De fato, uma revisão como essa parece ser fundamental ao estabelecimento de um "direito de resistência" ao ponto de subversão. Não há, não pode haver tal direito para nenhum grupo ou indivíduo contra um governo constitucional apoiado pela maioria da população".[7]

Além disso, como uma república não consentiria com a própria subversão e dissolução, rejeitando, portanto, a verdadeira tolerância, os marxistas precisam recorrer a outros meios de derrubá-la, inclusive à violência. Marcuse declarou: "Acredito que existe um "direito natural" de resistência das minorias oprimidas e vencidas ao uso de meios extralegais, se os legais se mostrarem inadequados. Lei e ordem são sempre e em todos os lugares a lei e a ordem que protegem a hierarquia estabelecida; não faz sentido invocar a autoridade absoluta dessa lei e dessa ordem contra aqueles que sofrem por causa dela e lutam contra ela – não por vantagens pessoas e vingança, mas por sua cota de humanidade. Não há outro juiz sobre eles além das autoridades constituídas, a polícia e sua própria consciência. Se eles usam violência, não iniciam uma nova cadeia de violência, mas tentam romper uma já estabelecida. Como serão punidos, eles conhecem o risco, e quando decidem assumi-lo, nenhuma terceira pessoa, pelo menos entre todos os educadores e intelectuais, tem o direito a pregar abstenção".[8]

A inevitável conclusão é que, no fim, Marcuse estava incentivando a violenta derrubada da sociedade americana em que a "hierarquia estabelecida" estava usando tolerância para perpetuar a opressão contra a minoria. Esse argumento absurdo serviu como catalisador básico para várias teorias críticas que se desenvolveram em movimentos ideológicos relacionados ao marxismo – que, por sua vez, foram acolhidos e promovidos pela administração Biden, o Partido Democrata, a mídia e instituições em toda nossa sociedade e cultura. Um dos mais destrutivos entre esses movimentos é a Teoria Crítica da Raça (TCR).

Resumindo, a TCR é uma insidiosa e racista ideologia marxista que se espalha por toda nossa cultura e sociedade. Jonathan Butcher e Mike Gonzalez da The Heritage Foundation escrevem em seu estudo "The New Intolerance, and Its Grip on America" (A nova intolerância e seu domínio sobre a América) que ela promove, entre outras coisas:

- "A análise marxista da sociedade feita de categorias de opressores e oprimidos;
- A ideia de que o oprimido impede a revolução quando adere às crenças culturais de seu opressor – e deve ser submetido a sessões de reeducação.
- A necessidade concomitante de desmantelar todas as normas sociais por meio de incansável crítica; e
- A substituição de todos os sistemas de poder e até as descrições desses sistemas com uma visão de mundo que descreve apenas opressores e os oprimidos.

Longe de serem meramente exercícios acadêmicos esotéricos, essas filosofias têm consequências na vida real."[9]

George R. La Noue, professor pesquisador de Políticas Públicas e Ciências Políticas na Universidade de Maryland, descreve a TCR pelos textos "dos dois proponentes da TCR que mais vendem livros, Robin DiAngelo e Ibram X. Kendi... a TCR começa com a presunção de que raça é o meio primário para identificar e analisar pessoas e, consequentemente, criar uma hierarquia racial que supostamente existe com os brancos no topo e os negros na base. Comportamento individual é insignificante, porque todos na América funcionam dentro de uma sociedade de racismo sistêmico, racismo estrutural e racismo institucional. A TCR afirma essa perspectiva apontando várias disparidades raciais existentes, que diz serem resultados de discriminação racista. De acordo com essa perspectiva, esforços de organizações públicas e privadas para implementar leis de direitos civis nas áreas de emprego, moradia, contratos, educação etc. são insuficientes ou inúteis. A TCR oferece duas respostas para essa situação. Primeiro, todos os brancos devem admitir sua culpabilidade confessando as vantagens que a supremacia branca confere a eles. Deixar de fazer isso reflete 'fragilidade branca' – uma defesa instintiva que os brancos são acusados de exibir depois de terem aprendido sobre seu investimento em racismo. Segundo, indivíduos brancos não podem se esconder atrás de nenhuma história pessoal de não discriminação ou da desejabilidade de leis ou políticas isentas de raça, porque a ação coletiva de sua raça tem sido opressiva".[10]

Ao reconhecer seu privilégio branco, La Noue explica que... "brancos... devem apoiar políticas 'antirracistas' que requerem várias formas de preferências raciais para não brancos em uma variedade de campos por um período indefinido. Isso é necessário até onde os brancos são minoria local e as estruturas de poder são controladas por não brancos ou negros, indígenas e pessoas de cor – 'BIPOCs' (*Blacks, Indigenous and People of Colour*) na atual terminologia".[11]

Em seu livro *Intellectuals and Society*, Dr. Thomas Sowell, autor, acadêmico e professor, denuncia todos os movimentos políticos multiculturais/de identidade. Ele explica que "o tipo de justiça coletiva exigida por grupos raciais ou étnicos é muitas vezes proposta como "justiça social", uma vez que busca desfazer disparidades criadas por circunstâncias, bem como aquelas criadas pelas injustiças dos seres humanos. Além disso, justiça cósmica não se estende apenas de indivíduos para grupos, ela se estende além dos grupos contemporâneos para abstrações intertemporais, das quais grupos contemporâneos são concebidos como encarnações atuais".[12]

"Em meio aos intelectuais que confundem culpa e causa", escreve Sowell, "a expressão 'culpando a vítima', que clama por questionamento, tornou-se um carimbo nas discussões de diferenças intergrupais. Nenhum indivíduo ou grupo pode ser culpado por ter nascido em circunstâncias (inclusive culturas) em que não existem as vantagens presentes nas circunstâncias de outras pessoas. Mas a 'sociedade' também não pode ser automaticamente presumida como causa ou cura para essas disparidades. Ainda menos uma instituição particular cujas decisões de contratação, preço ou empréstimo *transmitem* que diferenças entre grupos sejam automaticamente presumidas como *causas* dessas diferenças."[13] Na verdade, a TCR leva a culpa a um novo e perigosamente odioso nível – isto é, o privilégio branco e a cultura branca dominante são responsáveis por todas as maneiras de sofrimento e desafeto de negros e minorias.

Mais que isso, a alegação é de que o sistema existente foi permanentemente programado contra negros e minorias desde sua fundação por brancos racistas. Sowell explica que "mesmo que se acredite que o ambiente é a chave para as diferenças intergrupais, esse ambiente inclui um legado cultural do passado – e o passado é tão além do nosso controle quanto as determinações geográficas e os acasos históricos que deixaram não só diferentes indivíduos ou raças, mas nações e civilizações inteiras com heranças muito diferentes..."[14]

Enquanto Marcuse e seus filhotes são obcecados por categorizar indivíduos e tratar esses grupos como estagnados, funcionando dentro de suas caixas, Sowell defende que essa crença e abordagem é, na verdade, destrutiva para o próprio povo que é dito oprimido. No contexto do multiculturalismo, Sowell argumenta: "Se os dogmas do multiculturalismo declaram diferentes culturas igualmente válidas, e portanto sacrossantas contra os esforços para modificá-las, então, esses dogmas simplesmente completam o isolamento de uma visão dos fatos – e o isolamento de muita gente em grupos atrasados dos avanços disponíveis para outras culturas em torno deles, deixando apenas uma agenda de construção de ressentimento e cruzadas do tipo anjos contra as forças do mal – por mais fútil ou até contraproducente que isso possa se tornar para aqueles que são os aparentes beneficiários desses melodramas morais".[15]

Na verdade, a TCR vai além de discutir que culturas diferentes são igualmente válidas. Ela declara que a sociedade é uma cultura de dominância branca sistematicamente racista e recruta os ressentidos, insatisfeitos e descontentes para uma crescente legião de revolucionários antiamericanos, na qual as minorias lutam contra as forças sociais "brancas dominantes". Em seu livro de 1964, *One-Dimensional Man*, Marcuse incentiva a expansão da ideologia e da revolução marxista para incluir grupos raciais e étnicos. "Sob a base popular conservadora está o substrato dos proscritos e excluídos", ele escreveu, "os explorados e perseguidos de outras raças e outras cores, os desempregados e não empregáveis. Eles existem fora do processo democrático; sua vida é a mais imediata e mais real necessidade de pôr fim às intoleráveis condições e instituições. Assim, sua oposição é revolucionária, mesmo que as consequências não sejam. Sua oposição atinge o sistema de fora para dentro e, portanto, não é evitada pelo sistema; ela é um elemento de força que viola as regras do jogo e, assim, revela que esse é um jogo arrumado. Quando eles se reúnem e vão para as ruas, sem armas, sem proteção, a fim de pedir os mais primitivos direitos civis, sabem que enfrentam cachorros, pedras e bombas, cadeia, campos de concentração e até a morte. Sua força está atrás de toda demonstração policial para as vítimas da lei e da ordem. O fato que marca o início do fim de um período".[16]

De fato, Marcuse e outros marxistas deram à luz a Teoria Crítica da Raça e uma lista aparentemente interminável de grupos descontentes ideologicamente orientados. Discriminação se baseia em raça, etnia, gênero, orientação sexual, situação econômica e uma variedade de outras características humanas, qualidades, preferências e circunstâncias. De fato, frequentemente indivíduos e grupos são considerados vítimas de mais de um tipo de discriminação. Por exemplo, se alguém é mulher, muçulmana e negra, diz-se que ela é submetida a múltiplas formas de discriminação. Isso também recebeu um nome dado por, entre outros, Kimberlé Crenshaw, professora de Direito da Universidade da Califórnia, Los Angeles: *interseccionalidade*.

Em uma entrevista para a CNN em 2020, Crenshaw descreveu a Teoria Crítica da Raça como "uma prática. É uma abordagem para tratar uma história de supremacia branca que rejeita a crença de que o passado fica no passado, e de que as leis e sistemas que crescem a partir do passado são desligados dele".[17]

"A teoria crítica da raça serve não só ao papel transformador da lei que é sempre celebrado", declarou Crenshaw, "mas também ao papel de estabelecer os direitos e privilégios que a reforma legal decidiu desmantelar. Como a própria história americana, uma compreensão apropriada do terreno em que pisamos requer uma avaliação equilibrada, não um compromisso simplista de relatos chauvinistas do passado e das dinâmicas atuais de nossa nação."[18]

Em outras palavras, a TCR mina e explora a singular e muito bem-sucedida fusão americana de assimilação de diversidade e cultura, e considera todas as questões no contexto de imperfeições sociais do passado – independentemente de enormes lutas e esforços para a criação de uma sociedade mais perfeita, inclusive uma guerra civil, massiva redistribuição econômica e mudanças legais inovadoras. Mais ainda, ela incorpora e propõe uma lista crescente de causas como razões novas ou adicionais para erradicar a sociedade e transformar o país. Na verdade, a TCR reposiciona aquela que é a mais tolerante e beneficente sociedade na Terra como uma nação miseravelmente sombria e empobrecida, desde seu início até hoje.

Apesar do chamado de Marcuse para a revolução entre os grupos minoritários, alguns marxistas puristas viam a TCR difundindo ou enfraquecendo o historicismo material de Marx – isto é, a ideia da luta de classes baseada em condições econômicas. Essa visão praticamente passou. Os teóricos críticos da raça são tipicamente marxistas na orientação e consideram principalmente sua teoria para a transição da sociedade e sua fusão com a agenda marxista. Por exemplo, para o marxista e o teórico crítico da raça, o passado é evidência de manipulação, exploração, maus tratos e corrupção de diferentes classes de pessoas. A América, é, portanto, uma sociedade irremediavelmente desprezível que precisa ser incansavelmente condenada e, em última análise, superada.

Como Marx, os proponentes da TCR tratam de estereótipos de grupo e preconceitos, seja falando sobre perpetradores ou vítimas, com base em raça etc. São feitas presunções sobre indivíduos com base em físico, religião, ancestralidade e outras características. Mas os seres humanos são mais que seres raciais, como são mais que seres econômicos, e a ideologia marxista prega uma monumental e mortal distorção da natureza humana. Indivíduos são complexos e complicados, únicos e espirituais. Eles são influenciados por inúmeros eventos, circunstâncias, motivações, desejos, interesses etc. São os acadêmicos e ativistas marxistas e críticos da raça que criam essas categorias para a própria conveniência e propósitos revolucionários quando exigem a dissolução da sociedade e seu renascimento como uma autocracia utópica ou um governo das massas. É claro, isso não significa dizer que indivíduos e a sociedade não são afetados por distinções raciais e de outros tipos, mas não pela exclusão, e não só pelas lentes únicas de uma gama de outras influências humanas.

Entre os livros mais lidos sobre TCR está, como era de se esperar, *Critical Race Theory*. Os autores, Professores Richard Delgado e sua esposa, Jean Stefancic, lecionam Direito na Universidade do Alabama. Eles escrevem, em parte: o movimento da TCR "é uma coleção de ativistas e acadêmicos engajados no estudo e na transformação do relacionamento entre raça, racismo e poder. O movimento considera diversos dos mesmos temas que os discursos convencionais de direitos civis e estudos étnicos abordam, mas os posicionam em uma perspectiva mais ampla que inclui economia, história, cenário, grupo e interesse pessoal, e emoções e o inconsciente. Diferente do discurso tradicional dos direitos civis, que ressalta incrementalismo e progresso passo a passo, a teoria crítica da raça questiona as bases da ordem liberal, inclusive a teoria da igualdade, raciocínio legal, razão Iluminista e princípios neutros da lei constitucional. Depois da primeira década, a Teoria Crítica da Raça começou a se dividir, e agora inclui uma bem desenvolvida jurisprudência asiática-americana, um forte contingente crítico latino (LatCrit), animados grupos de interesse LGBT e, agora, um cáucus muçulmano e árabe. Embora os grupos continuem mantendo boas relações sob o guarda-chuva da teoria crítica da raça, cada um desenvolveu seu próprio corpo de literatura e conjunto de prioridades".[19]

Assim, como Marx, o movimento TCR desdenha abertamente e rejeita os progressos da humanidade ao longo dos séculos, senão milênios, que servem como base da sociedade americana e de outras sociedades avançadas, bem como de progressos raciais feitos em nosso país, menosprezados como melhorias por, para e da classe branca privilegiada. Ao rejeitar "teoria da igualdade, raciocínio legal, razão Iluminista e princípios neutros da lei constitucional", a TCR se revela como um dogma radical e uma causa fanática liderada por verdadeiros crentes.

Delgado e Stefancic detalham o significado e as bases da TCR, dessa maneira: "Primeiro, racismo é comum, não aberrativo – 'ciência normal', o jeito usual de a sociedade fazer negócios, a experiência comum, diária da maioria das pessoas de cor neste país".[20]

Portanto, racismo é desenfreado, onipresente, consciente e inconsciente. Está em todos os lugares, e não há como escapar dele. Minorias são incansavelmente vitimizadas como indivíduos e classe, e de todas as maneiras, pela dominância branca. E a menos que se erradique a sociedade, não há cura. Essa é a mentalidade, essa é a doutrina.

"Segundo", escrevem Delgado e Stefancic, "muitos concordariam sobre nosso sistema de ascendência branca sobre os de cor servir a importantes propósitos, físicos e materiais, dos grupos dominantes. O primeiro tema é que o racismo é difícil de curar por não ser reconhecido. Concepções de igualdade daltônica, ou 'formal', expressas em regras que insistem apenas no mesmo tratamento, podem remediar apenas as formas mais evidentes de discriminação..."[21]

Portanto, segue o argumento, o privilégio branco disseminado e a supremacia branca são um fato científico suficiente que deve ser reconhecido, para que haja algum verdadeiro progresso racial. Referências e ações baseadas em promover "daltonismo" e "igualdade" são distrações insignificantes e superficiais que desviam o foco de uma verdadeira revolução cultural.

"O segundo tema... determinismo material, acrescenta uma nova dimensão", declaram Delgado e Stefancic. "Como o racismo favorece os interesses tanto das elites brancas (materialmente) quanto das classes trabalhadoras brancas (fisicamente), grandes segmentos da sociedade têm pouco incentivo para erradicá-lo."[22] Para os nossos propósitos aqui, "determinismo material" de Marx significa simplesmente que indivíduos e humanidade são influenciados e motivados por fatores puramente materiais.

Assim, a TCR empresta de Marx ao promover o conceito de determinismo material, mas o discrimina, o racializa – isto é, elites brancas e até a classe trabalhadora branca são partes da burguesia no modelo de luta de classes de Marx. Como tal, a maioria branca deve continuar apoiando o regime social racista, pois são seus beneficiários econômicos e de "poder".

Delgado e Stefancic escrevem que "um terceiro tema... é a tese da 'construção social', [que] sustenta que raça e raças são produtos de pensamento e relações sociais. Não objetivos, inerentes ou fixos, não correspondem a nenhuma realidade biológica ou genérica; em vez disso, raças são categorias que a sociedade inventa, manipula ou descarta quando é conveniente. Pessoas com origens comuns compartilham certas características físicas, é claro, como cor de pele, físico e textura de cabelo. Mas isso constitui apenas uma porção extremamente pequena de seu dote genético, minimizada por aquilo que temos em comum, e tem pouco ou nada a ver com características distintivas humanas de ordem mais elevada, como personalidade, inteligência e comportamento moral. Essa sociedade procura ignorar essas verdades científicas, cria raças e atribui a elas características pseudopermanentes de grande interesse para a teoria crítica da raça".[23]

Se você está de alguma forma em choque com esse terceiro tema, é compreensível. Os teóricos e o movimento da TCR tentam propor duas ideias conflitantes ao mesmo tempo: primeira, que grupos minoritários são discriminados com base em raça, gênero, etnia etc., mas essas categorias de grupos minoritários são ditas inventadas pela sociedade injusta por propósitos estereotipados. Na verdade, são os defensores da Teoria Crítica da Raça que falam e escrevem sobre grupos, e desenvolvem novos grupos de pessoas, que dizem ser submetidos à injustiça e discriminação, conhecida e desconhecida, consciente e inconsciente, interminável e em todos os lugares, de maneira estereotipada. Daí as políticas de identidade, interseccionalidade etc.

E, é claro, Delgado e Stefancic celebram a interseccionalidade como um elemento-chave do movimento TCR – isto é, a discriminação ocorre frequentemente em múltiplos níveis. Eles escrevem: "Intimamente relacionada à racialização diferencial – a ideia de que cada raça tem as próprias origens e sua história em constante evolução – é a ideia de interseccionalidade e antiessencialismo. Nenhum indivíduo tem uma identidade unitária, única, facilmente estabelecida... Todo mundo tem identidades, lealdades e filiações potencialmente conflitantes que se sobrepõem".[24] Além disso, antiessencialismo é a ideia de que não existe uma resposta única para todas as situações; portanto, soluções governamentais para a discriminação devem ser flexíveis e infinitas para acomodar todas as formas de pensamento, comportamento e práticas discriminatórios em uma sociedade racista, agora e no futuro.

Claramente, a academia não tem a ver apenas com ensinar os alunos a pensar – ou, no caso do marxismo e da TCR, o que pensar por meio de repetição e doutrinação – mas com desenvolver um exército de revolucionários ativistas. Delgado e Stefancic escrevem que "diferente de algumas disciplinas acadêmicas, a teoria crítica da raça contém uma dimensão ativista. Ela tenta não só entender nossa situação social, mas modificá-la, propondo-se não só a afirmar como a sociedade se organiza ao longo de linhas raciais e hierarquias, mas a transformá-la para melhor".[25]

O falecido Derrick Bell, professor de Direito em Harvard, é considerado por alguns como pai fundador da moderna Teoria Crítica da Raça. Thomas Sowell conheceu Bell e também tinha pouca consideração por ele e seu movimento ideológico. Ele acreditava que Bell não era competente para lecionar em Harvard e, anteriormente, na Escola de Direito de Stanford, e denunciou Bell por exigir que "não só as pessoas fossem contratadas por raça, mas que fossem contratadas para se encaixar na ideologia de Derek Bell".[26]

Realmente, parece que as deficiências pessoais de Bell, bem como as críticas de colegas e alunos, afetaram sua visão de vida e vitimização. Em seu livro de 1992, *Inside American Education: The Decline, the Deception, the Dogmas*, Sowell escreve sobre Bell: "ele defendeu que 'ação direta' é mais eficiente que a lei, que 'reforma requer confronto' que 'não pode ser intelectualizado'. Ao admitir que 'poucos acadêmicos da minoria têm reputação nacional ou trabalhos publicados frequentemente nas importantes publicações de leis', Bell atribui esse dado à 'exclusão' dos brancos contra eles. Negros com um posicionamento diferente são desconsiderados por Bell como pessoas que apenas 'parecem negras', mas 'pensam branco'."[27]

Bell era crítico da maioria dos progressos dos direitos civis conquistados antes, inclusive as leis de direitos civis e as decisões da Suprema Corte como *Brown v. Board of Education*, e as ideias de daltonismo, mérito e oportunidades iguais. Ele alegava que tudo isso servia aos interesses da elite branca por mascarar racismo contínuo e interminável – o chamado "dilema de convergência de interesses".[28] Para Bell e seus seguidores, não pode existir lei, decisões ou ações neutras, pois elas são afetadas pela cultura branca dominante e pelo privilégio branco. Tal como Marx, portanto, a lousa social deve ser apagada.

"Nossa esperança", escreveu Bell, "é que a resistência acadêmica faça o trabalho de base para a resistência em grande escala. Acreditamos que deve haver resistência a padrões e instituições criados pelo poder branco e que o fortalecem. Descontextualização, na nossa opinião, muitas vezes mascara o poder não regulamentado, e até não reconhecido. Insistimos, por exemplo, que abstração, proposta como verdade 'racional' ou 'objetiva', contrabandeia a escolha privilegiada do privilegiado para despersonificar suas reinvindicações e depois passá-las adiante como a autoridade universal e o bem universal. Para fazer oposição a essas presunções, tentamos trazer ao ensino do Direito uma preocupação com raça e outras hierarquias socialmente construídas, uma preocupação baseada em experimentos, expressa de maneira opositiva, e inspiradora para a transformação".[29]

E, é claro, qualquer crítica à causa "justa" de Bell era atacada como arrogância e ignorância branca. Portanto, nenhuma crítica a Bell ou à TCR é considerada legítima. De fato, ela é evidência do próprio racismo sistêmico de que Bell reclama. Bell escreveu: "Comparar a redação da teoria crítica da raça com o *Spiritual* (gênero musical inicialmente interpretado por escravos negros nos Estados Unidos) é um conceito sem justificativa, mas a essência de ambos é bem semelhante: comunicar compreensão e tranquilidade a almas necessitadas presas em um mundo hostil. Além disso, o uso de estrutura, linguagem e forma não ortodoxas para encontrar sentido no que não faz sentido é outra semelhança. Previsivelmente, críticos defensores dos cânones legais existentes depreciarão a teoria crítica da raça, e o trabalho comparável de feministas, com seus padrões de excelência e decretarão que esse novo trabalho é seriamente inadequado. Muitos desses críticos se agarram à teoria e têm um medo mortal da experiência. Buscam significado dissecando porções dessa obra escrita – a qualidade autobiográfica de algum trabalho e a característica alegórica, contadora de história de outros. Mas todas essas críticas perdem de vista o principal. A teoria crítica da raça não pode ser entendida pela alegação de que é ineficaz para transmitir à maioria argumentos de discriminação e desvantagem. Mais que isso, é pretensioso sugerir, como fazem alguns críticos, que pela atenção deles, até pela atenção negativa, conferem a esse trabalho legitimidade para que o mundo o leve a sério. Mesmo que seja correta, essa visão é paternalista e um esforço patético para recuperar uma posição de dominância".[30]

Mas existiram e existem críticos de destaque da TCR que foram ativos no início do movimento pelos direitos civis, inclusive o falecido chefe de gabinete do Rev. Martin Luther King Jr., Dr. Wyatt Tee Walker. Walker foi ele mesmo uma lenda no movimento dos direitos civis. Seu amigo e colaborador assíduo no movimento de escolha de escola, Steve Klinsky, escreve que Walker era o "'general de campo' de King na resistência organizada contra o famoso comissário de segurança de Birmingham, 'Bull' Connor. Walker compilou e nomeou "The Letter from Birmingham Jail" (A Carta da Prisão de Birmingham) de King. Ele esteve com King na marcha em Washington que produziu o discurso do 'Eu tenho um sonho', e em Oslo para o Prêmio Nobel da Paz".[31] Walker rejeitou enfaticamente a TCR. Em 2015, Klinsky e Walker foram coautores de um ensaio no qual escreveram, em parte: "Hoje, muitos 'remédios' – como a Teoria Crítica da Raça, a abordagem pós-marxista/pós-modernista cada vez mais em voga que analisa a sociedade como grupo institucional de estruturas de poder, em vez de adotar um nível humano espiritual ou de relações individuais diretas – nos levam em uma direção errada: separam até crianças do ensino fundamental em grupos raciais explícitos, enfatizando diferenças, em vez de semelhanças".[32]

"A resposta é ir mais fundo que raça, mais fundo que riqueza, mais fundo que identidade étnica, mais fundo que gênero", eles explicaram. "Aprendermos a compreender cada pessoa, não como símbolo de um grupo, mas como indivíduo único e especial dentro de um contexto comum de humanidade compartilhada. Ir àquele lugar fundamental onde somos todos simplesmente criaturas mortais, buscando criar ordem, beleza, família e conexão com o mundo – por conta própria – parece se voltar com muita frequência para aleatoriedade e entropia."[33]

Klinsky acrescenta que "Dr. Walker defendia um respeito fundamental por todas as pessoas, sem considerar seu grupo étnico, religião ou cor de pele. As visões do Dr. Walker sobre os direitos civis remontam a valores religiosos, humanismo, racionalismo, ao Iluminismo. As raízes da TCR estão plantadas em solo intelectual inteiramente diferente. Ela começa com 'blocos' (com cada pessoa designada a um bloco identitário ou econômico, como no marxismo). Interações de humano para humano são substituídas por interações de bloco para bloco... Como podemos ter paz entre as raças e religiões, se não olhamos um para os outros, de pessoa para pessoa, com base em fatos e intenções reais?"[34]

De fato, a TCR é pseudoacademicismo gestado, primariamente, por um pequeno grupo de professores marxistas de Direito, liderados por Bell, com base em vitimização, apelos emocionais, balcanização e separatismo. A essa altura, deveria ser claro que ela é uma ideologia baseada no marxismo e temperada por puro fanatismo, antagonismo e ódio.

De maneira nada surpreendente, Delgado e Stefancic promovem "a criação e análise de narrativas legais" como uma das mais eficientes formas de persuasão, não como estudo acadêmico sério. "Teóricos críticos da raça construíram experiências cotidianas com perspectiva, ponto de vista e o poder de histórias e persuasão para chegar a uma compreensão mais profunda de como os americanos veem a raça. Eles escreveram parábolas, autobiografia e 'contra-histórias' e investigaram

MARXISMO AMERICANO

o passado factual de personalidades, frequentemente ignoradas nos registros de casos... Advogados contadores de histórias, como Derrick Bell... criam uma longa história com raízes que remontam às narrativas escravas, conversas escritas por negros cativos para descrever suas condições e desmascarar a nobreza que a sociedade agrícola branca apresentava... Embora alguns escritores critiquem a TCR por negatividade excessiva e por não desenvolver um programa positivo, a criação e análise de narrativas legais são avanços claros que o movimento pode afirmar... Uma premissa dos criadores de narrativas legais é que membros do grupo racial dominante deste país não podem apreender com facilidade como é ser não branco."[35]

Como enfatizam Jonathan Butcher e Mike Gonzalez da Heritage Foundation, "TCR é propositalmente política e dispensa a ideia de direitos, porque atribui a culpa de todas as desigualdades de resultados ao que seus adeptos chamam de racismo pervasivo nos Estados Unidos. 'Supremacia branca', uma expressão que se repete no discurso da TCR e continua sendo muito usada hoje em dia por líderes de organizações do *Black Lives Matter,* deve ser eliminada. Supremacia branca não significa uma crença real na superioridade de pessoas brancas, no entanto. Pode significar qualquer coisa, dos filósofos clássicos aos pensadores do Iluminismo e à Revolução Industrial".[36]

Butcher e Gonzalez apontam o uso da expressão "supremacia branca" pela autora da TCR Robin DiAngelo para condenar toda a sociedade. DiAngelo é professora associada de educação na Universidade de Washington. Ela escreve em seu livro *White Fragility*: "Supremacia branca é uma expressão descritiva e útil para capturar a abrangente centralidade e presumida superioridade de pessoas definidas e percebidas como brancas e as práticas baseadas nessa presunção. Supremacia branca nesse contexto não se refere a indivíduos brancos e suas intenções ou ações individuais, mas a um sistema político, econômico e social de dominação. Racismo é uma estrutura, não um evento. Embora grupos de ódio que proclamam abertamente a superioridade branca existam e essa expressão se refira a eles também, a consciência popular só associa supremacia branca a esses grupos radicais. Essa definição redutiva encobre a realidade do sistema maior em funcionamento e nos impede de abordar esse sistema".[37] Assim, supremacia branca define e explica todo o experimento americano, não só uma ponta extremista de supremacistas brancos.

Teóricos e ativistas da TCR declaram que não só a sociedade é incuravelmente racista e dominada pelos brancos, mas é inútil tentar afirmar ou perseguir seus "direitos", porque esses direitos, na verdade, não são direitos. Por quê? Porque não promovem o tipo de igualitarismo marxista e o paraíso do povo (dos trabalhadores) exigidos pelo movimento crítico da raça. De fato, direitos são usados para manter a estrutura racial branca e negar poder às minorias. Delgado e Stefancic afirmam que "em nosso sistema, direitos são quase sempre processuais (por exemplo, a um processo justo), em vez de substantivos (por exemplo, a alimentação, moradia ou educação). Pense em como esse sistema aplaude proporcionar igualdade de oportunidades a todos, mas resiste a programas que garantem igualdade de resultados, tais como ação afirmativa em uma faculdade ou universidade de elite ou esforços para equalizar o financiamento do ensino público entre os distritos de uma região. Além disso, direitos são quase sempre removidos quando entram em confronto com os interesses dos poderosos. Por exemplo, discurso de ódio, que tem como alvos principais as minorias, *gays*, lésbicas e outros excluídos, tem proteção legal, enquanto o discurso que ofende os interesses de grupos poderosos encontra uma pronta exceção na lei da Primeira Emenda... E mais, os direitos são considerados alienantes. Separam as pessoas umas das outras – 'fica longe, tenho meus direitos' – em vez de incentivá-las a formar comunidades unidas, respeitosas".[38]

MARXISMO AMERICANO

Ativistas da TCR, como revolucionários marxistas, são intolerantes com argumentos contrários e desafiadores de suas visões. Portanto, liberdade de expressão é particularmente ameaçadora para "a causa". Embora digam que o foco é o discurso de ódio, uma expressão aplicada tanto a evidentes ofensas raciais quanto a mais amplas discordâncias políticas e filosóficas, Chris Demaske, professor associado de Comunicação na Universidade de Washington Tacoma, explicou que "acadêmicos da TCR criticaram muitas presunções que acreditam constituir a ideologia da Primeira Emenda. Por exemplo, em vez de ajudar a conquistar um debate robusto e saudável, a Primeira emenda serve, na verdade, para preservar as iniquidades do *status quo*; não pode haver algo como interpretação objetiva ou de conteúdo neutro na lei em geral ou da Primeira Emenda em particular; alguns discursos devem ser analisados nos termos do prejuízo que causam, em vez de todo discurso ser avaliado por ser um discurso; e não há 'igualdade' na 'liberdade' de expressão".[39]

Para os defensores da TCR, contradiscurso, mais discurso e o mercado de ideias estão todos envenenados por dominância e privilégio branco. É claro, isso leva a repressão, censura e à "cultura do cancelamento" atual, que abordo em um capítulo posterior.

Delgado e Stefancic afirmam: "Uma das primeiras propostas da teoria crítica da raça tem a ver com discurso de ódio – a chuva de insultos, apelidos e xingamentos que muitas pessoas das minorias enfrentam todos os dias. Um artigo inicial documenta alguns dos prejuízos que esse tipo de discurso pode causar. Ele aponta que os tribunais já garantiam alívio intermitente para as vítimas de discurso de ódio por ofensas como difamação, imposição intencional de perturbação emocional e agressão e ataque, e concluiu sugerindo um novo delito independente em que as vítimas de vituperação deliberada e direta pudessem processar e receber por danos. Artigos e livros posteriores desenvolveram essa ideia. Um escritor sugeriu criminalização como resposta; outros pediram que faculdades e universidades adotem regras de conduta dos estudantes criadas para deter o discurso de ódio no *campus*. Outros ainda relacionaram o discurso de ódio à hipótese de construção social de raça, alegando que difamação racial orquestrada contribui para imagens sociais e preconceitos arraigados de pessoas de cor como indolentes, imorais ou intelectualmente deficientes".[40]

A resposta, portanto, é a regulação da fala. Assim, autoridades governantes ou, por exemplo, seus substitutos na *Big Tech*, mídia e academia devem se incumbir de determinar que discurso é aceitável e qual não é. É claro, para os marxistas e os ideólogos da TCR, só um tipo de discurso é aceitável – o deles. Daí a demanda por códigos de discurso no *campus*, a guerra por liberdade acadêmica e as ameaças à diversidade intelectual entre professores e alunos, e a demanda por leis federais e estaduais criminalizando o discurso de ódio. Obviamente, o problema se torna a imprecisão, extensão e alcance dessas políticas e leis, e autoridades governamentais e governantes controlando o discurso, em algum momento. Esse é outro exemplo das contradições e hipocrisia do marxismo, e aqui o movimento TCR, na medida em que protesta contra a sociedade existente enquanto exige que o governo interfira para a realização de seus fins ideológicos.

Delgado e Stefancic também atacam a internet. "Discurso de ódio na internet está criando um problema difícil. *Blogs*, *tweets*, desenhos animados... e outras mensagens nesse meio são baratas e de fácil circulação, frequentemente de forma anônima. Elas permitem que quem não gosta de uma pessoa ou raça encontre outras pessoas de pensamento semelhante, de forma a construir reforço, muitas vezes sem oposição. A sociedade polariza, com grupos desconfiando uns dos outros e acreditando que o outro lado pensa errado. É claro, discurso contrário é fácil e barato na internet. Mesmo assim, a pronta disponibilidade de uma via para responder a uma mensagem ofensiva não resolveu completamente o problema".[41] Desde então, no entanto, eles descobriram os meios pelos quais usar a internet para seus fins. Mais uma vez, mais sobre isso nos capítulos posteriores deste livro.

Além disso, a ideia de mérito como uma meta justa, objetiva e desejável na sociedade é considerada e aplicada pelos olhos do privilégio branco. Delgado e Stefancic declaram que "a crítica da TCR ao mérito assume muitas formas, todas destinadas a mostrar que a ideia está longe do padrão neutro que seus apoiadores imaginam que tem. Vários escritores criticam testagem padronizada, demonstrando que testes como SAT ou LSAT* são treináveis e recompensam pessoas de altos níveis socioeconômicos que podem pagar os cursos caros que preparam para os testes. Resultados baixos nos testes predizem pouco mais do que as notas de primeiro ano – e apenas modestamente – e não medem outras qualidades importantes como empatia, realização, orientação, orientação para realização ou habilidades de comunicação. Esses escritores apontam que mérito é altamente situacional. Se a cesta em uma quadra de basquete for movida quinze centímetros para cima ou para baixo, muda-se radicalmente a distribuição de quem tem mérito".[42]

É claro que o movimento TCR se espalhou não só pela academia, mas na mídia, política e nas corporações, e deu origem à racialização de praticamente todas as áreas da vida. Eu disse muitas vezes que, embora a União Soviética tenha sido derrotada, manifestações desse regime totalitário podem ser encontradas nos *campi* das faculdades e universidades americanas. Butcher e Gonzalez explicam por quê: "Como a TCR se originou em instituições pós-secundárias, não é surpresa que algumas das manifestações mais intolerantes da TCR

---

*. SAT (Scholastic Aptitude Test) consiste em um teste de avaliação de conhecimento exigido para entrar em curso superior nos EUA, e LSAT (Legal Scholastic Aptitude Test) refere-se ao Teste Psicotécnico para Escola de Direito, prova apropriada dada aos interessados em estudar numa faculdade de direito nos Estados Unidos. (N.R.)

sejam encontradas nos *campi* universitários. As instalações das faculdades têm sido lar de protestos há décadas, mas muitos da atual geração de manifestantes estão determinados a serem ouvidos e não permitir que outros se expressem, recorrendo até à violência, às vezes. Além disso, estudantes ativistas e seus aliados fazem exigências a administradores de escolas que tentam exercer poder sobre aqueles em posições de autoridade".[43] Dos *campi* de faculdades e universidades, a intolerante cultura do cancelamento que esmaga o discurso está agora em todos os lugares. E o fim do jogo é o mesmo objetivo dos marxistas – a destruição da sociedade existente.

Os editores de hoje estão publicando livros sobre a TCR em ritmo acelerado. Material didático é usado nas salas de aula da escola pública de toda a América para doutrinar as crianças e submetê-las a lavagem cerebral. Professores estão sendo "reeducados" e treinados na Teoria Crítica da Raça. Por exemplo, *Is Everyone Really Equal – an Introduction to Key Concepts in Social Justice Education*, é um livro popular de Ozlem Sensoy e Robin DiAngelo que circula atualmente pelos círculos da educação pública. No prefácio do livro, James A. Banks, editor da Multicultural Education Series, explica a agenda: "Este livro incisivo e oportuno é escrito para ajudar professores em treinamento e atuando a alcançar o conhecimento, as atitudes e as habilidades necessárias para trabalhar efetivamente com alunos de diversos grupos, inclusive os grupos majoritários. Uma importante conclusão desse livro é que professores precisam desenvolver uma perspectiva crítica de justiça social a fim de entender as questões complexas relacionadas a raça, gênero, classe e excepcionalidade nos Estados Unidos e no Canadá e lecionar de forma a promover justiça social e equidade".[44]

Banks previne que "uma das tarefas mais difíceis para aqueles que lecionam em cursos de educação multicultural para alunos de educação é viver a resistência ao conhecimento e às habilidades que ensinam. Essa resistência tem raízes profundas nas comunidades em que a maioria dos alunos dos cursos de educação são socializados também no conhecimento comum que se torna institucionalizado dentro da comunidade acadêmica, e na cultura popular que a maioria dos alunos não questiona, até se matricular em um curso de educação multicultural ou diversidade..."[45]

O livro é dividido nos seguintes capítulos:

Capítulo 1: Como se envolver de maneira construtiva em cursos que adotam uma abordagem de justiça crítica social

Capítulo 2: Pensamento crítico e teoria crítica

Capítulo 3: Cultura e socialização

Capítulo 4: Preconceito e discriminação

Capítulo 5: Opressão e poder

Capítulo 6: Compreender privilégio pelo capacitismo

Capítulo 7: Compreender a invisibilidade da opressão pelo sexismo

Capítulo 8: Compreender a natureza estrutural da opressão pelo racismo

Capítulo 9: Compreender a organização global do racismo pela supremacia branca

Capítulo 10: Compreender interseccionalidade pelo classismo

Capítulo 11: Refutações comuns do tipo "Sim, mas..."

Capítulo 12: Juntar tudo isso[46]

Banks descreve a agenda ideológica pretendida pelo livro:

"Esperamos levar nossos leitores em uma jornada que resulte na capacidade aumentada de enxergar além do nível superficial imediato e ver a injustiça profundamente embutida... injustiça que, para muitos de nós, é normal e esperada. Olhar de frente para a injustiça pode ser doloroso, especialmente quando entendemos que todos temos um papel nela. No entanto, ao levar nossos leitores nessa jornada, não pretendemos inspirar ou atribuir culpa. A esse ponto na sociedade, culpa não é útil ou construtiva, ninguém que lê este livro contribuiu para a criação dos sistemas que mantêm a injustiça em ação. Mas cada um de nós pode escolher se vai trabalhar para interromper e desmontar esses sistemas, ou apoiar a existência deles ignorando-os. Não há neutralidade; escolher não agir contra a injustiça é escolher permiti-la. Esperamos que este livro dê aos leitores as bases conceituais a partir das quais agir contra a injustiça".[47]

A TCR está agora firmemente entrincheirada nas universidades e faculdades americanas, e sua pesquisa é muito disseminada. O *site* Legal Insurrection, fundado pelo Professor William Jacobson da Escola de Direito Cornell, fornece o banco de dados mais abrangente de mais de duzentas faculdades e universidades que estão usando o treinamento crítico da raça em seus *campi*.[48]

Além disso, a TCR se espalha rapidamente pelas escolas públicas da América. Entre outras coisas, isso acontece com a forte defesa e a máquina corporativa do *New York Times* e do Projeto 1619.

O que é o Projeto 1619? Em *Real Clear Public Affairs*, Krystina Skurk, assistente de pesquisa na Hillsdale College escreve explicando que é "uma série de ensaios publicados pelo *New York Times*... o Projeto 1619 reposiciona a história dos Estados Unidos argumentando que 1619, ano em que os primeiros escravos foram levados a Jamestown, é o ano da verdadeira fundação da América. Em parceria com o *Times*, o Pulitzer Center criou um currículo baseado em 1619, que distribuíram para mais de 3500 escolas. O currículo ensina que a escravidão tem um impacto duradouro em todas as instituições dos Estados Unidos, de acordo com um plano de aula do Pulitzer Center. Uma questão do guia de discussões indaga: Como as estruturas sociais se desenvolveram para apoiar a escravidão dos negros, e o racismo antinegros que foi cultivado nos Estados Unidos para justificar a escravidão, influenciam muitos aspectos das leis, políticas, sistemas e cultura modernos?"[49]

Skurk continua: "Em um vídeo criado para o currículo, Nikole Hannah-Jones, a criadora do Projeto 1619, explica que em sua infância no Meio Oeste, ela "via a paisagem de iniquidade" pela janela do ônibus escolar. A porção mais eloquente do vídeo é quando Hannah-Jones discute a história americana, descrevendo primeiro 1776 como o ano que pôs em movimento o "experimento democrático mais libertador da história do mundo". Enquanto ela fala, são exibidas imagens icônicas dos pioneiros, dos Fundadores da América, dos anos de 1950 e da Estátua da Liberdade. Depois as imagens começam a retroceder, e Hannah-Jones diz: 'A única maneira de você acreditar que esse país foi a nação democrática mais livre que o mundo já viu é, é claro, apagar o povo indígena que já estava aqui... e ignorar os africanos escravizados'".[50]

Em todos os lugares para onde olha de seu assento no *New York Times*, Hannah-Jones vê racismo. "Hannah-Jones afirma que quase tudo na vida moderna americana é maculado pelo legado da escravidão", escreve Skurk. "Ela aponta índices de detenção, ausência de um serviço de saúde universal, a extensão da licença maternidade, as leis do salário-mínimo, os baixos índices de filiação a sindicatos, os sistemas rodoviários, leis explicitamente e implicitamente discriminatórias e sistemas escolares de baixo desempenho em áreas povoadas por minorias como exemplos dos efeitos continuados do racismo".[51]

Qual é o objetivo desse projeto do *New York Times*? Jake Silverstein, editor-chefe do *Times*, afirmou que é "reposicionar a história americana considerando o que significaria considerar 1916 como o ano de nascimento de nossa nação [em vez de 1776]. Isso requer que coloquemos as consequências da escravidão e as contribuições dos negros americanos no centro da história que contamos a nós mesmos sobre quem somos como um país".[52]

Em seu livro *1620: A Critical Response to the 1619 Project*, Peter W. Wood, presidente da National Association of Scholars (Associação Nacional de Acadêmicos) e ex-professor, escreveu uma resposta devastadora para o Projeto 1619. Entre outras coisas, ele explica: "O alvo maior do Projeto 1619 é mudar a compreensão que a América tem dela mesma. Se vão ter sucesso nisso é algo que ainda veremos, mas certamente já conseguiu reformular como os americanos discutem hoje aspectos-chave da história. O Projeto 1619 se alinha às visões daqueles da esquerda progressista que odeiam a América e gostariam de transformá-la radicalmente em um tipo diferente de nação. Essa transformação seria um terrível engano: poria em risco nossa liberdade conquistada com muito esforço, nosso governo e nossas virtudes como povo..."[53] Wood observa que "o Projeto 1619 levou ideias que até alguns anos atrás eram exclusivamente periféricas para o domínio da opinião pública. A ideia, por exemplo, de que a Revolução Americana foi um acontecimento pró-escravidão circulou no passado apenas entre ativistas de mentalidade conspiratória com teorias do tipo revista em quadrinhos sobre a história. O Projeto 1619 a levou do *playground* para a sala de aula, para consternação de historiadores sérios em todos os lugares".[54]

Wood condena o projeto como farsa acadêmica. E, é claro, é. A Teoria Crítica da Raça travestida de história. "A maneira habitual de resolver disputas sobre história", diz Wood, "é os historiadores apresentarem seus melhores argumentos, e suas fontes, em artigos de jornais; cada lado pode então examinar as evidências por si mesmo e extrair a verdade. O Projeto 1619 evita esse tipo de transparência... Hannah-Jones, que faz algumas das afirmações mais audaciosas, não cita fontes: o projeto conforme [originalmente] no [*New York Times*] *Magazine* não tem notas de rodapé, bibliografia ou outros dados de apoio acadêmicos".[55]

Em dezembro de 2019, no *New York Times Magazine*, cinco historiadores exemplares "expressaram... fortes reservas em relação a aspectos importantes do Projeto 1619. O projeto tem a intenção de oferecer uma nova versão da história americana na qual escravidão e supremacia branca se tornam os temas organizadores dominantes. O *Times* anunciou planos ambiciosos para disponibilizar o projeto para escolas na forma de currículos e material didático relacionado".[56] Eles eram: Victoria Bynum, distinta professora emérita de História, Universidade do Estado do Texas; James M. McPherson, George Henry Davis 1886, professor emérito de História Americana, Universidade Princeton; James Oakes, distinto professor, Graduate Center, Universidade da Cidade de Nova York; Sean Wilentz, George Henry Davis 1886, professor de História americana, Universidade Princeton; e Gordon S. Wood, professor emérito da Universidade Alva O. Wade e professor emérito de História da Universidade Brown.

Os historiadores explicaram que "esses erros, que se relacionam a grandes acontecimentos, não podem ser descritos como interpretação ou 'concepção'. São temas de fato verificável, que são a base da academia honesta e do jornalismo honesto. Eles sugerem uma substituição da compreensão histórica por ideologia. A desconsideração de objeções com bases raciais – são objeções apenas de 'historiadores brancos' – afirmou essa substituição".[57]

"Sobre a Revolução Americana, central para qualquer relato de nossa história", eles escrevem, "o projeto afirma que os fundadores declararam a independência das colônias da Inglaterra 'a fim de assegurar que a escravidão continuasse'. Isso não é verdade. Se sustentável, a alegação seria chocante – mas toda declaração oferecida pelo projeto para validação é falsa. Alguns dos outros materiais no projeto são distorcidos, inclusive a alegação de que "na maior parte', americanos negros lutaram 'sozinhos' as batalhas por sua liberdade".[58]

Os historiadores continuam: "Ainda tem outro material enganoso. O projeto critica as visões de Abraham Lincoln sobre igualdade racial, mas ignora sua convicção de que a Declaração da Independência proclamou igualdade universal, para negros e brancos, uma visão que ele reiterou repetidamente contra poderosos supremacistas brancos que se opuseram a ele. O projeto também ignora o acordo de Lincoln com Frederick Douglas para que a Constituição fosse, nas palavras de Douglass, 'um GLORIOSO DOCUMENTO DE LIBERDADE'. Em vez disso, o projeto afirma que os Estados Unidos foram fundados por escravidão racial, um argumento rejeitado por uma maioria de abolicionistas e proclamado por defensores da escravidão, como John C. Calhoun".[59]

Em uma entrevista distinta para o *Atlantic*, Wilentz explicou: "Ensinar às crianças que a Revolução Americana foi travada, em parte, para garantir a escravidão seria promover um mal-entendido fundamental não só sobre o que foi a Revolução Americana, mas sobre o que a América defendeu e tem defendido desde a Fundação". ... "Ideologia antiescravidão era 'uma coisa muito nova no mundo no século dezoito', ele disse, e 'havia mais atividade antiescravagismo nas colônias do que na Inglaterra'."[60]

É importante lembrar que o *New York Times* tem um registro desastroso sobre verdade e direitos humanos. Ele tem sido uma operação de propaganda para alguns dos mais hediondos monstros e regimes na história moderna. Como detalhei em *Unfreedom of the Press*, o *Times* cobriu o extermínio dos judeus europeus por Hitler durante praticamente todo o Holocausto. Anteriormente, Walter Duranty, seu chefe de gabinete em Moscou de 1922 a 1933, foi o repórter ocidental favorito de Joseph Stalin. Duranty escrevia de maneira radiante sobre o ditador genocida e a União Soviética e ajudou a cobrir a deliberada fome em massa que matou milhões de ucranianos em 1932.[61] E no fim dos anos de 1950, Herbert L. Matthews, correspondente internacional do *Times*, "foi o primeiro repórter americano a entrevistar Fidel Castro e o último a reconhecer o homem como implacável e ligeiramente doido assassino totalitário. Ele criou, se apaixonou por ela e, no fim, foi devorado pela mitologia de Castro sem nunca entender realmente o que estava acontecendo".[62] Hoje, o *Times* dá voz a uma ideologia racista, antiamericana construída sobre ideias e táticas marxistas, submete nossas crianças a lavagem cerebral e enfraquece nosso país.

No entanto, antes mesmo do Projeto 1619, a mídia acolheu e promoveu a Teoria Crítica da Raça, preparando o cenário para as violentas manifestações que dominaram diversas cidades. Zack Goldberg, candidato a doutorado em Ciências Políticas na Universidade George State, dedicou-se ao que pode ser o mais extensivo exame de relatos da mídia sobre raça e racismo nos anos recentes. "Na esteira dos protestos, tumultos e da agitação geral iniciada pela morte de George Floyd, morto pela polícia de Minneapolis", escreveu Goldberg, "os Estados Unidos estão vivendo um reconhecimento racial. A resposta das instituições liberais da elite da América sugere que muitos abraçaram a ideologia dos protestantes. Aqui, por exemplo, tem uma amostra dos títulos de artigos de opinião e matérias publicadas no último mês pelos dois jornais mais influentes do país, *The Washington Post* e *The New York Times*:

"Quando pessoas negras sofrem, pessoas brancas
só se associam a clubes do livro"

"Ativistas negros se perguntam: protestar
só é tendência para as pessoas brancas?"

"Para pessoas brancas que querem ser 'um dos bons'"

"Duradouro sistema americano de castas: nossos ideais de fundação
prometem liberdade e igualdade para todos. Nossa realidade é uma
duradoura hierarquia racial que persistiu por séculos."

O último tópico da lista, um longo artigo sobre o "sistema de castas" da América no *New York Times Magazine*, compara explicitamente os Estados Unidos com a Alemanha Nazista.[63]

Goldberg continua: "O que a evidência sugere é que publicações de ponta não só expandiram muito a definição de racismo e promoveram ativamente uma visão mais racializada da sociedade americana – em um período que começa sob um presidente negro e durante o qual muitos indicadores mostravam lento e frustrante, mas consistente progresso racial – mas o fizeram, em parte, pela normalização e popularização da ideia de culpa coletiva das 'pessoas brancas'. A última oferta da linha popular de *podcast* do *New York Times*... tem o título de 'Nice White Parents' (Pais brancos legais) e ilustra perfeitamente o ponto. A descrição que o *Times* faz do *podcast*, focado em por que iniciativas de reforma fracassaram na tentativa de resolver os problemas nas escolas públicas americanas, sugere que ele encontrou a origem do problema: "Indiscutivelmente, a mais poderosa força em nossas escolas: pais brancos"'.[64]

Focado no *Times* e no *Washington Post*, Goldberg descobriu que "antes de 2013, as expressões 'privilégio racial' e 'branco' apareceram com uma frequência média de 0.000013% e 0.000015% de todas as palavras no *Times* e no *Post*, respectivamente. Entre 2013 e 2019, essas frequências médias cresceram para espantosos 102% no *Times*, ultrapassado por um aumento de quase 1,5% no *Post*. Enquanto isso, a frequência com que 'privilégio' compartilhou o mesmo espaço léxico com termos como 'branco', 'cor' e 'pele' teve um aumento recorde."[65]

Mesmo que você não seja espectador ou leitor diário das notícias, é impossível deixar de notar a radicalização do chamado jornalismo nos dias de hoje. Goldberg comenta: "Os picos para 'supremacia branca' e termos variantes são impressionantes, considerando que não são, de maneira nenhuma, novos, e assim partiram de uma linha de base mais alta. Até alguns anos atrás, seu uso era limitado, provavelmente, a referências a verdadeiros supremacistas brancos de carteirinha. Mas como com o 'racismo', esses termos foram radicalmente expandidos, desde então, pela impregnação rápida e ideologicamente orientada de um conceito. Supremacia branca é agora um rótulo vago e abrangente. Em vez de descrever as ideias e ações demonstravelmente discriminadoras de instituições ou indivíduos em particular, supremacia branca é agora entendida por muitos progressistas como o etos fundamental do sistema americano como um todo".[66]

O uso pela mídia de "supremacia branca" e termos relacionados para descrever qualquer coisa ou qualquer um que não concorde com a ideologia racista da TCR é pervasivo. "O que quer que tenha significado", escreve Goldberg, "supremacia branca está hoje em todos os lugares e é aplicável a qualquer contexto. Considere que até 2015, termos relacionados com "supremacia branca" quase nunca eram registrados em mais que 0.001% de todas as palavras em um dado ano em qualquer um dos jornais citados. Com exceção do *The Wall Street Journal*, cuja ascensão foi menos consistente, esse teto foi confortavelmente ultrapassado em todos os anos desde então. Em 2019, o *Times* e o *Post* usaram esses termos com uma frequência aproximadamente 17 e 18 vezes maior, respectivamente, do que em 2014".[67]

Além disso, a vasta burocracia federal é inundada com a agenda e o treinamento da TCR. O Presidente Donald Trump tomou medidas no último 22 de setembro de 2020 para pôr fim à disseminação da ideologia com a Ordem Executiva 13950. Ela estabelece, em parte: "Essa ideologia destrutiva se baseia, em parte, em representações errôneas da história de nosso país e seu papel no mundo. Embora apresentada como nova e revolucionária, ressuscita as ideias desacreditadas dos apologistas da escravidão do século dezenove que, como o rival do Presidente Lincoln, Stephen A. Douglas, sustentavam que nosso governo 'foi construído sobre bases brancas'... 'por homens brancos, para o benefício de homens brancos'. Os documentos da nossa Fundação rejeitaram essas visões racializadas da América, que foram solidamente derrotadas nos campos de batalha encharcados de sangue da Guerra Civil. No entanto, elas agora são reembaladas e vendidas como conhecimento preciso. São criadas para nos dividir e impedir nossa união como um povo em busca de um destino comum para nosso grande país".[68]

A ordem executiva explicou que o movimento TCR e sua agenda racista-marxista estavam consumindo o governo: "Infelizmente, essa ideologia maligna está agora migrando das pontas da sociedade americana e ameaça infectar instituições centrais de nosso país. Instrutores e materiais que ensinam que homens e membros de certas raças, bem como nossas mais veneráveis instituições, são inerentemente sexistas e racistas aparecem em treinamentos de diversidade no local de trabalho por todo o país, inclusive nos componentes do Governo Federal e entre contratados federais. Por exemplo, o Departamento do Tesouro organizou recentemente um seminário que promoveu argumentos como 'praticamente todas as pessoas brancas, independentemente de quanto são "atentas", contribuem para o racismo', e que instruiu líderes de pequenos grupos a incentivarem os empregados para evitar 'narrativas' de que os americanos deveriam 'ser mais daltônicos' ou 'que habilidades e personalidades das pessoas sejam o que diferencia as pessoas'. Materiais de treinamento da Argonne National Laboratories, uma entidade federal, afirmavam que o racismo 'está entremeado em todo tecido da América' e descreviam declarações de 'daltonismo' e a 'meritocracia' como 'ações de preconceito'. Materiais do Sandia National Laboratories, também uma entidade federal, para homens não minorias declarava que a ênfase em 'racionalidade sobre emoção' era uma característica de 'homens brancos', e pedia aos presentes para 'reconhecerem' seus 'privilégios' uns para os outros. Um gráfico do museu Smithsonian Institution afirmou recentemente que conceitos como 'pensamento linear racional objetivo', 'trabalho duro' como 'chave para o sucesso', 'família nuclear' e a crença em um único deus não são valores que unem americanos de todas as raças, mas são, em vez disso, 'aspectos e presunções dos brancos'. O museu também afirmou que 'encarar sua branquitude é difícil e pode resultar em sentimento de culpa, tristeza, confusão, defesa ou medo'".[69]

A ordem executiva proibiu ensinar "estereótipo de raça ou sexo ou uso de bode expiatório", inclusive:

1. Uma raça ou sexo é inerentemente superior a outra raça ou sexo.

2. Um indivíduo, por virtude de sua raça ou sexo, é inerentemente racista, sexista ou opressor, de maneira consciente ou inconsciente.

3. Um indivíduo deve ser discriminado ou receber tratamento adverso apenas ou parcialmente por causa de sua raça ou sexo.

4. Membros de uma raça ou sexo não podem ou não devem tentar tratar os outros sem respeito por raça ou sexo.

5. O caráter moral de um indivíduo é necessariamente determinado por raça ou sexo.

6. Um indivíduo, em virtude de raça ou sexo, é responsabilizado por atos cometidos no passado por outros membros da mesma raça ou do mesmo sexo.

7. Qualquer indivíduo deve sentir desconforto, culpa, angústia ou qualquer outra forma de perturbação psicológica por conta de sua raça ou seu sexo.

8. Meritocracia ou características como ética de trabalho duro são racistas ou sexistas, ou foram criadas por uma raça em particular para oprimir outra raça.[70]

O Presidente Joe Biden, em seu primeiro dia no gabinete, assinou a própria ordem executiva para reverter e cancelar a ordem executiva do Presidente Trump, alegando falsamente que a ordem de Trump tinha eliminado o treinamento de diversidade. Entre outras coisas, ao anunciar essa ordem executiva, Biden substituiu a expressão "igualdade racial" por "equidade racial", uma indicação clara de que suas intenções são alinhadas com a visão do movimento da TCR sobre o objetivo ter resultados iguais, não acesso e tratamento iguais. De fato, a busca de "equidade" torna impossível a busca da igualdade. Além disso, Biden direciona a burocracia federal para coletar agressivamente todos os tipos de dados sobre as características de cidadãos individuais para garantir a aplicação de resultados equitativos – frequentemente chamados de igualitarismo radical. A ordem executiva declara, em parte: "Muitos conjuntos de dados federais não são desagregados por raça, etnia, gênero, deficiência, renda, *status* de veterano ou outras variáveis demográficas centrais. Essa falta de dados tem efeitos cascata e impede esforços para medir e avançar equidade. Um primeiro passo para promover equidade na ação do governo é reunir os dados necessários para informar esse esforço... Fica por este meio estabelecido um Interagency Working Group on Equitable Data (Grupo de trabalho interagências sobre dados equitativos) (Data Working Group)."[71]

O rastreamento do comportamento do cidadão em bancos de dados do governo para o propósito de aplicação de objetivos sociais e culturais do governo, nesse caso os objetivos da racista TCR, é reminiscente do sistema de crédito social da China Comunista. O programa chinês regula o comportamento de seus cidadãos baseado em um sistema de pontos. Como relatou a Fox News, "sob esse sistema, cidadãos são classificados em diferentes áreas da vida civil usando dados coletados de documentos de tribunais, registros do governo ou corporativos e, em alguns casos, de observadores cidadãos. Cidadãos com pontuação elevada tiveram mais facilidade para conseguir empréstimos bancários, *checkups* médicos gratuitos e descontos para aquecimento. Pontos foram deduzidos por infrações de trânsito, venda de produtos defeituosos ou atraso em pagamentos de empréstimo. Em alguns casos, pessoas com classificações de crédito social ruins foram impedidas de comprar passagens aéreas ou de trens. Outras infrações incluíam fumar em áreas de não fumantes, comprar muitos – ou jogar – vídeo games e postar notícias falsas *on-line*".[72] Além disso, "pessoas que não se enquadravam nas normas foram colocadas em chamadas 'listas negras', que as companhias podem pesquisar ao analisarem possíveis empregados. Em outros casos, estudantes podem ser recusados em universidades por causa das classificações de crédito social ruins dos pais".[73]

Além disso, entre os primeiros atos presidenciais de Biden estava abolir a Comissão Consultiva 1776 de Trump, que foi estabelecida para "capacitar uma geração em crescimento para entender a história e os princípios da fundação dos Estados Unidos em 1776 e se esforçar para formar uma União mais perfeita".[74] A primeira responsabilidade da Comissão é produzir um relatório resumindo os princípios da fundação americana e como esses princípios formaram nosso país".[75] Antes do juramento de Biden, a comissão divulgou o Relatório 1776, que foi imediatamente desacreditado pela mídia.

Em 19 de janeiro de 2021, Chuck Todd da NBC e Trymaine Lee da MSNBC se recusaram inclusive a se aprofundar no conteúdo do relatório no ar, antes de ridicularizá-lo. O compromisso deles com a ideologia da Teoria Crítica da Raça era óbvio:

TODD: "Bem, olhem, vimos até nos esportes o que Deion Sanders quer fazer em Jackson State e meio que romper algumas daquelas barreiras e restabelecer muitos caminhos para as HBCUs (Historically Black Colleges and Universities – Faculdades e Universidades Historicamente Negras). Sei que uma das coisas que queríamos que você fizesse é falar com os alunos na universidade para ver quais foram as reações deles ao *banner* que dizia "1776..."

LEE: É, Chuck. Conversamos com um professor de Ciências Políticas que disse que isso é realmente só a resposta para 1619 e é baseada em uma ficção, hipocrisia da América sobre não ter um jeito de desvincular da escravidão. Esse tipo de bobagem não choca ninguém, francamente, porque eles se debatem nisso há algum tempo.

TODD: É um choque, e infelizmente, acho que não estamos surpresos.[76]

Todd, Lee e outras personalidades da mídia beiram o partidarismo. Com isso, quero dizer que não se afastam do pensamento de grupo e dos imperativos ideológicos dos vários movimentos de origem marxista. São locutores e praticantes da pureza ideológica – verdadeiros crentes das várias causas e sistemas de crenças entrecruzados centrados no marxismo e, em sua maioria, membros leais do Partido Democrata. Não pode haver desacordo ou desvio da linha partidária. E não há, na maior parte.

Delgado e Stefancic nos lembram, como Marcuse antes deles, que no fim, se não acontece uma "transição pacífica", considerando que "o *establishment* branco pode resistir e progredir ordenadamente em direção ao compartilhamento de poder, particularmente em relação aos empregos técnicos e de nível superior, agências de polícia e governo", o que acontece a seguir, "como aconteceu na África do Sul, a mudança pode ser convulsa e cataclísmica. Nesse caso, teóricos e ativistas críticos terão que fornecer defesa criminal para movimentos de resistência e ativistas e articular teorias e estratégias de resistência. Ou um terceiro regime, intermediário, pode se estabelecer... Brancos podem substituir mecanismos neocoloniais, inclusive fazendo concessões simbólicas e criando uma horda de administradores de nível médio de grupos minoritários de pele clara para adiar a transferência de poder pelo maior tempo possível".[77] Esse é um movimento racista insano, realmente perigoso.

O grupo *Black Lives Matter* (BLM) é produto da fusão de marxismo e TCR. Em uma entrevista em vídeo de 2015 com Jared Ball da Real News Network de Baltimore, uma das três cofundadoras do BLM, Patrisse Cullors, declarou que ela e outra cofundadora, Alicia Garza, eram marxistas. Cullors declarou, em parte: "Eu penso em muitas coisas, a primeira coisa que penso é que realmente temos uma moldura ideológica; eu e Alicia [Garza] em particular somos organizadoras treinadas, somos marxistas treinadas. Somos muito versadas em teorias ideológicas e acho que o que realmente tentamos fazer é construir um movimento que possa ser utilizado por muitos, muitos negros".[78] (A terceira cofundadora é Opal Tometi).

Enquanto isso, a marxista do BLM, Khan-Cullors, comprou quatro casas que valem vários milhões de dólares. Ela publicou um livro *bestseller* e assinou contratos lucrativos com a Warner Bros. e outras companhias para promover sua agenda radical.[79] Poucos revolucionários e simpatizantes marxistas vivem o que pregam.

E há ampla evidência ligando a Rede global BLM, uma organização abrangente, a violentos movimentos anarco-marxistas do passado. Mike Gonzalez da The Heritage Foundation comenta que "Cullors treinou por uma década como organizadora radical no Labor/Community Strategy Center, estabelecido e administrado por Eric Mann, ex--membro do Weather Underground, a facção radical da década de 1960 identificada pelo FBI como um grupo terrorista doméstico. O "Weathermen" explicou em sua declaração de fundação de 1969 que eles se dedicavam à 'destruição do imperialismo dos Estados Unidos e à construção de um mundo sem classes: comunismo mundial'".[80]

Gonzalez descobriu um seminário no qual Mann incentivou os presentes a se perguntarem: "estou tomando decisões para mudar o sistema? Estou me ligando às massas?" Além disso, Mann apontou que "a universidade é o lugar onde Mao Tsé-Tung foi radicalizado, onde Lenin e Fidel foram radicalizados, onde Che foi radicalizado. O conceito da classe média radical de pessoas privilegiadas é um modelo de um certo tipo de revolucionário". ... "Afaste este país do estado branco colonizador, afaste este país do imperialismo e tenha uma revolução antirracista, anti-imperialista e antifascista".[81]

Scott Walter do Capital Research Center explica: "Se havia alguma questão sobre os laços ideológicos do *Black Lives Matter* com os terroristas comunistas da década de 1960, a história de Susan Rosenberg deve encerrar esse assunto... BLM é ligado ideologicamente – a ponto de ter [Susan] Rosenberg na diretoria do grupo central – que treinou marxistas com uma história de extremismo e violência. De fato, Rosenberg foi membro da Organização Comunista 19 de Maio (M19)".[82] Rosenberg tinha um longo e violento registro criminal como revolucionária marxista, e por isso cumpriu dezesseis de uma sentença de cinquenta e oito anos, até ser anistiada por Bill Clinton. Gonzalez aponta que Rosenberg é "vice-presidente do conselho de diretores do Thousand Currents – a instituição radical de concessões de doações que até julho [2020] patrocinava a BLM Global Network. Rosenberg também era procurada pelo crime federal de ter colaborado em 1979 com a fuga da prisão de Joanne Chesimard, uma comunista que vive atualmente em Cuba".[83]

Rosenberg e Mann, bem como os ex-associados de Barak Obama, Bill Ayers e Bernardine Dohrn, eram ligados ao Weather Underground. A *Britannica* explica: "O Weather Underground, originalmente conhecido como Weathermen, evoluiu do Third World Marxists, [e] como uma facção dentro do Students for a Democratic Society (SDS), a importante organização internacional representante da florescente Nova Esquerda no fim da década de 1960".[84]

Além disso, como parte de sua declaração de missão inicial, posteriormente apagada de seu *site*, o BLM defendia a dissolução da família nuclear: "Negamos o requisito de estrutura de família nuclear prescrito pelo Ocidente em prol de apoiar uns aos outros como família estendida e de "vilarejos" onde as pessoas cuidem coletivamente umas das outras, especialmente das nossas crianças, na medida em que mães, pais e filhos se sintam confortáveis".[85] Nem a declaração de missão original, nem seu apagamento subsequente foi acidental. Marx acreditava que a família nuclear era uma manifestação da sociedade burguesa. Como a religião, a família nuclear interferia no tipo de lavagem cerebral ideológica necessária para a conquista do paraíso marxista. Assim, ele a atacava e defendia sua destruição:

Abolição da família! Até o mais radical se inflama com essa proposta infame dos comunistas.

Qual é a base da família atual, a família burguesa? O capital, o ganho privado. Em sua forma completamente desenvolvida, essa família só existe na burguesia. Mas esse estado de coisas encontra seu complemento na ausência prática da família em meio ao proletariado, e na prostituição pública.

A família burguesa vai desaparecer como consequência quando seu complemento desaparecer, e ambos vão sumir com o desaparecimento do capital.

Vocês nos acusam por querermos interromper a exploração de crianças por seus pais? Desse crime nos declaramos culpados.

Mas, vocês dizem, destruímos a mais sagrada das relações, quando substituímos a educação doméstica pela social.

E sua educação! Ela também não é social, e determinada pelas condições sociais sob as quais vocês educam, pela intervenção direta ou indireta da sociedade, por intermédio de escolas e coisas do tipo? Os comunistas não inventaram a intervenção da sociedade na educação; eles apenas procuram alterar o caráter dessa intervenção e resgatar a educação da influência das classes dominantes.

O absurdo burguês sobre a família e educação, sobre a sagrada correlação entre pais e filhos, torna-se ainda mais repulsiva, quanto mais, pela ação da Indústria Moderna, todos os laços familiares no proletariado são dilacerados, e seus filhos são transformados em simples artigos de comércio e instrumentos de trabalho.[86]

Nesse interim, incontáveis corporações, grupos patrocinadores sem fins lucrativos, atletas, atores e executivos, entre outros, garantem dezenas de milhões de dólares em apoio financeiro ao BLM. Prefeitos do Partido Democrático dão a ruas e avenidas nomes ligados à organização. E o BLM é celebrado e até celebrizado por toda cultura e mídia, conquistando o apoio de incontáveis indivíduos, especialmente os jovens.

Na medida em que a ideologia e a propaganda da Teoria Crítica-Marxista se espalham pela academia, pela mídia e além delas, também se disseminam os diversos movimentos associados a elas. Por exemplo, outro movimento importante e crescente é a "Teoria Crítica da Raça Latina/o" (LatCrit), que, como Lindsay Perez Huber, uma "acadêmica pós-doutorada" na UCLA escreve, envolve "experiências únicas da comunidade latina, como imigração, *status*, idioma, etnia e cultura. Uma análise LatCrit permitiu que pesquisadores desenvolvessem a estrutura básica do nativismo racista, uma lente que ressalta a intersecção de racismo e nativismo... As bases teóricas abrangentes... são TCR, em particular, LatCrit. A TCR na pesquisa educacional foca declaradamente como raça, classe, gênero, sexualidade e outras formas de opressão se manifestam nas experiências de educação de Pessoas de Cor. A TCR se baseia em múltiplas disciplinas para desafiar as ideologias dominantes, como meritocracia e daltonismo, que sugerem que instituições educacionais são sistemas neutros que funcionam da mesma maneira para todos os alunos. Essa moldura desafia essas crenças por meio de aprendizado e construção a partir do conhecimento de Comunidades de Cor cujas experiências de educação são marcadas por estruturas e práticas opressoras. O esforço para revelar racismo na educação é um movimento consciente rumo à justiça social e racial e ao empoderamento em meio a Comunidades de Cor".[87]

Para entender a LatCrit, é preciso entender raça e racismo – isto é, geralmente como com a TCR, a natureza da supremacia branca e a cultura branca dominante. "Entender o racismo como uma ferramenta para subordinar Pessoas de Cor revela sua intenção como uma função ideológica da supremacia branca. Supremacia branca pode ser entendida como um sistema de dominação e exploração racial no qual poder e recursos são distribuídos de maneira desigual para privilegiar brancos e oprimir Pessoas de Cor". De fato, escreve Huber, "Pode-se ser vitimizado pelo racismo, apesar da realidade sobre existir, ou não, algumas diferenças reais... [R]acismo é definido como *a atribuição de valores a diferenças reais ou imaginadas a fim de justificar supremacia branca, pelas crenças dos brancos e à custa do Povo de Cor, e dessa forma defender o direito dos brancos à dominância*".[88] (Itálicos no original)

Mais que isso, ao definir nativismo racista, Huber declara: "Historicamente, percepções do nativo foram diretamente ligadas às definições de branquitude. Crenças sobre superioridade branca e amnésia histórica apagaram as histórias das comunidades indígenas que ocupavam os Estados Unidos antes dos primeiros colonizadores brancos europeus. Os brancos têm sido considerados historicamente e legalmente os 'pais fundadores' nativos dos Estados Unidos. Com essa importante conexão entre nativismo e branquitude em mente, nativismo racista é definido como *a atribuição de valores a diferenças reais e imaginadas a fim de justificar a superioridade do nativo, que é perseguido como branco, sobre o não nativo, que é percebido como Pessoas e Imigrantes de Cor, e assim defender o direito do nativo à dominância*.[89]

Stefancic afirma que a TCR Latina existe há meio século ou mais. Seu "progenitor foi Rodolfo Acuna"... "primeiro acadêmico a reformular a história americana para levar em conta a colonização dos Estados Unidos em terras que antes pertenciam ao México, e como essa colonização afetou os mexicanos que viviam naqueles territórios. Sua tese se mostrou tão poderosa para os latinos quanto as teorias de Derrick Bell foram importantes para a compreensão das dinâmicas de raça para os negros".[90]

Portanto, não só os Estados Unidos são uma sociedade dominantemente branca e sistematicamente racista que oprime pessoas de cor, como a própria existência do país é ilegítima devido à colonização de terras do México. Daí, os verdadeiros nativos são os indígenas mexicanos, não os brancos que promovem nativismo racista.

O livro de Acuna de 1972, *Occupied America*, começa: "Mexicanos – chicanos – nos Estados Unidos de hoje são pessoas oprimidas. Eles são cidadãos, mas sua cidadania é de segunda classe, na melhor das hipóteses. São explorados e manipulados por aqueles com mais poder. E, infelizmente, muitos acreditam que o único jeito de se dar bem na Anglo-América é se tornar "americanizado". A consciência de sua história – das contribuições e lutas, de não serem o "inimigo traiçoeiro" que a história anglo-americana diz que foram – pode restaurar o orgulho e a noção de herança a um povo oprimido há muito tempo. Resumindo, consciência pode ajudá-los a se libertarem".[91]

Em outras palavras, sendo os verdadeiros nativos, mexicanos e chicanos não deveriam assimilar a cultura anglo-americana. Os primeiros são oprimidos, e os últimos, colonialistas.

Mas a sombria avaliação de Acuna sobre as condições da população mexicana nos Estados Unidos não consegue explicar por que o "México é o principal país de origem da população imigrante nos Estados Unidos. Em 2018, aproximadamente 11.2 milhões de imigrantes residentes nos Estados Unidos eram de lá, respondendo por 25% de todos os imigrantes nos Estados Unidos".[92] Por que milhões de cidadãos mexicanos deixariam seu país para migrar, de maneira legal e ilegal, para a América, em alguns casos arriscando a vida e a integridade, só para serem "explorados e manipulados"? O fato é que eles estão fugindo de opressão, pobreza, crime e corrupção em seus países e procurando uma vida melhor nos Estados Unidos.

Em seu livro *Navigating Borders – Critical Race Theory Research and Counter History of Undocumented Americans,* o professor da Universidade do Arizona, Ricardo Castro-Salazar, e o professor da Universidade UK-Durham, Carl Bagley, proclamam que "acadêmicos apontaram repetidamente que o povo dos Estados Unidos e seus líderes tendem a ser 'ignorantes crônicos da história'. Essa amnésia se torna prejudicial quando forma os limites da inclusão em narrativas modernas de identidade e cidadania nos Estados Unidos. As narrativas quotidianas de história e os eventos atuais nos Estados Unidos ignoram que 'América" engloba dois continentes e inclui argentinos, brasileiros, canadenses, colombianos, cubanos, dominicanos, guatemaltecas, haitianos, jamaicanos, mexicanos, salvadorenhos, venezuelanos e muitas outras nações percorridas por exploradores europeus nos anos de 1500. Em uma predisposição para a simplificação e a abreviação, muita gente dos Estados Unidos, *estado-unidenses,...* esqueceram que os Estados Unidos são da América, e não o contrário.

Os Estados Unidos se localizam na América do Norte, mas têm formado a realidade de nações da América Central e do Sul".[93]

Portanto, prossegue o argumento, a América é maior que os Estados Unidos, engloba dois continentes, e os Estados Unidos e sua população de maioria branca e associada à Europa – os chamados "estado-unidenses" – são os verdadeiros invasores. De fato, "americanos de origem mexicana" têm mais direito ao território dos Estados Unidos que "americanos anglo-protestantes", de acordo com Castro-Salazar e Bagley. Eles escrevem: "Ironicamente, americanos não documentados de origem mexicana têm dupla identidade americana (estado-unidense e mexicano) e uma conexão histórica mais forte com o continente americano que a maioria da população dos Estados Unidos. Pessoas de origem mexicana, ou seja, aqueles com uma herança mista indígena e europeia, viviam nas terras que hoje forma o sul dos Estados Unidos séculos antes do expansionismo dos Estados Unidos ter desapropriado o México de metade de seu território. Aqueles que percebem americanos de origem mexicana como uma ameaça aos americanos de 'identidade anglo-protestante' não ignoram tudo isso; eles temem que 'Nenhum outro grupo de imigrantes na história dos Estados Unidos reivindicou ou poderia reivindicar um direito histórico ao território dos Estados Unidos. Mexicanos e americanos-mexicanos podem fazer e fazem essa reivindicação".[94]

Ao aplicar a TCR à discussão sobre o que Castro-Salazar e Bagley definem como "americanos não documentados de origem mexicana", eles argumentam que a TCR afirma que "todo conhecimento é histórico e, portanto, enviesado e subjetivo. Sua Teoria Crítica da sociedade rejeitou qualquer reivindicação ao conhecimento objetivo e concentrou-se em revelar os mecanismos opressores da sociedade. O propósito era entender esses mecanismos a fim de desenvolver condições que permitissem que os oprimidos se libertassem".[95]

MARXISMO AMERICANO

Portanto, estrangeiros ilegais não são ilegais nem estrangeiros, e são, na verdade, vítimas de "colonialismo interno" – isto é "o grupo conquistado é dominado e controlado por vários meios, inclusive violência e ataques mais sutis contra cultura, idioma, religião e história do grupo subordinado".[96] Consequentemente, existe oposição e resistência à assimilação pela cultura americana de uma horda de ativistas raciais e étnicos – a cultura da identidade anglo-protestante – ou a cultura do branco dominante, pela qual eles são ensinados a ter completo e apaixonado desprezo.

E quanto aos americanos latinos que rejeitam esse fanatismo ideológico? Mais uma vez, repetindo Marcuse e sua teoria da "tolerância repressiva", Castro-Salazar e Bagley afirmam que "o fenômeno se torna mais complexo quando o colonizado internaliza a mentalidade do colonizador e se torna parte da maioria colonizadora. Em uma democracia capitalista plural, aqueles que internalizaram a mentalidade do opressor podem se tornar parte da estrutura colonizadora e apoiar muitas de suas ações..."[97] Assim, americanos-mexicanos e outros imigrantes que assimilam a sociedade americana foram subjugados ou se venderam para a "maioria branca colonizadora".

Castro-Salazar e Bagley declaram: "Colonialismo interno é uma forma de pluralismo não igualitário em que diferentes etnias e culturas coexistem, mas as relações étnicas seguem tradicionalmente um modelo de assimilação, como nos Estados Unidos. Também é uma forma de racismo em que a cultura dominante vê as etnias e culturas colonizadas como estrangeiras e inferiores, como no caso de americanos de origem africana, asiática e mexicana nos Estados Unidos. Colonialismo interno existe nos Estados Unidos com ou sem a intenção dos indivíduos e pode ser encontrado em todas as dimensões de vida... Colonialismo interno contradiz a ideia de uma sociedade integrada e democrática onde, alguns pesquisadores argumentam, iniquidades políticas e econômicas não são temporárias, mas necessárias para o sistema industrial, capitalista. A sociedade dominante não enxerga essa contradição, que perpetua seus privilégios..."[98]

Portanto, de acordo com Castro-Salazar e Bagley, assimilação e capitalismo promovem opressão direcionada e iniquidade contra minorias pela sociedade supostamente dominada por brancos.

Como com a aceitação da TCR, logo depois de ter feito o juramento, Biden assinou cinco atos executivos alterando unilateralmente a política de imigração, todos eles simpáticos e de apoio ao movimento da Teoria Crítica da Raça Latina (LatCrit). Entre outras coisas, ele pôs fim à construção do muro na fronteira (mais tarde, dando continuidade à construção de meros vinte e um quilômetros), encerrou a política interna de Trump, instituiu uma moratória de cem dias para deportação e propôs anistia para indivíduos sem *status* legal.[99] Além disso, Biden encerrou os acordos que a administração Trump assegurou com o México e outros países da América Central para enviar indivíduos que chegassem à fronteira dos Estados Unidos com o México em busca de asilo para um de três países da América Central. O resultado, conforme relatado até pelo *Washington Post*, favorável a Biden: "O novo presidente começou a demolir alguns bloqueios [instituídos pela administração Trump]. [Biden] emitiu cinco ordens executivas de imigração só no Dia da Posse e prometeu uma política de imigração mais humana e acolhedora que a de seu antecessor. Sua administração também começou a permitir a entrada de menores desacompanhados no país, um notável afastamento da abordagem da administração Trump... A situação na fronteira – que Biden e seus conselheiros se negam terminantemente a chamar de crise – é o resultado de uma administração que foi avisada com antecedência sobre a onda que se aproximava, mas ainda é despreparada e incapaz de lidar com isso. Oficiais da administração foram atormentados por mensagens confusas, às vezes fazendo apelos

MARXISMO AMERICANO

que parecem dirigidos mais a ativistas liberais do que aos migrantes que precisam dissuadir de vir para o país".[100]

Biden e sua equipe de transição foram prevenidos com antecedência por oficiais da imigração federal de que suas iniciativas sobrecarregariam a fronteira e os sistemas de imigração, mas Biden ignorou os avisos. O *Post* relata: "Durante o período de transição, oficiais de carreira no departamento de Alfândega e Proteção de Fronteira dos Estados Unidos tentaram emitir novos alertas para a equipe de Biden sobre a probabilidade de uma crise na fronteira que poderia superar rapidamente a capacidade do país. Oficiais sênior da CBP [Customs and Border Patrol, ou Patrulha de Alfândega e Fronteira] enviaram relatórios por *Zoom* para a equipe de transição de Biden, inclusive com modelos de projeção que mostravam um aumento acentuado na chegada de menores desacompanhados, se as políticas de Trump fossem removidas repentinamente, de acordo com um atual e dois antigos oficiais do Departamento de Segurança Nacional".[101]

O que faltava nesse relatório era que as decisões de Biden estavam alinhadas com a visão de imigração do movimento LatCrit, ao qual ele era simpático. A sobrecarga sobre o sistema de imigração e a segurança de fronteira forçou números significativos de oficiais da CBP a se afastarem de suas funções de patrulha de fronteira e teve o efeito de criar uma fronteira aberta, sem guardas. Milhares de imigrantes puderam entrar em nosso país sem sequer receberem datas no tribunal para audiências de asilo e outros tinham o coronavírus, em meio a outras doenças. Portanto, em vez de retirar fundos da CBP, uma política defendida por marxistas dentro do Partido Democrata e ativistas LatCrit, mas que não teria recebido votos suficientes no Congresso, a administração Biden simplesmente mudou a dinâmica de imigração e das fronteiras por ato executivo.

Infelizmente, como prega a LatCrit, realmente não existe essa coisa de soberania dos Estados Unidos, porque a América é maior que só os Estados Unidos, e além do mais, "estado-unidenses" são os verdadeiros invasores. Os que atravessaram a fronteira às centenas de milhares são os verdadeiros nativos americanos. Mais que isso, o Partido Democrata espera ter benefícios por abraçar o movimento, pois conta com onda após onda de estrangeiros ilegais, e subsequentes concessões de anistia, um dos meios pelos quais ele busca a permanência no poder. Como o Pew Research relatou, eleitores latinos preferem o Partido Democrata com uma margem significativa.[102]

Jim Clifton, presidente e CEO do Gallup, pergunta: "Aqui vão questões que todo líder deveria ser capaz de responder, independentemente de suas políticas: quantas pessoas mais se dirigem à fronteira sulista? E qual é o plano? Há 33 países na América Latina e no Caribe. Aproximadamente 450 milhões de adultos vivem na região. O Gallup perguntou se eles gostariam de se mudar para outro país permanentemente, se pudessem. Uma enorme fatia de 27% respondeu 'sim'. Isso significa que cerca de 120 milhões gostariam de migrar para algum lugar. O Gallup então perguntou para onde eles gostariam de se mudar. Dos que queriam deixar seu país permanentemente, 35% – ou 42 milhões – disseram que queriam ir para os Estados Unidos. Interessados em asilo ou cidadania estão atentos para determinar exatamente quando e como é melhor fazer essa mudança. Além de encontrar uma solução para os milhares de migrantes atualmente na fronteira, vamos incluir a maior, a mais difícil questão – e todos aqueles que gostariam de vir? Qual é a mensagem para eles? Qual é o plano de dez anos? É o que querem saber 330 milhões de cidadãos dos Estados Unidos. E 42 milhões de latino-americanos".[103]

O plano está relacionado à ideologia marxista TC – isto é, quanto mais imigrantes, melhor, continuar sobrecarregando o sistema até ele

MARXISMO AMERICANO

desmoronar, mudar as políticas, a demografia e a cidadania da nação e, em última análise, transformar a natureza do sistema de governo. E nunca apoiar ou aceitar assimilação. Afinal, balcanização e tribalização são vias certas para destruir qualquer país.

Outro movimento interseccional que também se desenvolveu em poderosa força política envolve gênero – Teoria Crítica de Gênero. Como com outros movimentos TC, no centro desse movimento está a alegação de que sociedade e cultura dominantes, que veem gênero pelas lentes de um fato biológico, empírico, científico e normativo, oprimem as comunidades LGBTQ+, que enxergam gênero como uma construção social – onde as crenças dominantes são simplesmente os pontos de vista e tradições do *status quo* privilegiado em qualquer momento dado no tempo. Portanto, praticamente todas as distinções tradicionais binárias sexuais e de gênero e crenças morais relacionadas são consideradas opressoras, fanáticas e injustas.

Além disso, desenvolveu ao longo das últimas décadas uma distinção entre "sexo" e "gênero", que eram historicamente intercambiáveis em compreensão e uso. Mas não mais. Como escreve Scott Yenor, professor de Ciências Políticas na Boise State University: "Muitos americanos aceitaram hoje o que parecia inconcebível há uma geração: que gênero é artificial, é socialmente construído, e pode ser escolhido com liberdade por todos os indivíduos. Essa ideia – a de que o sexo biológico pode ser voluntariamente separado de gênero – originou-se nos argumentos de influentes feministas radicais que escreveram a partir dos anos de 1950 até os anos de 1970. As premissas de suas teorias, por sua vez, apresentaram o novo mundo do transgenderismo. A chocante teoria de ontem tornou-se a norma aceita hoje, com mais mudanças por vir. Mas se esse novo mundo vai se mostrar propício para o desenvolvimento humano é algo que ainda veremos". Yenor explica que, hoje em dia, identidade humana não é determinada por biologia, genes ou criação; ela é produto de como as pessoas se concebem. Seres humanos são, de acordo com essa visão, pessoas assexuadas presas em um corpo de um ou outro sexo, sem nenhuma necessidade de seguir prévios roteiros de gênero. 'Não existe exemplo mais nítido', escreve o filósofo Roger Scruton, 'da determinação humana de triunfar sobre o destino biológico, no interesse de uma ideia moral'".[104]

De fato, nos dizem, orientação de sexo e gênero é mais complicado do que pensávamos. "'As pessoas muitas vezes não têm consciência da complexidade biológica de sexo e gênero', diz Eric Vilain, diretor do Center for Gender-Based Biology (Centro para Biologia com Base em Gênero) na UCLA, onde ele estuda a genética do desenvolvimento sexual e diferenças de sexo. 'As pessoas tendem a definir sexo de um jeito binário – ou é totalmente macho, ou totalmente fêmea – baseadas em aparência física ou pelos cromossomos sexuais que a pessoa carrega. Porém, embora sexo e gênero possam parecer dicotômicos, na verdade há muitos intermediários'."[105]

Academia, corporações, a mídia e até o Congresso Americano estão adotando códigos de discurso que eliminam distinções pronominais entre machos e fêmeas. No Congresso, "'Ele' ou 'Ela' tornou-se *'Member'*, *'Delegate'* ou *'Resident Commissioner'*. E 'pai' e 'mãe' viraram *'parent'*, enquanto 'irmão' e 'irmã' viraram *'sibling'*."[106] * No entanto, Nancy Pelosi nos lembra com frequência e orgulhosamente, como a mídia, que ela é a primeira *mulher* oradora do Congresso.

A ABC News relata que o *Facebook* não só permite que os usuários escolham entre "ele", ela" ou "seu", mas também entre cinquenta e oito opções adicionais de gênero: "Agênero, andrógine, andrógino, bigênero, cis, cisgênero, cis feminino, cis masculino, homem cis, mulher cis,

---

* As palavras em itálico são os sinônimos, ou semelhantes, daquelas substituídas e, em inglês, não sofrem flexão de gênero, o que permite a linguagem neutra. [N.T.]

cisgênero feminino, cisgênero masculino, cisgênero homem, cisgênero mulher, feminino para masculino FTM, gênero-fluido, não-conforme de gênero, questionando, variante de gênero, *queer* de gênero, intersexo, masculino para feminino, MTF, nenhum, neutro, não binário, outro, pangênero, trans, trans*, trans feminino, trans* feminino, trans masculino, trans* masculino, homem trans, homem trans*, pessoa trans, pessoa trans*, mulher trans, mulher trans*, transfeminina, transgênero, transgênero feminino, transgênero masculino, homem transgênero, pessoa transgênero, mulher transgênero, transmasculino, transexual, transexual feminino, transexual masculino, homem transexual, pessoa transexual, mulher transexual e dois-espíritos".[107] E o Facebook não é o único.

Como com a TCR e a LatCrit, algumas horas depois da posse, Biden assinou uma ordem executiva restabelecendo uma política de gênero crítica da era Obama, que determina, em parte: "Todas as pessoas devem receber tratamento igual perante a lei, não importando sua identidade de gênero ou orientação sexual. Esses princípios se refletem na Constituição, que promete proteção igual das leis. Esses princípios também são entronados em nossas leis antidiscriminatórias, entre elas o Título VV da Lei dos Direitos civis de 1964, conforme emenda (42 U.S.C 2000e et seq.)."[108]

Mas a Lei dos Direitos Civis de 1964 não diz nada sobre "identidade de gênero" ou "orientação sexual". Ela proíbe discriminação e instalações públicas e programas financiados por verbas federais, e proíbe discriminação no local de trabalho com base em raça, cor, religião, sexo ou nacionalidade. Portanto, já é uma violação de lei federal discriminar com base no sexo de alguém.

De fato, "Biden está... exibindo explicitamente os planos de sua administração para instituir a ideologia transgênero em todas as esferas da vida, de escolas, vestiários e times esportivos a serviços de saúde e abrigos de sem-teto", escreveram os editores da *National Review's*.

Além disso, "a ordem executiva instrui 'o chefe de cada agência a rever todas as regulamentações existentes onde aparecem uma proibição de 'discriminação por sexo' e aplicar as 'proibições de discriminação por sexo com base em identidade de gênero ou orientação sexual' da decisão da Suprema Corte no último verão em *Bostock v. Clayton County*. Isso é extrapolar, simplesmente. Em *Bostock*, o tribunal restringiu explicitamente sua decisão ao Título VII, estabelecendo que 'outras políticas e práticas', tais como 'banheiros, vestiários ou quaisquer outras coisas do tipo' eram 'questões para casos futuros'. Por oposição, a ordem executiva pega o argumento falacioso de *Bostock* – o de que discriminação com base em 'identidade de gênero' necessariamente 'implica discriminação com base em sexo' – e o aplica a 'qualquer outro estatuto ou regulamentação que proíba discriminação por sexo'".[109]

Além disso, o Departamento de Educação de Biden trocou de lado em dois processos na Suprema Corte, revertendo o apoio da administração Trump para as atletas femininas – um em Connecticut e outro em Idaho – em que as atletas de um colégio moveram uma ação para impedir que atletas biologicamente homens que se identificavam como mulheres competissem em esportes femininos. Assim, a Teoria Crítica de Gênero atropelou a ciência e a integridade dos esportes femininos no ensino médio.

Em outra ordem executiva, Biden "estabeleceu um Conselho de Política de Gênero na Casa Branca (Conselho) dentro do Gabinete Executivo do Presidente", com autoridade ampla e abrangente. Ele tem poder para "coordenar esforços do Governo Federal para avançar equidade e igualdade de gênero". Novamente, igualdade e equidade são coisas diferentes. A busca da equidade, que é um resultado ou fim, muitas vezes requer o tratamento desigual de um indivíduo ou grupo para ser concretizada. Por exemplo, a destruição dos esportes para as meninas biológicas no ensino médio para promover "equidade" para

MARXISMO AMERICANO

homens biológicos que se identificam como mulheres. Não obstante, a comissão é orientada a implementar os objetivos do movimento da teoria crítica de gênero como ela aplica para identidade de gênero e orientação sexual.[110]

Essas diretrizes e ações da administração Biden se aplicam às crianças da América? De acordo com a Campanha dos Direitos Humanos, sim. Em seu *site*, em uma seção intitulada "Transgender Children and Youth: Understanding the Basics" (Crianças e jovens transgêneros: compreendendo o básico), o grupo declara:

Crianças não nascem sabendo o que significa ser menino ou menina; elas aprendem com os pais, crianças mais velhas e outras pessoas à sua volta. Esse processo de aprendizado começa cedo. Assim que um médico ou outro profissional de saúde declara – com base na observação dos órgãos sexuais externos do recém-nascido – 'é menino' ou 'é menina', o mundo em torno da criança começa a ensinar essas lições. Seja escolhendo roupas azuis e roupas cor de rosa, 'brinquedos de menino' e 'brinquedos de menina' ou dizendo às meninas que elas são 'bonitas', e aos meninos que eles são 'fortes'. Isso continua na puberdade e na vida adulta, com expectativas sociais de expressão e comportamento masculino e feminino frequentemente se tornando mais rígidas. Mas gênero não existe simplesmente naqueles termos binários; gênero é mais um espectro, com todos os indivíduos se expressando e identificando com graus variados de masculinidade e feminilidade. Pessoas transgênero se identificam ao longo desse espectro, mas também se identificam como um gênero que é diferente daquele que foi atribuído a elas no nascimento".[111]

Michelle Cretella, médica e diretora executiva da American College of Pediatricians, uma organização nacional de pediatras e outros profissionais de saúde dedicados à saúde e ao bem-estar de crianças, discorda: "A ideologia transgênero não está apenas contaminando nossas leis. Ela está invadindo a vida dos mais inocentes – as crianças – e com o aparente e crescente apoio da comunidade médica profissional".[112] Ela acrescenta: "As instituições de hoje em dia, que promovem afirmação de transição, estão pressionando as crianças para imitarem o sexo oposto, enviando muitas delas pelo caminho dos bloqueadores de puberdade, esterilização, remoção de partes saudáveis do corpo e indizível dano psicológico".[113]

O que isso tem a ver com marxismo? Primeiro, lembremos da guerra de Marx contra a família nuclear. Conforme descrito pela Wiley Online Library, "feminismo marxista é uma espécie de teoria e política feminista que extrai suas orientações teóricas do marxismo, notadamente a crítica ao capitalismo como um conjunto de estruturas, práticas, instituições, incentivos e sensibilidades que promove a exploração do trabalho, a alienação dos seres humanos e o aviltamento da liberdade. Para as feministas marxistas, empoderamento e igualdade para as mulheres não podem ser conquistados dentro da moldura do capitalismo. O feminismo marxista reluta em tratar 'mulheres' como um grupo independente com interesses e aspirações similares. Então, o feminismo marxista se distingue de outras formas de pensamento e política feminista lidando de maneira crítica e sistemática com a organização econômica das sociedades, inclusive a estratificação ao longo das linhas de classe; recusando-se a conferir à categoria de 'mulheres' *status* distinto e especial, sem consideração à classe; por seu compromisso de derrubar o capitalismo; e por sua lealdade às mulheres empobrecidas e da classe trabalhadora".[114]

MARXISMO AMERICANO

O site do International Socialism explica: "O desenvolvimento das forças e relações de produção formou, e continua formando de diferentes maneiras, o impacto que a biologia tinha na posição das mulheres e no desenvolvimento da opressão das mulheres. Essa relação entre forças produtivas e estrutura familiar não é mecânica – cada nova formação desenvolve o que veio antes e é impactada também por batalhas entre classes em luta." ... "O materialismo histórico enfatiza as circunstâncias histórias particulares nas quais a opressão das mulheres, e mais tarde das pessoas trans, surgiu e se desenvolveu. Ele nos permite olhar para a interação entre o biológico e o social. A questão não é perguntar por que pessoas trans existem, mas defender de maneira incondicional seu direito à identidade de gênero".[115]

Laura Miles, autora do livro *Transgender Resistance: Socialism and the Fight for Trans Liberation*, e colaboradora da *Socialist Review*, "localiza as origens da opressão trans na imposição de uma maior rigidez de papéis de gênero dentro da emergente família nuclear que surgiu em torno da época de outra grande transformação nas forças produtivas – a Revolução Industrial. Mulheres e crianças foram empurradas para as novas fábricas junto com os homens, trabalhando em condições horríveis que resultaram em um enorme aumento na mortalidade infantil. A classe governante precisava de um suprimento confiável de futura força de trabalho, e algumas partes da classe dominante viram que estava sob ameaça".[116]

Mesmo que não se aceite uma relação direta ou um paralelo como materialismo histórico clássico marxista e a teoria de classe, como com outros movimentos TC, isso não é necessário. Diz-se que os movimentos são desenvolvidos ou desenhados a partir da ideologia marxista. De fato, essa foi a base para a adaptação de Marcuse.

Eu seria relapso se não tocasse, pelo menos, no fato de as crianças estarem sendo atraídas para esses movimentos e programadas. Ao escrever no *Washington Post*, Natalie Jesionka declara que 'no ano do *Black Lives Matter* e do *#MeToo*, muitos pais se perguntaram quando é o momento certo para conversar com seus filhos sobre justiça social. Especialistas dizem que nunca é cedo demais, e uma nova onda de ferramentas e recursos pode ajudar a começar a conversa. Você pode procurar aulas de música... que desenvolvem a compreensão de gênero e personalidade. A história de uma *drag queen* lida em voz alta para crianças logo será um programa de televisão. E cada vez mais livros infantis discutem interseccionalidade e representação ampla, além de *flashcards* e vídeos curtos que ensinam a pais e filhos pequenos ideias antirracismo".[117] Leigh Wilton e Jessica Sullivan, professoras de Psicologia da Skidmore College que estudam raça e interação social, dizem que as crianças desenvolvem viés implícito já aos três meses de idade, e aos quatro anos estão categorizando e desenvolvendo estereótipos".[118]

Com relação à Teoria Crítica de Gênero, Andrea Jones e Emilie Kao, em um ensaio da Heritage Foundation intitulado "Sexual Ideology Indoctrination: The Equality Act's Impact on School Curriculum and Parental Rights" (Doutrinação de ideologia sexual: o impacto da lei de igualdade sobre o currículo escolar e os direitos dos pais", explica: "Em anos recentes, grupos ativistas intensificaram pressões sobre legisladores e educadores para requerer o ensino de ideologia lésbica, *gay*, bissexual e transgênero nas escolas. Eles alegam que inclusão e não discriminação dos alunos que se identificam como *gays* ou transgênero requerem revisão radical do currículo. Escolas por todo o país e no mundo tentaram implementar um currículo que ensine aos estudantes a crença não científica de que gênero é fluido e subjetivo, e que crenças tradicionais sobre casamento e família são enraizadas em fanatismo".[119]

E o ativismo chegou às salas de aula em um número crescente de Estados: "No país, cinco Estados e o Distrito de Columbia começaram a determinar currículos SOGI [orientação sexual e de identidade de gênero] em educação sexual e história, enquanto dez outros os proibiram explicitamente. Se o Congresso decretar uma lei federal ['The Equality Act', ou a lei da igualdade], isso usurparia a autoridade dos Estados no assunto e enfraqueceria os direitos parentais".[120]

Jones e Kao apontam que a poderosa "Human Rights Campaign, uma organização ativista proeminente, já afirma que estudantes LGBT 'foram privados de acesso igualitário a oportunidades educacionais em escolas de todas as regiões de nossa nação' e estabelece explicitamente comparações com as proteções da Lei dos Direitos Civis para características como raça, sexo e nacionalidade".[121]

Quero deixar claro que acredito geralmente no lema "Viva e deixe viver". Dito isso, muitos de seus ativistas são eloquentes defensores da TC e estão fazendo exigências crescentes pela imposição de suas crenças sobre o restante da sociedade e da cultura, inclusive em salas de aula e em relação a crianças cada vez mais novas, as forças armadas dos Estados Unidos etc., pela força do governo e da lei, se for necessário. Assim, isso tem menos a ver com tolerância e mais com doutrinação, obediência e a instituição disseminada de uma agenda afirmativa. Além disso, a conexão interseccional com outros movimentos TC, e suas raízes marxistas, é inegável.

Como deve ser claro, o movimento da Teoria Crítica, nascido e desenvolvido por meio de marxistas alemães, sendo o principal entre eles o falecido Herbert Marcuse, é mais influente no Salão Oval, nos corredores do Congresso, nas salas de aula de faculdades e universidade, nas escolas públicas, diretorias corporativas, mídia, *Big Tech* e na indústria do entretenimento que a genialidade e as obras de Aristóteles, Cícero, John Locke, Montesquieu, Adam Smith, John Adams, Thomas Jefferson, James Madison e tantos outros que contribuíram poderosamente para um mundo civil e humano. Ela é progressivamente mais influente na cultura, muitas vezes em detrimento de valores judaico-cristãos e das lições da Era do Iluminismo, estofo das mais tolerantes, livres e benéficas sociedades – especialmente os Estados Unidos. Em vez disso, a rede interseccional de uma lista aparentemente interminável de indivíduos e grupos oprimidos está obsessivamente comprometida com a transformação e a derrubada da república e da sociedade americana – isto é, a cultura dominante e suas instituições supostamente repressoras – e estão dilacerando este país. É claro, isso não quer dizer que cada indivíduo ou grupo associado com esses movimentos ou seus propósitos declarados é parte consciente de tal rebelião ou revolução. Sem dúvida, muitos desconhecem os objetivos e motivações finais dos líderes, organizadores e ativistas fanáticos entre eles. Mesmo assim, estão contribuindo com os propósitos e objetivos extremamente destrutivos e revolucionários da TC.

CAPÍTULO CINCO

FANATISMO DA "MUDANÇA CLIMÁTICA"

O capitalismo foi explicado de muitas maneiras por muitos acadêmicos e filósofos brilhantes. Mas uma definição útil e concisa, funcional para os propósitos deste capítulo, é fornecida pelo economista George Reisman, professor emérito de Economia na Universidade Pepperdine e autor.

Reisman explica em seu livro *Capitalism*: "Atividade econômica e o desenvolvimento de instituições econômicas não acontecem no vácuo. São profundamente influenciados pelas convicções filosóficas fundamentais das pessoas. Especificamente, o desenvolvimento de instituições capitalistas e a elevação do nível de produção ao padrão alcançado nos últimos dois séculos pressupõem a aceitação de uma *filosofia material, pró razão*. De fato, em seu desenvolvimento essencial, as instituições do capitalismo e o progresso econômico resultante representam a implementação do *direito do homem à vida*... Capitalismo é o sistema econômico que se desenvolve na medida em que as pessoas são livres para exercitar seu direito à vida e escolhem exercitá-lo... Suas instituições representam, na realidade, um poder autoexpandido da razão humana para servir à vida humana. A crescente abundância de bens resultante é o meio pelo qual as pessoas desenvolvem, preenchem e aproveitam a vida. Os requisitos filosóficos do capitalismo são idênticos aos requisitos filosóficos do reconhecimento e da implementação do direito do homem à vida".[1]

Além disso, como explicou F. A. Hayek, economista, teórico social, filósofo, professor e ganhador do Prêmio Nobel de Economia de 1974 em seu livro *The Fatal Conceit – The Erros of Socialism*, enquanto pessoas e instituições nas economias capitalistas aplicam razão à tomada de decisão que os afeta diretamente, "para entender nossa civilização, é preciso apreciar que a ordem estendida resulta não do planejamento ou da intenção humana, mas espontaneamente: ela surge da conformidade não intencional com certas práticas tradicionais e em grande parte *morais*, das quais muitas o homem tende a não gostar, cuja importância eles normalmente deixam de entender, cuja validade eles não podem provar, e que mesmo assim se espalharam rapidamente por meio de seleção evolutiva... Esse processo é, talvez, a faceta menos apreciada da evolução humana... A disputa entre a ordem de mercado e o socialismo destruiria boa parte da humanidade atual e empobreceria boa parte do restante... Geramos e reunimos grande conhecimento e riqueza do que jamais poderia ser obtido ou utilizado em uma economia controlada pelo Estado, cujos seguidores alegam proceder em estrito acordo com a 'razão'. Assim, os objetivos e programas socialistas são factualmente impossíveis de realizar ou executar; e eles também são... logicamente impossíveis".[2]

Além disso, Milton Friedman, economista, filósofo, professor e ganhador do Prêmio Nobel de Economia em 1976 descreve a ligação inseparável entre economia e liberdade política. "Acredita-se que política e economia são separadas e desconectadas; que liberdade individual é um problema político e bem-estar material é um problema econômico; e que qualquer tipo de arranjo político pode ser combinado com qualquer tipo de arranjo econômico. A principal manifestação contemporânea dessa ideia é a defesa do 'socialismo democrata...'"

Friedman condena essa visão, que chama de "delírio". "Existe uma conexão íntima entre economia e política, que só certas combinações de arranjos econômicos políticos são possíveis, e que, em particular, uma sociedade socialista não pode ser também democrata, no sentido de garantir liberdade individual. Arranjos econômicos desempenham papel duplo na promoção de uma sociedade livre. Por um lado, liberdade em arranjos econômicos é um componente de liberdade amplamente conhecido, então, liberdade econômica é um fim em si mesma. Em segundo lugar, liberdade econômica também é um meio indispensável para a conquista de liberdade política".[3] Vistos como um meio para o objetivo da liberdade política, arranjos econômicos são importantes por seu efeito na concentração ou dispersão de poder. O tipo de organização econômica que provê diretamente liberdade econômica, a saber, capitalismo competitivo, também promove liberdade política, porque separa poder econômico de poder político e, dessa maneira, permite que um elimine o outro".[4] "A história sugere que capitalismo é uma condição necessária à liberdade política." Também é possível, é claro, "ter arranjos econômicos que são fundamentalmente capitalistas e arranjos políticos que não são livres".[5]

Além da liberdade de que desfrutam os americanos, cada vez mais ameaçada, entre outras coisas, pelos movimentos discutidos neste livro, o capitalismo criou um padrão de vida para a grande maioria das pessoas que não tem comparação em nenhuma outra sociedade, antiga ou atual. É importante avaliar os vastos benefícios à vida humana produzidos por este impressionante sistema econômico. Realmente, o fato de precisarmos lembrar ressalta sua abrangência. Em relação a isso, Reisman escreve que a "civilização industrializada produziu a maior abundância e variedade de alimento na história do mundo, e criou os sistemas de estoque e transporte necessários para levar esse alimento a todos. Essa mesma civilização industrializada produziu a maior abundância de roupas e calçados, e de habitação, na história do mundo. E embora algumas pessoas em vários países possam estar com fome e sem moradia... é certo que ninguém nos países industrializados precisa ficar com fome ou sem moradia. A civilização industrial também produziu o cano de ferro e aço, os sistemas de purificação química e bombeamento, e as caldeiras, que permitem que todos tenham acesso instantâneo a água potável, quente ou fria, todos os minutos do dia. Ela produziu os sistemas de esgoto, que retiraram a imundície de dejetos humanos e animais das ruas das cidades, e os automóveis. Produziu as vacinas, anestesias, os antibióticos e todas as outras 'drogas maravilhosas' dos tempos modernos, bem como todo tipo de equipamento cirúrgico e de diagnóstico aperfeiçoado. São essas conquistas nas bases da saúde pública e da medicina, além de melhorias em nutrição, vestuário e moradia, que puseram um fim às pragas e reduziram radicalmente a incidência de quase todo tipo de doença".[6]

Além disso, "como resultado da civilização industrializada", escreve George Reisman, "não só bilhões de pessoas a mais sobrevivem, mas nos países avançados, elas vivem em um nível superior ao de reis e imperadores em todas as eras passadas – em um nível que poucas gerações atrás teriam considerado possível apenas em um mundo de ficção científica. Com o virar de uma chave, a pressão sobre um pedal e o manejo de um volante, elas dirigem por estradas em máquinas maravilhosas a noventa quilômetros por hora. Com o estalar de um interruptor, iluminam um cômodo no meio da escuridão. Com o toque de um botão, assistem a acontecimentos que se desenrolam a quinze mil quilômetros de onde estão. Com o toque de mais alguns outros botões, conversam com outra pessoa do outro lado da cidade ou do mundo. Elas até voam a mil quilômetros por hora, a doze mil quilômetros de altitude, assistindo a filmes e bebendo martínis no conforto do ar-condicionado. Nos Estados Unidos, muita gente tem tudo isso, e casas ou apartamentos espaçosos, aquecimento e carpete, ar-condicionado, refrigeradores, *freezers* e fogões elétricos ou a gás, e também bibliotecas com centenas de livros, registros, discos e fitas gravadas; elas podem ter tudo isso, além de vida longa e boa saúde – como resultado de quarenta horas semanais de trabalho".[7]

Por outro lado, o chamado movimento ambiental dos anos de 1970 abriu outra via de ataque ao republicanismo constitucional americano e, é claro, ao capitalismo. De ar limpo e água potável, a resfriamento/aquecimento/mudança climática global, o objetivo de muitos intelectuais proeminentes por trás desse esforço foi a introdução do pensamento e dos objetivos marxistas disfarçados de ambientalismo, como o Green New Deal, (Novo Acordo Verde), que promove retrocesso econômico, igualitarismo radical e governo autocrático. Mas o movimento se expandiu bem além disso, incluindo praticamente todo objetivo programático e voltado para a agenda do Marxismo Americano, que foi acolhido em um ou outro grau pelo Partido Democrata, entre outros. Além disso, o movimento ambiental desenvolveu numerosas áreas de sobreposição com ideologias e movimentos centrados no marxismo, como a Teoria Crítica da Raça via justiça ambiental, que declara a existência de racismo ambiental contra comunidades de minorias. Alguns mentores do movimento afirmam que Marx não foi longe o bastante para estabelecer sua utopia de decrescimento, já que imaginam a vida em um perpétuo estado de natureza, onde produtividade, crescimento e aquisição material são tóxicos para o espírito humano. É claro, no fim, tudo isso envolve uma forma de repressão e autocracia.

No centro dessa cruzada de essência marxista que entorpece a mente está o "movimento de decrescimento". A humanidade consome e produz demais, e a culpa é do capitalismo e da América. Repito, há uma variedade de movimentos dentro de movimentos que escolhem uma ou outra abordagem, mas existem conceitos básicos. A melhor maneira de explicar isso é expor o que alguns de seus defensores têm a dizer.

Em seu ensaio "What Is Degrowth – From an Activist Slogan to a Social Moviment" (O que é decrescimento – de *slogan* ativista a movimento social), os proeminentes defensores do decrescimento, Federico Demaria, François Schneider, Filka Sekulova e Joan Martin-Alier escrevem que "o decrescimento foi laçado no início do século 21 como um projeto de encolhimento de produção e consumo social voluntário voltado para a sustentabilidade social e ecológica. Ele se tornou rapidamente um *slogan* contra o crescimento econômico e se tornou um movimento social... Diferente do desenvolvimento sustentável, que é um conceito baseado em falso consenso, o decrescimento não pretende ser adotado como um objetivo comum pelas Nações Unidas, pela OECD [Organização para a Cooperação e Desenvolvimento Econômico] ou pela Comissão Europeia. A ideia de 'decrescimento socialmente sustentável', ou simplesmente decrescimento, nasceu de uma proposta de mudança radical. O contexto contemporâneo do capitalismo neoliberal aparece como uma condição pós-política, significando uma formação política que exclui o político e impede a politização de demandas particulares. Dentro desse contexto, decrescimento é uma tentativa de repolitizar o debate sobre a necessária transformação socioecológica, afirmando dissidência das atuais representações de mundo e a busca por outras alternativas... Decrescimento... desafia as ideias de 'crescimento verde' ou 'economia verde' e a crença associada em crescimento econômico como uma via desejável em agendas políticas... Decrescimento não é só um conceito econômico. É uma moldura formada por uma grande variedade de preocupações, objetivos, estratégias e ações. Como resultado, o decrescimento se tornou hoje um ponto de confluência para o qual convergem correntes de ideias críticas e ação política"[8]

Portanto, o objetivo é reverter o massivo progresso econômico resultante da Revolução Industrial, entre outras coisas, que criou uma imensa e vibrante classe média e infinitos avanços tecnológicos, científicos e médicos, que melhoraram de maneira sobrepujante a condição humana.

O quarteto continua: "Decrescimento evoluiu para a moldura interpretativa de um movimento social, entendido como o mecanismo pelo qual atores se envolvem em uma ação coletiva. Por exemplo, ativistas contrários ao automóvel e à propaganda, defensores dos direitos dos ciclistas e dos pedestres, partidários da agricultura orgânica, críticos do crescimento urbano e promotores de energia solar e moedas locais começaram a ver o decrescimento como uma apropriada moldura representativa comum para sua visão de mundo".[9]

O movimento social vislumbrado por esses utópicos arrastaria a América para uma sociedade regressiva, empobrecida, com um amplo deslocamento econômico e social – isto é, um ambiente pré-industrializado no qual o progresso chega ao fim, porque é esse o objetivo. Contrários ao automóvel (mobilidade), à propaganda (discurso), à agricultura moderna (comida abundante), ao combustível fóssil (energia abundante), etc. É de se perguntar, e quanto aos avanços científicos e médicos? Como seriam desenvolvidos e amplamente aplicados pelo benefício da população geral? Geralmente como o marxismo, esse movimento é baseado em teorias e abstrações que, quando forçosamente aplicados no mundo real, particularmente em uma sociedade largamente bem-sucedida e avançada, tem um resultado desastroso para a população. Mais que isso, a experiência mostra que, aqueles no movimento que são famosos, ricos e/ou poderosos vão continuar desfrutando de um estilo de vida criado pelo capitalismo.

"Decrescimento é [também] uma moldura interpretativa de diagnóstico que afirma que fenômenos sociais, tais como a crise social e a

MARXISMO AMERICANO

ambiental, são relacionados ao crescimento econômico", escrevem os quatro. "Atores do decrescimento são, portanto, 'agentes significantes' envolvidos na produção de significados alternativos e controversos que diferem daqueles defendidos pelo senso comum... O prognóstico, normalmente caracterizado por uma forte dimensão utópica, busca soluções e cria hipóteses de novos padrões sociais. Além dos objetivos práticos, esse processo abre novos espaços e possibilidades para ação. Estratégicas associadas com o prognóstico tentem a ser múltiplas. Em termos de abordagens, elas podem ser construção de alternativas, pesquisa da oposição e, em relação ao capitalismo, podem ser 'anticapitalistas', pós-capitalistas' e 'apesar do capitalismo'".[10]

E aí está. Para muitos intelectuais "ambientais" por trás desse movimento amorfo, mas disseminado, o objetivo é gerar diversos submovimentos voltados para a derrubada do sistema capitalista. Como expliquei em *Plunder and Deceit* de 2015, entre outras coisas, "os defensores do decrescimento pretendem eliminar as fontes de energia de carbono e redistribuir riqueza de acordo com os termos que consideram igualitários. Rejeitam a realidade da economia tradicional que reconhece crescimento como a melhora geral de condições de vida, especialmente para os empobrecidos. Eles abraçam 'menos competição, grande redistribuição em escala, compartilhamento e redução de renda e riqueza excessivas'. Os defensores do decrescimento querem promover políticas que estabeleçam 'uma renda máxima, ou riqueza máxima, para enfraquecer a inveja como motor de consumo, e abrir fronteiras ("sem fronteiras") para reduzir os meios de manter a desigualdade entre países ricos e pobres'. E eles exigem reparação apoiando um 'conceito de dívida ecológica, ou a demanda de que o Norte Global pague pela exploração colonial passada e presente do Sul Global'."[11] Os defensores do decrescimento também exigem que o governo determine um salário de sobrevivência e reduza a carga horária semanal de trabalho para vinte horas.[12]

Serge Latouche, francês e professor emérito de Economia na Universidade de Paris-Sud, está entre os principais defensores do decrescimento. "Na década de 1970, Serge Latouche passou vários anos na África do Sul, onde conduziu extensa pesquisa sobre marxismo tradicional e formou a própria ideologia baseada em 'progresso e desenvolvimento'. Ele está entre os pioneiros da teoria do decrescimento."[13] Latouche enfatiza uma doutrina do tipo utópica na qual até o marxismo é reprovado. Em *Farewell to Growth*, ele declarou: "Não fazemos uma crítica específica ao capitalismo, porque não vemos sentido em afirmar o óbvio. Essa crítica foi feita, em sua maioria, por Karl Marx. Mas uma crítica ao capitalismo não é suficiente: também precisamos de uma crítica a qualquer sociedade em crescimento. E isso é precisamente o que Marx deixa de fornecer. Uma crítica à sociedade em crescimento implica uma crítica ao capitalismo, mas o oposto não é necessariamente verdadeiro. Capitalismo, neoliberal ou não, e socialismo produtivista são, ambos, variantes do mesmo projeto para uma sociedade de crescimento baseada no desenvolvimento das forças produtivas, que supostamente facilitarão a marcha da humanidade rumo ao progresso".[14]

Em outras palavras, até a abordagem ideológica de Marx, que não rejeita a criação de riqueza, mas ataca os métodos de produção e distribuição, erra o alvo. Embora eliminar o capitalismo e promover redistribuição e igualitarismo sejam objetivos importantes, aparentemente, vigorosa produção econômica e o materialismo em si mesmo são os problemas maiores.

Latouche escreve que "por não poder integrar restrições ecológicas, a crítica marxista da modernidade permanece terrivelmente ambígua. A economia capitalista é criticada e denunciada, mas o crescimento das forças que ela libera é descrito como 'produtivo' (embora elas sejam tão construtivas quanto produtivas). Em última análise, a crescimento, visto nos termos do trio produção/empregos/consumo, são creditadas todas, ou quase todas as virtudes, embora, quando visto em termos de acúmulo de capital, seja responsabilizado por todos os flagelos... Decrescimento é fundamentalmente anticapitalista. Nem tanto por denunciar as contradições e limitações ecológicas e sociais do capitalismo, mas por denunciar seu 'espírito'... Um capitalismo generalizado só pode destruir o planeta, da mesma maneira que está destruindo a sociedade e tudo mais que é coletivo".[15]

Nisso, é claro, Latouche aponta uma falha importante do marxismo – isto é, apesar dos ataques que faz ao capitalismo, Marx não abandona os objetivos de crescimento e produtividade inerentes ao capitalismo. Enquanto isso, para Latouche, o absurdo óbvio de seu radicalismo é a afirmação ou inferência de que regressão econômica pode acontecer, de alguma forma, sem regressão humana, e que a população vai, de algum jeito, participar voluntariamente da criação da degradação de sua economia e de seu estilo de vida.

Latouche escreve ainda: "Mais que nunca, promover o desenvolvimento é sacrificar populações e seu bem-estar concreto, local no altar do bem-estar abstrato, desterritorializado. O sacrifício é feito em nome de um povo mítico e sem corpo físico, e funciona, é claro, em prol dos "desenvolvedores" (empresas transacionais, políticos, tecnocratas e máfias). Crescimento é agora um negócio lucrativo, somente se os custos forem da natureza, das gerações futuras, da saúde do consumidor, das condições de trabalho dos assalariados e, acima de tudo, dos países do Sul. É por isso que temos que abandonar a ideia de crescimento... Todos os regimes modernos foram produtivistas: repúblicas, ditaduras, sistemas autoritários, não importa se o governo é de direita ou esquerda, não importa se é liberal, socialista, populista, social-liberal, social-democrata, centrista, radical ou comunista. Todos assumiram que o crescimento econômico era a inquestionável pedra fundamental de seus sistemas. A mudança de direção necessária não pode ser resolvida simplesmente por uma eleição que escolha um novo governo ou votos em uma nova maioria. A necessidade é algo muito mais radical: nada mais, nada menos que uma revolução radical que restabeleça a política sobre uma nova base... O projeto de decrescimento é, portanto, uma utopia ou, em outras palavras, uma fonte de esperança e sonhos. Longe de representar um voo para a fantasia, é uma tentativa de explorar a possibilidade objetiva de implementação".[16]

Latouche e seu grupo referem-se a isso como "utopismo concreto". É claro, não tem nada de concreto nisso. Na verdade, ele diz que não importa o regime de governo, todos são "produtivistas". Como alimentar grandes populações, uma empreitada comercial imensamente complexa entre o campo e a mesa, e como garantir a elas acesso a tratamentos médicos e inovações, como vacinas e tratamentos que salvam vidas, é algo que fica por dizer. E quando é abordado, o que é raro, é de um jeito abstrato e até imaturo.

De qualquer maneira, por mais que Latouche se esforce, a inspiração por trás de seu movimento ecototalitário é, para inúmeros ativistas, inegavelmente o marxismo. Em seu ensaio "Urban Sprawl, Climate Change, Oil Depletion, and Eco-Marxism" (Alastramento urbano, mudança climática, esgotamento de petróleo e ecomarxismo), o cientista político da Universidade de Miami, professor George A. Gonzalez, escreve: "As zonas urbanas dos Estados Unidos são as mais alastradas do mundo... Alastramento urbano só pode ser plenamente compreendido dentro da moldura político-econômica desenvolvida por Karl Marx. Os conceitos de Marx de valor e aluguel são indispensáveis para entender o uso libertino de combustíveis fósseis – *vis-à-vis* alastramento urbano – que contribuiu significativamente para o esgotamento de petróleo e para a tendência recente de aquecimento global.

Esse argumento é coerente com a alegação ecomarxista de que os textos de Marx e Frederick Engels contêm uma profunda crítica ecológica do capitalismo".[17]

Assim, para Gonzalez, os textos ideológicos de Marx fornecem uma "profunda crítica ecológica do capitalismo". Para Latouche, eles são totalmente desprovidos de considerações ecológicas e adotam objetivos capitalistas relacionados a produção e crescimento. No entanto, para ambos o inimigo é o progresso econômico.

"Alastramento urbano", escreve Gonzalez, "foi o deslocamento nos Estados Unidos durante a década de 1930 como um meio de reavivar o capitalismo do país na Grande Depressão. O alastramento de zonas urbanas aumentou muito a necessidade de automóveis e outros bens duráveis de consumo. Esse uso do alastramento urbano para aumentar a demanda econômica condiz com o argumento de Marx de que a demanda dentro do capitalismo é maleável e direcionada para o crescimento do consumo de bens e serviços produzidos pela mão de obra social. A exploração da mão de obra social é a base da riqueza capitalista".[18]

É de se perguntar que mente maléfica estava por trás do "deslocamento", do "alastramento urbano". O grande movimento de indivíduos de fazendas para as cidades, bem como o movimento de imigrantes para as cidades, não tinha a ver com "deslocar" pessoas para salvar o capitalismo. As pessoas se mudaram para centros populacionais, aumentando assim ainda mais a população das cidades, por necessidade econômica – isto é, para encontrar empregos, abrir negócios, viver em meio a grupos étnicos semelhantes, e por muitas outras razões de interesse pessoal e compreensíveis. Não teve nada a ver com "deslocar" pessoas e recursos.

E não há nenhuma dúvida de que esse movimento tem seu propósito de abolir ou aleijar o sistema econômico capitalista e, por necessidade, o republicanismo constitucional e sua ênfase no individualismo e nos direitos à propriedade privada. Por exemplo, Giorgos Kallis, um economista ecológico da Grécia e professor pesquisador da ICTA – Universitat Autònoma de Barcelona, cuja influência é considerável entre os ecorradicais nos Estados Unidos, explica em seu livro *In Defense of Degrowth* que "decrescimento sustentável é definido como uma redução igualitária de produção e consumo que aumenta o bem-estar humano e melhora as condições ecológicas. Ele vislumbra um futuro no qual as sociedades vivam dentro de seus meios ecológicos, com economias localizadas, que distribuem recursos mais igualmente pelas novas formas de instituições democráticas... Acúmulo material não ocupará mais uma posição central no imaginário cultural. A primazia concedida à eficiência será substituída pelo foco em suficiência. Os princípios organizadores serão simplicidade, sociabilidade e compartilhamento. Inovação não será mais direcionada para novas tecnologias pelo bem da tecnologia, mas para novos arranjos sociais e tecnológicos que permitirão uma vida sociável e frugal".[19]

Mais uma vez, é de se perguntar se Kallis está criando fantasias sobre um tipo de comunidade *hippie* nacional e internacional da década de 1960. E ainda é de se questionar como esse "nirvana" vai acontecer e se manter – isto é, a própria natureza geral do indivíduo e da humanidade exigirá doutrinação forçada, reeducação forçada, relocação forçada em muitos casos etc. Em outras palavras, como Marx pregava, a sociedade existente deve ser abolida – sua história, suas famílias, escolas e religiões – o que bem pode requerer um período de despotismo, para limpar a sociedade de normas existentes e substitui-las pelo paraíso marxista. O cenário que Kallis e outros radicais pintam não têm nada de parecido com o inevitável e horroroso pesadelo que seus sonhos abstratos promoveriam.

Kallis continua: "Decrescimento sustentável denota um processo intencional de uma suave e 'próspera descida', por meio de uma

MARXISMO AMERICANO

variedade de políticas e instituições sociais, ambientais e econômicas, orquestradas para garantir que, enquanto produção e consumo declinam, o bem-estar humano melhora e é mais igualmente distribuído. Várias propostas concretas e práticas estão em debate para permitir essas transições decrescentes. Elas incluem tanto mudanças de política e instituições *dentro* do sistema atual – como mudanças drásticas em instituições financeiras, limites de recursos e poluição e santuários, moratório de infraestrutura, ecoimpostos, compartilhamento de trabalho e horas reduzidas de trabalho, renda básica e segurança social garantida para todos – bem como ideias para criar novos espaços fora do sistema, tais como ecovilarejos e comoradia, produção cooperativa e consumo, vários sistemas de compartilhamento, ou moedas lançadas e reguladas pela comunidade, permuta e trocas do mercado não monetário. 'Sair da economia' para criar espaços de simplicidade, compartilhamento e sociabilidade é o lema propulsor do decrescimento".[20]

Mas marxismo vestido de movimento verde ainda é marxismo, pelo menos em uma parte significativa. Além disso, "sair da economia" criaria não só "compartilhamento e sociabilidade", mas carência, pobreza, indolência e o declínio geral da sociedade civil e da qualidade de vida. Pode-se vislumbrar como o encolhimento *deliberado* da economia destruiria "sociabilidade" e, na verdade, criaria uma reação social explosiva pela redução do suprimento até de primeiras necessidades (alimento, remédio, energia, vestuário, moradia etc.), enquanto aumentaria a demanda por essas necessidades (pessoas perseguindo a disponibilidade de menos necessidades básicas). Mesmo onde o encolhimento de uma economia não é deliberado, mas inevitável, como em certos tipos de regimes comunistas (Venezuela e Coreia do Norte me vêm à cabeça, e Camboja no passado recente), ele é claramente incontrolável, depois de permitido, e as consequências para o povo que vive nesses lugares, não só em termos de dignidade humana e liberdade, mas até de possibilidade de sobrevivência, tornam-se terrivelmente sombrias.

Kallis afirma que "escapar da economia capitalista e formar *nowtopias* não é um chamado ecológico idílico para um retorno a um passado bucólico que nunca existiu. É um projeto romântico, é claro, e tudo bem, já que uma dose de romantismo é justamente do que precisamos nessa era de utilitarismo individualista frio e autodestrutivo. *Nowtopias*, ou utopias de agora, não são só 'escolhas de estilo de vida'; elas representam 'projetos de vida' conscientes para seus participantes, e são ações políticas, conscientes e explícitas para alguns e inconscientes para outros. Mas é improvável que 'escapar da economia' se torne um movimento massivo por si só, sem uma mudança interligada no nível político-institucional que vai tornar possível o florescimento. Instituições para limitar a expansão da economia e abrir espaços para projetos de vida alternativos são um prerrequisito para a *nowtopia*".[21]

Realmente, até o *fato* de uma economia é questionado por Kallis, entre outros. "Primeiro princípio: a economia é uma invenção". "Quando e como passamos a pensar um sistema autônomo chamado 'a economia?'"[22] E a economia é uma criação política, não uma agregação espontânea de interações comerciais e financeiras incalculáveis entre um povo livre. "A economia na literatura do decrescimento é política. Não é um sistema independente governado pelas leis da oferta e da demanda. O imaginário livre mercado não existe... Na economia ecológica reconhecemos a natureza política da economia... Muitas vezes, porém, reproduzimos a distinção econômica entre uma economia por aí, com suas leis e seus processos, e um processo político que distribui os frutos desse processo ou estabelece limites para ele..."[23]

Portanto, princípios sobre os quais a América foi fundada, tais como direitos à propriedade privada, o livre fluxo de comércio, interação voluntária e a inviolabilidade do indivíduo, e o estabelecimento de um governo em torno desses princípios, cuja intenção é assegurar esses princípios e limitar a própria autoridade para molestá-los ou alterá-los são dispensados.

Em seu livro *Return to Primitive – The Anti-Industrial Revolution*, publicado há mais de quarenta anos, Ayn Rand expôs de maneira presciente o propósito desse movimento: "O objetivo imediato é óbvio: a destruição dos remanescentes do capitalismo na economia mista de hoje, e o estabelecimento de uma ditadura global. Esse objetivo não precisa ser inferido – muitos discursos e livros sobre o assunto afirmam explicitamente que a cruzada ecológica é um meio para um fim". Rand também notou que o movimento demonstrava o fracasso do marxismo, escrevendo que a nova abordagem envolvia "a substituição de pássaros, abelhas e beleza – 'beleza da natureza' – pela parafernália pseudocientífica, supertecnológica do determinismo econômico de Marx. Um encolhimento mais ridículo da estatura de um movimento ou uma confissão mais óbvia de falência intelectual não poderia ter sido inventado na ficção".[24]

"Em vez de suas velhas promessas", escreve Rand, "de que aquele coletivismo criaria abundância universal e suas denúncias do capitalismo criariam pobreza, eles agora *denunciam o capitalismo por criar abundância*. Em vez de prometer conforto e segurança para todo mundo, eles agora estão denunciando pessoas por estarem confortáveis e seguras. Ainda estão se esforçando, no entanto, para incutir culpa e medo; essas sempre foram suas ferramentas psicológicas. Só que em vez de exortar você a sentir culpa por explorar o pobre, eles agora o exortam a sentir culpa por explorar terra, ar e água. Em vez de ameaçar você com sangrenta rebelião das massas deserdadas, eles agora tentam... matar você de medo com ameaças retumbantemente vagas de um cataclisma cósmico incognoscível, ameaças que não podem ser verificadas, checadas ou provadas".[25]

Rand atacou a "mais profunda importância da cruzada ecológica", que ela disse que "está no fato de expor uma profunda ameaça para a humanidade – embora não no sentido que seus líderes alegam. Ela expõe o motivo final dos coletivistas – a essência nua do *ódio* pela aquisição, que significa: ódio pela razão, pelo homem, pela vida". Em vez de condenar a Revolução Industrial, Rand explica que "foi a grande revelação que libertou a mente do homem do peso do lastro. O país possibilitado pela Revolução Industrial – os Estados Unidos da América – alcançou a magnificência que só homens livres podem alcançar, e demonstrou que razão é o meio, a base, a precondição da sobrevivência do homem".[26]

O ponto de Rand, é claro, é que liberdade e capitalismo são inseparavelmente ligados. E a Revolução Industrial é magnífica evidência das capacidades de um povo livre.

Ela explicou: "Os inimigos da razão – os místicos, os que odeiam o homem e a vida, os que buscam o que não é merecido e o irreal – unem suas forças para um contra-ataque, desde então... Os inimigos da Revolução Industrial – as pessoas deslocadas – eram do tipo que tinham combatido o progresso humano por séculos..." Hoje, "elas estão... reduzidas, como animais encurralados, a mostrar os dentes e a alma, e a proclamar que o homem não tem o direito de existir..."[27] Na verdade, a contenção do movimento é uma incansável condenação do estilo de vida do homem moderno – tal como "mudança climática provocada pelo homem".

Outro farol do movimento, Timothy W. Luke, professor de Ciência Política no Virginia Polytechnic Institute and State University e defensor da Teoria Crítica, escreve em seu ensaio "Climatologies as Social Critique: The Social Construction/Creation of Global Warming, Global Dimming, and Global Cooling", que devido à humanidade e ao capitalismo, o planeta já foi transformado – de natureza para natureza urbana. "Aquecimento, escurecimento e/ou resfriamento glo-

MARXISMO AMERICANO

bal são consequências não intencionais de organismos humanos reformando ambientes naturais e artificiais da Terra para sustentar a própria sobrevivência. E, na medida em que os movimentos são feitos, formas de vida humanas e naturais começam a habitar a natureza que, como hábitat, está sendo recriada pela produção de laboratórios corporativos, grandes indústrias e grandes agronegócios. Produtos e seus subprodutos se infiltram na ecologia terrestre através de ações humanas, e essa tecnonatureza se cristaliza em uma 'Segunda Criação', ou ambientes urbanaturalizados, com uma nova atmosfera, oceanos em transformação, biodiversidade diferente e massas de terra refeitas. E o estudo da mudança climática precisa considerar todas essas ramificações".[28]

Além de Luke usar e abusar da língua inglesa ao criar palavras, pervasiva na academia, ele está descrevendo o progresso humano sob o capitalismo como renascimento infernal do planeta, distante da natureza. Realmente, ele argumenta, o sistema capitalista é um desastre tão grande, que é o ímpeto do comunismo.

"Climatologia como crítica social mapeia como as consequências não pretendidas do capitalismo industrial são externalizadas como subprodutos da produção de massa e do consumo, só para começar a alterar a atmosfera da Terra. Em um dado momento, o 'socialismo científico' presumiu alertar os trabalhadores do mundo sobre a crise do capitalismo que se aproximava, da qual resultaria uma ordem comunista mais racional, justa e equitativa. Acreditava-se que um conjunto intrínseco de tendências criava a base para a plena racionalização dos meios de produção, bem como a oportunidade para representar novas formas de equidade material, deliberação política e emancipação psicológica. Leis inalteráveis de mais-valia garantiriam o advento e a permanência desses resultados enquanto as dinâmicas caóticas do mercado empurravam a anarquia da troca em direção à ordem do comunismo".[29]

Rand também lida com isso observando que "em toda a propaganda dos ecologistas – em meio a todos os seus apelos pela natureza e súplicas por 'harmonia com a natureza' – não há discussão das necessidades do *homem* e os requisitos de *sua* sobrevivência. O homem é tratado como se fosse um fenômeno *anormal*. O homem não pode sobreviver no tipo de estado de natureza que os ecologistas vislumbram – isto é, no nível de ouriços do mar e ursos polares. Nesse sentido, o homem é o mais fraco dos animais: ele nasce nu e desarmado, sem presas, garras, chifres ou conhecimento "instintual". Fisicamente, ele seria presa fácil, não só para os animais mais elevados, mas também para a mais baixa bactéria: ele é o organismo mais complexo e, em um contexto de força bruta, extremamente frágil e vulnerável. Sua única arma – os meios básicos de sobrevivência em sua mente".[30]

"Não é necessário lembrar", escreve Rand, "como era a existência humana – por séculos e milênios – antes da Revolução Industrial. Os ecologistas ignorarem ou evitarem isso é um crime tão terrível contra a humanidade, que serve como proteção para ela: ninguém acredita que alguém pode ser capaz disso. Mas, nessa questão, não é nem necessário estudar a história; dê uma olhada nas condições de existência nos países subdesenvolvidos, o que significa: na maior parte dessa terra, com a exceção da abençoada ilha que é a civilização ocidental".[31]

Luke reconhece que, embora o movimento ecorradical não seja idêntico ao modelo de Marx, ele também não é totalmente diferente. "Apesar de sua credibilidade científica exceder claramente aquela do materialismo histórico, a climatologia contemporânea, especialmente em suas expressões mais engajadas como política pública, ciência popular ou previsão econômica, muitas vezes ecoa estranhamente, se equipara ou reimagina postulados que não são diferentes daqueles da concepção materialista de história. Embora não seja completamente a mesma coisa, também não é inteiramente diferente".[32]

MARXISMO AMERICANO

Em *O manifesto comunista* (1848), Marx e Engels afirmam, em parte: "A burguesia não pode existir sem revolucionar constantemente os instrumentos de produção e, portanto, as relações de produção, e com elas todas as relações de sociedade... Revolução constante de produção, perturbação ininterrupta de todas as condições sociais, incerteza e agitação duradouras distinguem a época burguesa de todas as outras anteriores. Todas as relações fixas, congeladas, com seu rastro de antigos e veneráveis preconceitos e opiniões, são removidas; todas as relações recém-formadas tornam-se antiquadas antes de poderem se cristalizar. Tudo que é sólido derrete no ar, tudo que é sagrado é profanado, e o homem é finalmente compelido a encarar com seriedade suas verdadeiras condições de vida e suas relações com sua espécie. A necessidade de um mercado em constante expansão por seus produtos persegue a burguesia por toda a superfície do globo. Precisa se aninhar em todos os lugares, se instalar em todos os lugares, estabelecer conexões em todos os lugares".[33]

A condenação do progresso econômico e tecnológico por Marx, Engels e seus seguidores nesse movimento de orientação marxista não é meramente uma demanda para restringir a tecnologia, mas, como Rand afirma, "a demanda para restringir a mente do homem. É natureza – isto é, realidade – que torna esses dois objetivos impossíveis de alcançar. Tecnologia pode ser destruída, e a mente pode ser paralisada, mas nenhuma das duas pode ser restringida. Se, e quaisquer que sejam, essas restrições são tentadas, é a mente – não o estado – que atrofia. Tecnologia é ciência aplicada. O progresso de ciência teórica e tecnologia – isto é, conhecimento humano – é movido por uma soma tão complexa e interconectada do trabalho de mentes individuais, que nenhum computador ou comitê poderia prever e prescrever seu curso. As descobertas em um ramo de conhecimento levam a descobertas inesperadas em outro; as conquistas em um campo abrem incontáveis estradas em todos os outros... Restrições significam a tentativa de regular o desconhecido, limitar o que não nasceu, determinar regras para o que não foi descoberto... Quanto à noção de que progresso é desnecessário, que sabemos o suficiente, que podemos parar no atual nível de desenvolvimento tecnológico e mantê-lo, sem ir além – pergunte a si mesmo por que a história da humanidade é cheia de destruições de civilizações que não puderam ser mantidas e desapareceram com todo o conhecimento que tinham adquirido; por que homens que não seguem adiante, recuam e caem no abismo da selvageria".[34]

Como você pode ver, é preciso Ayn Rand para derrubar toda a academia de adeptos marxistas do decrescimento. No entanto, eu contribuiria com mais uma observação, além das de Rand. Na medida em que o propósito desse movimento é retornar à natureza e a uma mera economia de subsistência, onde a psique comunal é anticrescimento, antitecnologia, anticiência e antimodernidade, ironicamente a irrelevância da educação superior, dos estudos de graduação e doutorado, e das próprias faculdades, particularmente no ensino das Ciências Exatas, Tecnologia, Engenharia e Matemática, são descartáveis. Iliberalismo e seu produto, totalitarismo, não requerem grandes edifícios educacionais para estabelecer o empobrecimento da mente e do espírito do homem, ou para alimentar sua fome de conhecimento e primeiras necessidades.

Levando em conta a inculcação do movimento marxista, não é surpreendente que ele "intersecte" com a crescente influência da Teoria Crítica da Raça e outras manifestações do tipo. Realmente, o movimento ambiental inicial se metastizou em uma Hidra de muitas cabeças com causas revolucionárias que se cruzam e sobrepõem. Por exemplo, ao escrever *What Is Critical Environmental Justice?*, David Naguib Pellow, professor de Estudos Ambientais na Universidade da Califórnia, afirma: "Desde seus dias iniciais, o movimento da Justiça Ambiental [JA] articulou uma visão transformativa de como pode ser um futuro ambientalmente e socialmente justo e sustentável, em escala local, regional, nacional e global... Durante a histórica Conferência da Cúpula da Justiça Ambiental em 1991, os participantes rascunharam o que se tornaria conhecido como os Princípios da Justiça Ambiental, que não só acolhe uma síntese de sustentabilidade antirracismo e ecológica, como também apoia políticas antimilitaristas, anti-imperialistas, de justiça de gênero. Os Princípios também reconhecem o valor inerente e cultural de naturezas não humanas".[35]

Daí a introdução de raça, gênero, pacifismo, justiça, classismo e antiamericanismo geralmente sob a nomenclatura de justiça ambiental. Pellow continua: "O movimento JE é largamente composto por pessoas de comunidades de cor, comunidades indígenas e comunidades da classe trabalhadora que se dedicam a combater injustiça ambiental, racismo e desigualdades de gênero e classe que se manifestam de maneira mais visível na carga desproporcional de prejuízo ambiental enfrentada por essas populações. Para o movimento JE, a batalha por sustentabilidade global não pode ser vencida sem que se aborde a violência ecológica imposta sobre populações humanas vulneráveis; assim, justiça social (isto é, justiça para humanos) é inseparável de proteção ambiental... Enquanto justiça ambiental é uma visão de um futuro possível, desigualdade ambiental (ou *in*justiça ambiental) geralmente se refere a uma situação em que um grupo social particular é desproporcionalmente afetado por prejuízos ambientais".[36]

Na verdade, o movimento JE é liderado e conduzido principalmente por elitistas, acadêmicos e ativistas de orientação marxista, enquanto atrai muitos seguidores inocentes. Ele é promovido e defendido em nossas faculdades e universidades, na mídia, por ativistas e *think tanks* (grupo de especialistas que se reúnem para debater um assunto). Como a Teoria Crítica da Raça, estudos de justiça ambiental são agora proeminentes e crescentes. Ela significa, como Pellow escreve, "construir a partir do trabalho de acadêmicos de diversos campos que só periodicamente se encontram (como Estudos de Justiça Ambiental, Teoria Crítica da Raça, Feminismo Crítico de Raça, Estudos Étnicos, Estudos de Gênero e Sexualidade, Ecologia Política, Teoria Antiestadista/anarquista, e Feminismo Ecológico) ..."[37]

Resumindo, então, mais "interseccionalidade" – isto é, a combinação de causas incongruentes e supostas vitimizações sob mais um guarda-chuva radical, anticapitalista, unidas em seu ódio pela sociedade americana.

Pellow argumenta que a moldura JE é construída sobre quatro pilares, inclusive: "O primeiro pilar... [que] envolve o reconhecimento de que desigualdade social e opressão em todas as formas se cruzam, e que atores no mundo mais que humano são sujeitos de opressão e, frequentemente, agentes de mudança social. Os campos de teoria crítica da raça, feminismo crítico da raça, estudos de gênero e sexualidade, teoria *queer*, feminismo ecológico, estudos da deficiência e estudos críticos dos animais falam sobre as maneiras pelas quais várias categorias sociais diferentes atuam para colocar determinados corpos em risco de exclusão, marginalização, apagamento, discriminação, violência, destruição e alteração. Esses *insights* são importantes para criar uma construção de como a desigualdade entre humanos e as opressões funcionam e como se intersectam com a opressão humana-não humana".[38]

Devo confessar, é difícil acompanhar o número e o tipo de alegadas e proclamadas doenças supostamente desencadeadas pela mais diversa, beneficente, tolerante, bem-sucedida e livre nação estabelecida pela humanidade. Mas certamente parece que esse movimento atraiu todas elas. E a história do ar limpo, água limpa e ursos polares?

Pellow segue em frente e informa que o terceiro pilar "é a visão de que desigualdades sociais – de racismo a especismo – são profundamente embutidos na sociedade (em vez de aberrações) e reforçados pelo poder do Estado, e que, portanto, a ordem social atual permanece como um obstáculo fundamental para justiça social e ambiental. A conclusão lógica dessa observação é que movimentos de mudança social podem lucrar mais pensando e agindo além da supremacia humana e além do Estado como alvos de reforma e parceiros confiáveis..."[39]

Portanto, a consequência deve ser que a sociedade atual tem que ser fundamentalmente transformada em um nirvana igualitário. O Estado deve ser abolido? Essa transformação é alcançada por força, repressão e lavagem cerebral na educação? E as limitações constitucionais colocadas entre indivíduo e governo a fim de proteger o indivíduo – isto é, como essa revolução se manifesta?

"Grande parte da história humana", escreve Pellow, "foi marcada pela ausência de Estados, o que sugere que a condição moderna de domínio do Estado não é natural ou inevitável. Minha visão, e a de um crescente número de acadêmicos, é que Estados são instituições sociais propensas a práticas e relacionamentos autoritários, coercitivos, racistas, patriarcais, exclusivistas, militaristas e antiecológicos".[40]

Essa é uma formulação estranha. É claro, "grande parte da história humana" foi marcada por sociedades incivis, cujos governos rejeitaram a visão enunciada em nossa Declaração de Independência – "Consideramos estas verdades óbvias, que todos os homens são criados iguais, que são dotados por seu Criador de certos Direitos Inalienáveis, entre eles Vida, Liberdade e a busca da Felicidade. – Que para assegurar esses direitos, são instituídos Governos entre os Homens, derivando seus justos poderes do consentimento dos governados...[41] A lei da selva, resultante do colapso de normas, tradições, costumes, lei e ordem dá origem ao tipo de existência infernal que Pellow desencadearia para a humanidade.

"O quarto pilar... é centrado em um conceito que chamo de *indispensabilidade*... Uma perspectiva dos Estudos Críticos da JE... contesta a ideologia da supremacia branca e do domínio humano, e articula a perspectiva de que excluídos, marginalizados e populações, seres e coisas alterados – humanos e mais que humanos – devem ser vistos não como descartáveis, mas como *indispensáveis* ao nosso futuro coletivo. Isso é o que chamo de *indispensabilidade racial* (quando em referência a pessoas de cor) e *indispensabilidade socioecológica* (quando em referência a comunidades mais amplas dentro e através do espectro humano/mais que humano) ... ECJ amplia o trabalho de acadêmicos e ativistas de Estudos Étnicos que defendem que, nesta sociedade, pessoas de cor são construídas e tratadas como descartáveis. A partir dessas ideias e desafiando a ideologia da supremacia branca e do domínio humano, ECJ articula a perspectiva de que excluídos, marginalizados e populações, seres e coisas alteradas – humanos e mais que humanos – devem ser vistos como *indispensáveis* ao nosso futuro coletivo..."[42]

Pellow proclama de maneira ampla que uma sociedade de domínio e supremacia brancos e o domínio humano da natureza de maneira geral, que inclui o domínio de outras espécies (tais como animais, insetos etc.), enfatizam a indispensabilidade de pessoas marginalizadas. Note aqui, e nesses movimentos, que seres humanos individuais são tratados em conformidade com o modelo marxista – divididos em classes de grupos oprimidos baseados em uma lista interminável de vitimizações e estereótipos.

Pellow continua: "Além de se desenvolver a partir dos Estudos de Justiça Ambiental, os Estudos Críticos de JE se inspiram em vários outros campos importantes, como a Teoria Crítica da Raça e Estudos Étnicos, Feminismo Crítico da Raça e Estudos de Gênero e Sexualidade, e Teoria Antiestadista/Anarquista, que prestou enorme serviço produzindo rigorosa compreensão conceitual e embasada de como iniquidade social, opressão, privilégio, hierarquia e instituições e práticas autoritárias formam a vida de seres humanos. Esses acadêmicos exploraram e revelaram diversos meios nos quais gênero, raça, sexualidade, cidadania, classe social e capacidade refletem e são refletidos em como estruturas sociais funcionam na sociedade... Eles mostram como a dominação daquelas pessoas sem privilégio é realizada por meio de práticas, policiamento e discursos todos os dias. Assim, esses campos são valiosos para o fortalecimento [EJE], que é, como sua raiz, uma área de inquérito preocupada com desigualdade, domínio e libertação".[43]

É claro, Pellow não pode explicar por que, em uma sociedade aberta, na qual as pessoas são livres para escapar do tipo de ódio racial sistêmico e multiplicidade de abusos que ele conceitualiza, elas escolhem não deixar os Estados Unidos. Há muitas economias inferiores ou sem crescimento pelo mundo, nas quais a natureza domina as pessoas, e onde as populações majoritárias são não brancas. A razão, é claro, é que para muitos, se não a maioria nesses países, a vida é muito difícil, senão infernal. Na verdade, ele não consegue explicar por que milhões de pessoas de países onde as populações majoritárias são não brancas e o sistema econômico não é capitalista arriscam a saúde e a vida para fugir de suas sociedades e migrar para os Estados Unidos. Mesmo assim, Pellow não está sozinho em sua ficção e fanatismo ideológicos, que se transmite rapidamente e invade instituições americanas.

Em 18 de julho de 2014, um grande número de delegados de grupos radicais do mundo todo se reuniu para lançar uma proclamação conjunta chamada Declaração de Margarita sobre Mudança Climática. É revelador que essa proclamação comece com uma citação do falecido ditador marxista venezuelano Hugo Chávez: "Vamos para o futuro, vamos trazê-lo e semeá-lo aqui" É claro, graças a Chávez e seu sucessor, Nicolás Maduro, a economia e a sociedade venezuelanas estão arrasadas, as pessoas estão morrendo de fome e buscando refúgio nos Estados Unidos e em outros países, há um desmonte completo no sistema de saúde e nos serviços públicos básicos, e o governo é um violento estado policial que reprime qualquer uma e todas as vozes dissonantes. Realmente, a proclamação é uma versão moderna do *Manifesto Comunista* de Marx, temperada com declarações ambientais e amenidades. Embora seja insípida e absurda em muitos níveis, ela também é perigosamente atraente e cada vez mais aceitável como matéria de política nacional e internacional. A declaração estabelece, em parte:

É necessário chegar a um modelo alternativo de desenvolvimento baseado nos princípios de vida em harmonia com a natureza, guiado por limites absolutos e de sustentabilidade ecológica, e também a capacidade da Mãe Terra; um modelo justo, igualitário que constrói economias sustentáveis que nos afastem de modelos de energia baseados em combustíveis fósseis e energias prejudiciais, que garanta e reconheça o respeito à Mãe Terra, os direitos das mulheres, crianças, adolescentes, diversidade de gênero, os empobrecidos, os grupos minoritários vulneráveis e os povos indígenas – Um modelo justo e igualitário que abrigue a coexistência pacífica de nossos povos. Queremos, igualmente, uma sociedade onde o direito da Mãe Terra prevaleça sobre políticas neoliberais, globalização econômica e patriarcado, porque sem a Mãe Terra, a vida não existe.[44]

Nada anuncia gritaria e narcisismo como uma reunião de marxistas indignados trabalhando para construir uma declaração de propósito, para incluir todos os grupos e todas as causas possíveis em sua coalizão, e tratar a "Mãe Natureza" como se ela fosse algum tipo de vítima. O resultado: uma declaração de missão incoerente e absurda. Mesmo assim, o movimento é real e ameaça nosso estilo de vida. Hayek explica em *The Fatal Conceit* que essa é "uma moralidade [que] finge ser capaz de fazer alguma coisa que não tem possibilidade de fazer, isto é, cumprir uma missão de geração de conhecimento e organizacional que é impossível sob suas próprias regras e normas, e, então, essa mesma impossibilidade fornece uma decisiva crítica racional daquele sistema moral. É importante confrontar essas consequências com a noção de que, em última análise, todo o debate é uma questão de julgamentos de valor e não de fatos que impediram estudantes profissionais de chegar ao mercado de trabalho, ressaltando enfaticamente que o socialismo não pode cumprir o que promete".[45]

A Declaração continua:

As principais fontes de crise climática são os sistemas políticos e econômicos que comercializam e reificam natureza e vida, assim empobrecendo espiritualmente e impondo consumismo e desenvolvimentismo que geram regimes desiguais e exploração de recursos. Essa crise global é exacerbada por práticas insustentáveis de exploração e consumo de países desenvolvidos e das elites dos países em desenvolvimento. Exigimos que os líderes no Norte descontinuem essas práticas perversas que destroem o planeta e que os líderes do Sul não sigam os modelos de desenvolvimento implementados no Norte, que levam a crises de civilização. Nós os incitamos a construir um caminho alternativo para alcançar sociedades justas, igualitárias e sustentáveis e economias justas. Para esses propósitos, é necessário que os países desenvolvidos cumpram suas obrigações morais e legais, especialmente em vista de países e comunidades vulneráveis e marginalizados removendo barreiras como os direitos de propriedade intelectual, que impedem a conquista da preservação da vida no planeta e a salvação da espécie humana. Da mesma maneira, nós os incentivamos a garantir a contribuição financeira e a transferência de tecnologias seguras e localmente adequadas, livres de barreiras como direitos de propriedade intelectual, fortalecer capacidades e adotar princípios propostos pela Convenção da Mudança Climática na Cúpula da Terra no Rio, especialmente quanto às responsabilidades e respectivas capacidades comuns, mas diferenciadas, e aos princípios de precaução e igualdade de gênero.[46]

Lembro do que Thomas Sowell escreveu em seu livro *The Quest for Cosmic Justice* sobre essas "visões" exageradas, generalizadas e não comprovadas: "V. I. Lenin representou um dos mais puros exemplos de um homem que agia com base em uma visão e suas categorias, que suplantava o mundo de seres humanos de carne e osso ou as realidades nas quais eles viviam. A natureza do mundo além do tema da visão só importava de forma tática ou estratégica, como um meio de realizar aquela visão... A preocupação de Lenin com visões foi demonstrada não só por seu fracasso em entrar no mundo das classes trabalhadoras, em nome das quais ele falava, mas também em seu fracasso de entrar na Ásia Central Soviética – uma vasta área maior que o Leste Europeu, onde os esquemas doutrinários e devastadores de Lenin e seus sucessores seriam impostos pela força durante quase três quartos de um século".[47] Sowell acrescentou que "visões são inevitáveis porque os limites de nosso conhecimento direto são inevitáveis. A questão crucial é se visões fornecem uma base para que teorias sejam testadas ou dogmas sejam proclamados e impostos. Boa parte da história do século vinte tem sido de tirania de visões como dogmas. Séculos passados viram o despotismo de monarcas ou conquistadores militares, mas o século vinte tem visto a ascensão de governantes e partidos cujo passaporte para o poder foi seu bem-sucedido *marketing* de visões. Quase por definição, esse foi o *marketing* das *promessas* de visões, já que desempenho não podia ser julgado antes da chegada ao poder para a implementação da visão... A prevalência e o poder de uma visão são mostrados, não pelo que sua evidência de lógica pode provar, mas justamente por sua *isenção* de qualquer necessidade de fornecer evidência ou lógica – pelo número de coisas que podem ser afirmadas com sucesso por se adequarem à visão, sem ter que passar pelo teste de adequação aos fatos".[48]

Como se liderassem uma revolução marxista internacional, os radicais na convenção seguiram em frente, exigindo "a mudança dos padrões de produção e consumo levando em conta as responsabilidades históricas das emissões por nações e corporações e sua natureza cumulativa, reconhecendo assim que o espaço atmosférico do carbono é finito e precisa ser distribuído igualmente entre os países e seus povos. O consumo excessivo historicamente desigual do orçamento global de emissões gerenciado por corporações e sistemas econômicos dominantes contribuiu para causar desigualdades em termos de capacidades dos países. Alguns indicadores-chave para medir essa disparidade seriam a emissão nacional per capita de gases do efeito estufa a partir de 1850, a distribuição e o tamanho da riqueza e da renda nacional, e os recursos tecnológicos de propriedade de um país. Esses indicadores podem ser usados para determinar a porção justa do esforço correspondente a cada país... as necessidades de desenvolvimento sustentável, as perdas e os ganhos causados pela mudança climática e a necessidade de transferência de tecnologia e apoio financeiro são reconhecidas". E o que seria uma revolução sem uma Câmara Estelar. "Exigimos a implementação de um Tribunal de Justiça, Ética e Moral da Mudança Climática, no qual toda a humanidade possa registrar queixas contra crimes relacionados ao tema".[49]

A Declaração de Margarita sobre Mudança Climática segue em frente e declara "um grande movimento social mundial", um "movimento popular" que requer uma transformação econômica anticapitalista, uma mudança de pensamento, reeducação e doutrinação, a "erradicação" de combustíveis fósseis e muito mais:

Precisamos nos organizar para garantir a vida no planeta através de um grande movimento social mundial. Uma mudança de atitude para uma consciência de poder que mantenha os povos unidos torna-se necessária. Como povos organizados, podemos pressionar pela transformação do sistema.

As causas estruturais para mudança climática são ligadas ao atual sistema hegemônico capitalista. Combater a mudança climática envolve mudar o sistema. A mudança do sistema precisa prover uma transformação dos sistemas econômico, político, social e cultural nos níveis local, nacional, regional e global. Educação é um direito das pessoas, um processo contínuo de treinamento compreensivo justo, livre e transversal. Educação é uma das forças propulsoras fundamentais para transformação e construção na diversidade dos novos homens e mulheres, pelo Bem Viver e pelo respeito à vida e à Mãe Terra. Educação deveria ser orientada para refletir valor, criar, aumentar consciência, coexistir, participar e agir. Quando falamos em educação para enfrentar a mudança climática, falamos das principais raízes dessa mudança e das responsabilidades históricas e atuais. Também falamos de pobreza, desigualdade e vulnerabilidade dos povos, especialmente dos povos indígenas e outros grupos historicamente excluídos e vitimizados.

Não há como enfatizar demais a incoerência colossal e a imbecilidade desse movimento. Mesmo assim, ele marcha de maneira ruidosa com apelo e força.

A declaração continua:

Propomos as seguintes ações para mudar o sistema:

- Transformação das relações de poder e dos sistemas de tomada de decisão para a construção de um poder popular antipatriarcal.

MARXISMO AMERICANO

- Transformação dos sistemas de produção de alimentos em sistemas agroecológicos, garantindo, assim, soberania alimentar e conhecimento sobre segurança e valor, inovações, práticas ancestrais e tradicionais.
- Transformação dos sistemas de produção de energia, erradicando energias sujas com relação ao direito dos povos de lutar contra a pobreza e manter transição justa como um principal orientador.
- Transformação dos padrões de consumo de energia pela educação, regulações para os grandes consumidores de energia e fortalecimento do povo sobre sistemas em escala comunitária de produção de energias renováveis sob controle das comunidades.
- Implementação de sistemas de planejamento de governo participativo de território e cidade, garantindo assim acesso justo e sustentável à terra e aos serviços urbanos, bem como a outros meios necessários para enfrentar os impactos da Mudança Climática.
- Mudar de um sistema de desperdício de energia e materiais para um sistema cíclico que enfatize a erradicação da exploração insustentável da natureza e promova redução, reutilização e reciclagem de resíduos.
- Garantir financiamento dos países desenvolvidos para os países em desenvolvimento para essas transformações, e para compensação e reabilitação dos impactos da Mudança Climática. Financiamento não deve ser condicional, e a administração dos fundos financiados deve estar nas mãos dos Povos.
- Criação de mecanismos acessíveis para a proteção das pessoas transferidas e os defensores dos direitos ambientais.[50]

Dois ataques tradicionais ao capitalismo, produtividade e crescimento econômico, giraram em torno da alegada dilapidação de recursos naturais e emissões de dióxido de carbono, ambos responsabilizados, entre outras coisas, por liderarem a mudança climática. Com respeito ao primeiro, George Reisman explica que a humanidade não chegou nem perto de arranhar a superfície dos recursos da Terra. Ele escreve: "O que vale para a Terra vale igualmente para todos os outros corpos planetários no universo. Na medida que o universo consiste em matéria, ele consiste em elementos químicos, nada mais, e assim, de nada além de recursos naturais".[51] "A Terra não é mais que uma imensa bola sólida de elementos químicos. Por isso, e porque a inteligência e a iniciativa do homem nos últimos dois séculos foram relativamente livres para agir e tiveram o incentivo para isso, não deve ser surpreendente que o suprimento de minerais úteis e acessíveis hoje exceda em vasta medida o suprimento que o homem é economicamente capaz de explorar."[52] "A porção de natureza que representa riqueza deve ser entendida como uma pequena fração que começou como praticamente zero e, embora, desde então, tenha sido multiplicada por cem. Ainda é praticamente zero quando se considera como é pequena a porção da massa da Terra, que dirá do universo, que é submetida ao controle do homem, e quanto o homem está distante de compreender todos os aspectos e possíveis usos do que ele controla".[53]

Um tema comum e, portanto, um problema significante em relação a muitos ativistas sociais e autoproclamados revolucionários é sua completa ignorância sobre questões com as quais são apaixonadamente, senão violentamente, comprometidos. "Conservacionismo considera o suprimento existente de recursos naturais economicamente utilizáveis como dádivas da natureza", escreve Reisman, "não como produto da inteligência humana e seu corolário, o acúmulo de capital. Ele não vê que o que a natureza fornece é, para todos os efeitos práticos, um suprimento

MARXISMO AMERICANO

infinito de matéria e energia, que a inteligência humana pode dominar progressivamente e, com isso, criar um suprimento sempre crescente de recursos naturais economicamente úteis... Sem concepção do papel da inteligência humana na criação de recursos naturais economicamente úteis, e confundindo o suprimento atual com todos os recursos naturais presentes na natureza, os conservacionistas acreditam de forma ingênua que todo ato de produção que consome recursos naturais é um ato de empobrecimento, que usa um tesouro da natureza supostamente impagável, insubstituível. A partir dessa base, eles concluem que a busca do interesse pessoal por indivíduos com liberdade econômica leva ao consumo libertino da herança natural insubstituível da humanidade, sem consideração pelas necessidades das gerações futuras".[54]

De qualquer maneira, ignorância aparentemente não é desculpa para alterar crenças. Reisman escreve que "uma vez tendo chegado à existência desse problema totalmente ilusório, produto de nada mais que a própria ignorância do grupo sobre o processo produtivo, os conservacionistas concluem que o que é necessário para resolver esse problema anunciado é intervenção do governo projetada para 'conservar' recursos naturais pela restrição ou proibição de várias maneiras de seu uso pela humanidade".[55]

Em relação à segunda questão, emissões de dióxido de carbono e mudança climática de maneira geral, é preciso estabelecer primeiro e de maneira clara que dióxido de carbono não, nunca foi e nunca será um poluente. Além disso, durante o último meio século, "cientistas" e "especialistas" afirmaram com certeza que a Terra enfrentava um período de resfriamento, depois um período de aquecimento, e agora simplesmente e de maneira mais ampla, mudança climática, cobrindo assim todas as possibilidades sem nenhuma necessidade futura de esclarecimento ou correção. O principal culpado, dizem, é o dióxido de carbono que resulta primariamente do uso de combustíveis fósseis.

É claro, como qualquer professor de Ciências do ensino fundamental ensina para seus alunos, dióxido de carbono é oxigênio para as plantas, e as plantas, em troca, geram oxigênio para nós.

Quanto às emissões de dióxido de carbono e o impacto na atmosfera, na Terra e no clima, o debate, mesmo entre cientistas e especialistas, segue feroz, apesar dos esforços para intimidar os céticos, silenciá-los e ignorá-los como "negacionistas". No entanto, basta dizer que simplesmente não há consenso. Por exemplo, em 23 de setembro de 2019, "Uma rede global de mais de 500 cientistas experientes e preparados e profissionais do clima e de campos relacionados" assinaram uma carta para o secretário geral das Nações Unidas dizendo que "a ciência do clima deveria ser menos política, enquanto políticas climáticas deveriam ser mais científicas. Cientistas deveriam abordar abertamente as incertezas e os exageros em suas previsões de aquecimento global, enquanto políticos deveriam relatar com sobriedade os verdadeiros benefícios, bem como os custos imaginados da adaptação ao aquecimento global, e os custos reais e os benefícios imaginados da mitigação".[56]

A carta continua dizendo que "os modelos climáticos de circulação geral sobre os quais a política internacional se baseia atualmente são inadequados para seus propósitos. Portanto, é cruel e imprudente defender o desperdício de trilhões de dólares com base nos resultados de modelos tão imaturos. As atuais políticas climáticas enfraquecem, infelizmente e inutilmente, o sistema econômico, pondo vidas em risco em países que não têm acesso a energia elétrica confiável. Pedimos que siga uma política climática baseada em ciência sólida, economia realista e preocupação autêntica com aqueles prejudicados pelas tentativas caras, mas desnecessárias de mitigação".[57] Os signatários explicam que "fatores naturais e antropogênicos causam aquecimento, o aquecimento é bem mais lento que o previsto, a política climática se baseia em modelos inadequados, CO_2 é alimento para plantas, a base de toda vida na Terra, o aquecimento global não aumenta os desastres naturais, e a política climática precisa respeitar realidades científicas e econômicas".[58]

De fato, há tantos cientistas e especialistas que questionam ou rejeitam o movimento da mudança climática, que é impossível relacionar todos aqui. De qualquer maneira, alguns exemplos bastam.

Ian Plimer, professor emérito de Ciências da Terra na Universidade de Melbourne e professor de Geologia de Mineração na Universidade de Adelaide, explica: "A teoria do aquecimento global induzido pelo homem não é ciência, porque a pesquisa se baseia em uma condição pré-ordenada, imensos corpos de evidência são ignorados, e os procedimentos analíticos são tratados como evidência. Além disso, 'ciência' climática é sustentada por bolsas de pesquisa do governo. Não há fundos disponíveis para teorias investigativas que não estejam de acordo com a ideologia do governo".[59] Sobre fontes alternativas de energia, como eólica e solar, Plimer escreve que "os sistemas de energia 'alternativa' como eólica e solar são desastrosos para o ambiente. Causam perda de ecossistemas, destruição da vida selvagem, esterilização da terra, custos desproporcionais que podem não ser recuperados durante a vida do sistema, e a emissão de imensas quantidades de CO_2 durante a construção. Além disso, tanto a energia eólica quanto a solar é ineficaz. Elas não podem fornecer carga de base 24/7 e precisam de reforço de usinas de geração de energia que queimam carvão e emitem dióxido de carbono".[60]

Plimer condena todo o movimento: "O catastrofismo da mudança climática é a maior fraude científica que já aconteceu. Boa parte da 'ciência' climática é ideologia política vestida de ciência. Há momentos na história em que o consenso popular está comprovadamente errado, e vivemos um desses momentos. Energia barata é fundamental para a geração de empregos, para a vida no mundo moderno e para tirar o Terceiro Mundo da pobreza... Além disso, o sistema de educação foi capturado por ativistas, e os jovens são inundados de ideologia ambiental, política e econômica. Durante sua educação, esses mesmos jovens não aprendem os métodos básicos analíticos e críticos para avaliar a ideologia que é apresentada a eles como fato..."[61]

Patrick J. Michaels foi diretor do Center for the Study of Science do Cato Institute, presidente da American Association of State Climatologists, presidente de programa para o Comittee on Applied Climatology da American Meteorological Society, e professor pesquisador de Ciências Ambientais na Universidade da Virgínia por trinta anos. Ele afirma que modelos climáticos são falhos: "Em sua forma mais básica, a ciência consiste em declarações de hipóteses que são avaliadas por testes críticos comparados a observações. Sem essa testagem, ou sem a hipótese testável, [o filósofo] Karl Popper afirmou que o que pode ser chamado de 'ciência' é, na verdade, 'pseudociência'. Um corolário é que a teoria que se dispõe a explicar tudo no universo de seu assunto é, de fato, impossível de ser testada e, portanto, é pseudociência. Para o clima, talvez seja caridoso referir-se a intestados (ou intestáveis) projeções de modelos climáticos como 'estudos do clima', em vez de 'ciência do clima'".[62]

Richard S. Lindzen, físico atmosférico e ex-professor de Meteorologia no Massachusetts Institute of Technology (1983-2013), afirma que "aquecimento global é sobre política e poder, em vez de ciência. Em ciência, existe uma tentativa de esclarecer; em aquecimento global, a linguagem é mal-usada a fim de confundir e enganar o público. O mal uso da linguagem se estende ao uso de modelos climáticos. Defensores de políticas que supostamente tratam do aquecimento global usam modelos não para prever, mas para justificar a alegação de que a catástrofe é possível. No entendimento deles, provar que alguma coisa é impossível é quase impossível".[63]

MARXISMO AMERICANO

Robert M. Carter, professor emérito e consultor de Política de Ciências no Institute of Public Affairs, consultor de Ciências no Science and Public Policy Institute; consultor-chefe de Ciências para a Coalizão Internacional de Ciências Climáticas, e ex-professor e diretor da Escola de Ciências da Terra na Universidade James Cook, escreve: "É preciso reconhecer que o prejuízo teórico do perigoso aquecimento causado pelo homem é só uma pequena parte de um prejuízo climático muito mais amplo com o qual todos os cientistas vão concordar, que são os perigosos eventos de tempo e clima que a Natureza nos apresenta de maneira intermitente – e sempre apresentará. É claro a partir de muitos e contínuos desastres relacionados ao clima que ocorrem ao redor do mundo que governos até mesmo de países avançados, ricos, com frequência não têm o preparo adequado para esses desastres. Precisamos agir melhor, e desperdiçar dinheiro para dar à Terra o benefício da dúvida com base em uma presunção injustificável de que em breve vai ocorrer um perigoso aquecimento é, exatamente, o tipo errado de abordagem para 'escolher vencedores'".[64]

Carter defende um argumento que nenhuma pessoa série deveria refutar: "A realidade é que nenhum cientista no planeta pode dizer com probabilidade crível se o clima em 2030 vai ser mais frio ou mais quente que hoje. Nessas circunstâncias, a única conclusão racional a se tirar é que precisamos nos preparar para agir, seja para aquecimento ou resfriamento, ao longo das próximas décadas, e também para severos eventos climáticos, dependendo do que a Natureza escolher mandar para nós. Um dever primário do governo é proteger o cidadão e o ambiente dos ataques de eventos naturais relacionados ao clima. Não precisamos de medidas penais desnecessárias contra emissões de CO_2, mas de uma política prudente e de custo eficiente de preparação e resposta adaptativa para todos os eventos e riscos climáticos".[65]

Em vez de dar o que pensar a políticos, burocratas, mídia, advogados e ativistas, esses especialistas e muitos outros são diminuídos e desprezados, porque ousam desafiar um movimento ideologicamente orientado que tem como alvo o sistema econômico da América e exerce pressão de maneira mais agressiva que nunca. Por exemplo, como se retirasse a linguagem diretamente da Declaração de Margarita sobre a Mudança Climática ao escrever sua resolução congressista para um "Novo Acordo Verde", a Representante Alexandria Ocasio-Cortez, e dezenas de seus colegas democratas, redigiram uma lei igualmente absurda centrada no marxismo. Incluí aqui a maior parte dela, porque resumir a lei seria diminuir uma verdadeira compreensão de sua periculosidade. Ela determina, em parte:

Ao passo que mudança climática, poluição e destruição ambiental exacerbaram as injustiças sistêmicas raciais, regionais, sociais, ambientais e econômicas (chamadas neste preâmbulo de "injustiças sistêmicas") afetando desproporcionalmente comunidades indígenas, comunidades de cor, comunidades migrantes, comunidades desindustrializadas, comunidades rural despovoadas, os pobres, trabalhadores de baixa renda, mulheres, idosos, sem-teto, portadores de deficiência e jovens (tratados neste preâmbulo como "comunidades da linha de frente e vulneráveis");

... *Resolveu*, que é a decisão da Casa de Representantes que –

1. é dever do Governo Federal criar um Novo Acordo Verde para –

    A. alcançar zero-líquido de emissões de gases de efeito estufa por meio de uma transição justa para todas as comunidades e todos os trabalhadores;

    B. criar milhões de empregos bons, bem-pagos e garantir prosperidade e segurança econômica para todas as pessoas dos Estados Unidos;

MARXISMO AMERICANO

C. investir na infraestrutura e na indústria dos Estados Unidos para responder de maneira sustentável aos desafios do século 21;

D. garantir para todas as pessoas dos Estados Unidos para as próximas gerações –

    i. ar limpo e água.

    ii. resiliência climática e comunitária;

    iii. alimento saudável;

    iv. acesso à natureza; e

    v. um ambiente sustentável; e

E. promover justiça e equidade detendo a presente, impedindo a futura e reparando a histórica repressão de comunidades indígenas, comunidades de cor, comunidades migrantes, comunidades desindustrializadas, comunidades rurais despovoadas, os pobres, trabalhadores de baixa renda, mulheres, os idosos, os sem-teto, pessoas portadoras de deficiência, e jovens (chamados nesta resolução de "comunidades de linha de frente e vulneráveis");

2. os objetivos descritos em subparágrafos do parágrafo (1) acima (chamado nesta resolução de "objetivos do Novo Acordo Verde") devem ser implementados por meio de uma mobilização nacional de dez anos (chamada nesta resolução de "mobilização do Novo Acordo Verde") que vai requerer os seguintes objetivos e projetos –

A. construir resiliência contra desastres relacionados a mudanças climáticas, como clima extremo, inclusive direcionando fundos e provendo investimentos para projetos e estratégias definidos pela comunidade;

B. reparar e aperfeiçoar a infraestrutura nos Estados Unidos, inclusive –

i. eliminar poluição e emissões de gases de efeito estufa tanto quanto for tecnologicamente possível;

ii. garantir acesso universal a água limpa;

iii. reduzir os riscos de inundação e outros impactos climáticos; e

iv. garantir que qualquer projeto de lei de infraestrutura considerado pelo Congresso aborde a mudança climática;

C. suprir 100% da demanda de energia nos Estados Unidos por fontes de energia limpa, renovável e com emissão zero, inclusive –

i. expandindo dramaticamente e aperfeiçoando fontes existentes de energia renovável; e

ii. implantando nova capacidade;

D. construir ou evoluir para redes elétricas eficientes, distribuídas e "inteligentes", e trabalhar para garantir eletricidade acessível;

E. melhorar todos os edifícios existentes nos Estados Unidos e construir novos prédios para alcançar máxima eficiência energética, eficiência de água, segurança, custo, conforto e durabilidade, inclusive por meio de eletrificação;

F. promover crescimento massivo na manufatura limpa nos Estados Unidos e retirar emissões de gases poluentes e de efeito estufa de manufatura e indústria, tanto quanto for tecnologicamente viável, inclusive pela expansão da manufatura de energia renovável e pelo investimento em manufatura e indústria existentes;

G. trabalhar colaborativamente com fazendeiros e rancheiros nos Estados Unidos para eliminar poluição e emissões de gás de efeito estufa do setor agrícola, tanto quanto for tecnologicamente viável, inclusive –

i. apoiando agricultura familiar;

ii. investindo em práticas sustentáveis de agricultura e uso da terra que aumentem a saúde do solo; e

iii. construindo um sistema de alimentos mais sustentável que garanta acesso universal a alimento saudável;

H. revendo os sistemas de transporte nos Estados Unidos para eliminar poluição e emissões de gás de efeito estufa do setor de transporte tanto quanto for tecnologicamente viável, inclusive pelo investimento em –

i. infraestrutura e manufatura de veículo zero-emissão;

ii. transporte público limpo e acessível; e

iii. ferrovias de alta velocidade;

I. mitigar e administrar os efeitos adversos de longo prazo na saúde, economia, e em outras áreas, inclusive pelo fornecimento de fundos para projetos e estratégias definidos pela comunidade;

J. retirar gases de efeito estufa da atmosfera e reduzir poluição, inclusive pela restauração de ecossistemas naturais por meio de soluções comprovadas de baixa tecnologia que elevam o estoque de carbono do solo, como preservação e florestamento;

K. restaurar e proteger ecossistemas ameaçados, em risco e frágeis por meio de projetos locais apropriados e baseados na ciência que aumentem biodiversidade e apoiam resiliência climática;

L. limpar lixo tóxico existente e locais abandonados para promover desenvolvimento econômico e sustentabilidade;

M. identificar outras fontes de emissão e poluição e criar soluções para eliminá-las; e

N. promover a troca internacional de tecnologia, *expertise*, produtos, financiamento e serviços, com o objetivo de fazer dos Estados Unidos o líder internacional em ação climática, e ajudar outros países a realizar o Novo Acordo Verde;

3. um Novo Acordo Verde precisa ser desenvolvido por meio de consulta transparente e inclusiva, colaboração e parceria com comunidades da linha de frente e vulneráveis, sindicatos, cooperativas de trabalhadores, grupos da sociedade civil, academia e empresas; e

4. realizar os objetivos e a mobilização do Novo Acordo Verde, um Novo Acordo Verde que vai requerer os seguintes objetivos e projetos –

A. fornecer e transferir, de forma a garantir que o povo receba cotas de propriedade apropriadas e retorne o investimento, capital adequado (inclusive por meio de concessões da comunidade, bancos públicos e outros financiamentos públicos), *expertise* técnica, políticas de apoio e outras formas de assistência a comunidades, organizações, agências do governo Federal, Estadual e local, e empresas trabalhando na mobilização do Novo Acordo Verde;

B. garantir que o Governo Federal leve em conta os completos custos e impactos ambientais e sociais de emissões por –

i. leis existentes;

ii. novas políticas e programas; e

iii. garantir que comunidades da linha de frente e vulneráveis não sejam afetadas de maneira adversa;

C. fornecer recursos, treinamento e educação de alta qualidade, inclusive educação superior, para todo o povo dos Estados Unidos, com foco nas comunidades da linha de frente e vulneráveis, de forma que essas comunidades possam ser participantes plenas e iguais na mobilização do Novo Acordo Verde;

MARXISMO AMERICANO

D. fazer investimentos públicos na pesquisa e no desenvolvimento de novas tecnologias e indústrias de energia limpa e renovável;

E. direcionar investimentos para promover desenvolvimento econômico, aprofundar e diversificar a indústria em economias locais e regionais e construir riqueza e propriedade comunitária, priorizando a criação de empregos de alta qualidade e benefícios econômicos, sociais e ambientais nas comunidades de linha de frente e vulneráveis que podem, caso contrário, ter dificuldades com a transição para outras indústrias com utilização intensiva de gases de efeito estufa.

F. garantir o uso de processos democráticos e participativos que são inclusivos para e liderados por comunidades de frente e vulneráveis e trabalhadores a fim de planejar, implementar e administrar a mobilização do Novo Acordo Verde no nível local;

G. garantir que a mobilização do Novo Acordo Verde crie sindicatos de alta qualidade para garantia de pagamento de salários prevalentes, contratação de trabalhadores locais, oferta de treinamento e oportunidades de crescimento, e garantia de paridade de salário e benefícios para trabalhadores afetados pela transição;

H. garantir um emprego com salário-mínimo, adequadas licenças médica e familiar, férias remuneradas e segurança na aposentadoria para todas as pessoas dos Estados Unidos;

I. fortalecer e proteger o direito de todos os trabalhadores a se organizar, sindicalizar e negociar coletivamente livre de coerção, intimidação e assédio;

J. fortalecer e implementar padrões de trabalho, local de trabalho, saúde e segurança, antidiscriminatórios, salário e horário para todos os empregados e indústrias, e setores;

K. reproduzir e aplicar regras de comércio, padrões de aquisição e ajustes de fronteira com fortes proteções para trabalho e ambiente –

i. para deter a transferência de empregos e poluição para o exterior; e

ii. para aumentar a manufatura doméstica nos Estados Unidos;

L. garantir que terras públicas, águas e oceanos sejam protegidos e que domínio eminente não seja abusivo;

M. obter o livre, prévio e informado consentimento de povos indígenas para todas as decisões que afetem o povo indígena e seus territórios tradicionais, honrando todos os tratados e acordos com povos indígenas, e protegendo e reforçando o direito dos povos indígenas a soberania e terras;

N. garantir um ambiente comercial onde todo empresário seja livre de competição injusta e domínio por monopólios domésticos ou internacionais; e

O. prover a todos os povos dos Estados Unidos –

i. serviço de saúde de alta qualidade;

ii. moradia acessível, segura e adequada;

iii. segurança econômica; e

iv. acesso a água limpa, ar limpo, alimento saudável e acessível e natureza.[66]

Milton Ezrati da *Forbes* fez algumas estimativas de custos para essa proposta. Estes são os números para apenas alguns dos objetivos: "A proposta expansão de renováveis para suprir 100% das necessidades de energia do país custaria, de acordo com o respeitado físico Christopher Clark, cerca de US$ 2 trilhões, ou aproximadamente US$ 200 bilhões ao ano por dez anos. O desejo do Acordo de construir uma "rede elétrica inteligente" para todo o país custaria, conforme o Electric Power Institute, cerca de US$ 400 bilhões ou US$ 40 bilhões ao ano por dez anos; de acordo com várias fontes, a aspiração da AOC de 'reduzir os gases de efeito estufa' custaria mais de US$ 11 trilhões ou cerca de US$ 110 bilhões ao ano por dez anos".[67] Além disso, "o objetivo do Acordo de atualizar cada edifício residencial e industrial no país para eficiência exemplar de segurança e energia custaria uns US$ 2.5 trilhões em dez anos ou cerca de US$ 250 bilhões ao ano. Esse valor bem pode estar subavaliado. Considere que há 136 milhões de casas nos Estados Unidos. Uma atualização de cada uma custaria, em um cálculo conservador, US$ 10 mil a unidade ou, em média, ou quase, US$ 1.4 trilhão, e isso nem inclui as estruturas industriais e comerciais. Também não inclui manutenção".[68] Além disso, "o Novo Acordo Verde também aspira fornecer garantias de emprego por um 'salário-mínimo'. Uma avaliação do governo de proposta semelhante do Senador Cory Booker (D-NJ) estima o custo de tal programa em US$ 543 bilhões no primeiro ano. Os custos cairiam depois, mas a despesa cumulativa em dez anos chegaria a uns US$ 2.5 trilhões. O objetivo de desenvolver um sistema de serviço de saúde único, universal conveniado, chegaria, de acordo com um estudo do MIT-Amherst de um plano semelhante proposto pelo Senador Bernie Sanders, a cerca de US$ 1.4 trilhão ao ano".[69]

"Só essas seis de uma longa lista de aspirações da AOC", afirma Ezrati, "custariam então cerca de US$ 2.5 trilhões em um ano. Como o orçamento de 2018 para Washington estipulou os gastos em US$ 4.5 trilhões, o Acordo aumentaria efetivamente o gasto federal em pouco mais da metade. É um preço bem alto, consideravelmente mais que os estimados US$ 700 bilhões por ano que surgiriam da proposta da AOC de aumentar a alíquota máxima de imposto para 70%".[70]

Kevin Dayaratna e Nicolas Loris da The Heritage Foundation comentam que "de acordo com o Modelo de Energia Heritage, em resultado das regulamentações de impostos e baseadas em carbono, pode-se esperar para 2040: um pico de mais de 1.4 milhões de vagas de empregos perdidas; uma perda de renda total de mais de US$ 40 mil para uma família de quatro pessoas; uma perda agregada de produto interno bruto de mais de US$ 3.9 trilhões; e aumentos nas despesas com eletricidade doméstica de 12 a 14%, em média. Sem dúvida, essas projeções Modelo de Energia Heritage subestimam de maneira significativa os custos dos componentes de energia do Novo Acordo Verde. Como se nota no formulário FAQs de Ocasio-Cortez, a taxa de carbono é só uma das muitas ferramentas políticas que os defensores do Novo Acordo Verde esperam implementar".[71]

E o American Action Forum, chefiado pelo ex-diretor do Gabinete de Orçamento do Congresso Douglas Holtz-Eakin, conclui que o Novo Acordo Verde pode custar até US$ 93 trilhões ao longo de dez anos – entre US$ 8.3 trilhões e US$ 12.3 trilhões para eliminar, pelo menos em tese, emissões de carbono dos setores de energia e transporte, e entre US$ 42.8 e US$ 80.6 trilhões por suas massivas empreitadas sociais e econômicas.[72]

Além dos esmagadores custos financeiros dessas perigosas e absurdas empreitadas, e dos horrendos deslocamentos econômicos consequentes delas, continuo voltando ao fato de que para isso teríamos que abandonar princípios de base como governo limitado, direitos de propriedade privada e o sistema econômico capitalista, e a empreitada exigiria a implementação de burocracia ainda maior com imenso controle regulatório e poderes de polícia. A tomada de decisão estaria ainda mais centralizada em Washington, DC, e políticos teriam enorme autoridade sobre o indivíduo e os cidadãos em geral. Além disso, imagine os apagões, as interrupções de fornecimento, a escassez de necessidades básicas etc. É claro, liberdades humanas básicas, livre arbítrio, mobilidade etc. acabariam enfraquecendo e desaparecendo, com a visão marxista completamente implantada.

Mesmo assim, Joe Biden e o Partido Democrata concordam com tudo. Um dos primeiros atos de Biden depois da posse foi assinar uma ordem executiva devolvendo os Estados Unidos ao Acordo de Paris de 2015. É claro, um acordo como esse deve ser encarado como um tratado, considerando o impacto abrangente que esse tipo de acordo internacional terá na sociedade americana. Mas em vez de correr o risco de perder um voto no Senado, onde tratados precisam do apoio de dois terços (67) dos senadores, Biden, como o Presidente Barack Obama anteriormente, simplesmente assinou um decreto.

Entre outras coisas, os signatários do acordo se comprometem a "reconhecer que a mudança climática é uma preocupação comum da humanidade, [e portanto] as partes devem, quando tomam medidas para abordar a mudança climática, respeitar, promover e considerar suas respectivas obrigações com os direitos humanos, o direito à saúde, os direitos dos povos indígenas, das comunidades locais, migrantes, crianças, portadores de deficiências e pessoas em situações de vulnerabilidade e o direito ao desenvolvimento, bem como igualdade de gênero, empoderamento das mulheres e equidade intergeracional".[73] Um dos signatários desse acordo é a China Comunista, que atualmente mantém campos de concentração onde mais de um milhão de Uigures e outras minorias são escravizadas, torturadas e estupradas, e onde mulheres uigures são esterilizadas e prisioneiros, sumariamente executados.[74]

De fato, em 19 de janeiro de 2021, a administração Trump acusou formalmente a China de cometer "genocídio e crimes contra a humanidade" em sua opressão dos muçulmanos uigures em sua região Xinjiang.[75] No entanto, em 16 de fevereiro de 2021, quando questionado a respeito da conduta da China durante um CNN town hall, Biden disse: "Se você conhece um pouco a história chinesa, sempre existiu o tempo em que a China foi vitimizada pelo mundo exterior: é quando ela não era unificada em casa. Então, o princípio central, bem, colocando de maneira muito geral, o princípio central de Xi Jinping [presidente da China] é que deve haver uma China unida, controlada com rigidez. E ele usa esse argumento para as coisas que faz com base nisso". Mais tarde, de maneira chocante, ele acrescentou: "Culturalmente, há diferentes normas que se espera que cada país e seus líderes sigam".[76]

Assim, toda a conversa e proclamações sobre igualdade, direitos humanos, povos indígenas, empoderamento das mulheres, bem como o direito a serviço de saúde, emprego e coisas do tipo no Acordo de Paris, no Novo Acordo Verde, nas reivindicações da Teoria Crítica da Raça e interseccionalidade etc., são essencialmente ignoradas quando uma administração Democrata se vê diante de um regime brutal como a China. Enquanto isso, Biden obriga os Estados Unidos a acatar condições financeiras e econômicas globais impostas por governos internacionais e burocratas sob a rubrica da mudança climática, sem nenhuma colaboração formal de nossos representantes no Congresso, que muito provavelmente afetarão nossa qualidade de vida, e que países como a China não têm nenhuma intenção de acatar.

Na verdade, literalmente algumas horas depois de fazer o juramento de presidente, Biden também assinou um ato executivo interrompendo a construção do Gasoduto Keystone XL. Entre outras coisas, seu decreto repetia a propagando de algumas das mais exageradas acusações dos extremistas que divulgam a mudança climática: "Mudança climática tem tido um efeito crescente sobre a economia dos Estados Unidos, com custos relacionados ao clima aumentando ao longo dos últimos quatro anos. Eventos de clima extremo e outros efeitos relacionados ao clima têm prejudicado a saúde e a segurança do povo americano e aumentado a urgência do combate à mudança climática e da aceleração da transição para uma economia de energia

MARXISMO AMERICANO

limpa. O mundo precisa ser levado para um caminho de clima sustentável para proteger os americanos e a economia doméstica de impactos climáticos prejudiciais, e criar sindicatos de categoria bem-pagos como parte de uma solução climática... Essa crise deve ser abordada com ação em escala e velocidade medidas em relação à necessidade de evitar que o mundo seja posto em uma trajetória climática perigosa, potencialmente catastrófica..."[77] É claro, o uso de combustíveis fósseis reduziu, na verdade, os níveis de dióxido de carbono. É mais barato e mais limpo que carvão. E gasodutos são mais eficientes que transportar combustível de caminhão e por ferrovias. Mesmo assim, Biden destruiu o gasoduto e milhares de empregos sindicalizados com ele.

Mas Biden não tinha terminado. Em 27 de janeiro de 2021, ele assinou outro decreto que, em parte, garante, como explicou a Casa Branca:

Que, ao implementar [o decreto] – e a partir de – os objetivos do Acordo de Paris, os Estados Unidos exercerão sua liderança para promover um aumento significativo na ambição global. Ele deixa claro que são necessárias significativas reduções de emissões globais e emissões globais líquidas zero até o meio do século – ou antes – para evitar que o mundo seja posto em uma trajetória climática perigosa, potencialmente catastrófica.

Entre numerosas outras medidas com o propósito de priorizar a política externa climática dos Estados Unidos e a segurança nacional, o decreto determina que o Diretor de Inteligência Nacional prepare uma Estimativa de Inteligência Nacional sobre implicações de segurança de mudança climática, o Departamento de Estado prepare um pacote de transição do Senado para a Emenda de Kigali ao Protocolo de Montreal, e todas as agências desenvolvam estratégias pra integrar considerações climáticas em seu trabalho internacional...

A ordem também determina o estabelecimento de uma iniciativa para um Corpo Civil do Clima, a fim de pôr uma nova geração de americanos para trabalhar na conservação e restauração de terras públicas e águas, aumentando o reflorestamento, o sequestro de carbono no setor agrícola, protegendo a biodiversidade, melhorando o acesso à recreação e abordando a mudança climática.

A ordem executiva formaliza o compromisso do Presidente Biden com fazer da justiça ambiental parte da missão de todas as agências orientando as agências federais a desenvolverem programas, políticas e atividades para abordar os impactos climáticos desproporcionais na saúde, no ambiente e na economia de comunidades em desvantagem.

A ordem estabelece um Conselho Interagências de Justiça Ambiental da Casa Branca e um Conselho Consultivo de Justiça Ambiental da Casa Branca para priorizar a justiça ambiental e garantir uma abordagem integral do governo ao tratar de injustiças ambientais atuais e históricas, inclusive fortalecendo o monitoramento e a aplicação de justiça ambiental através de gabinetes novos ou reforçados na Agência de Proteção Ambiental, no Departamento de Justiça e nos Serviços Humanos e de Saúde...

A ordem determina que o Secretário do Interior pare de assinar novos contratos de concessão para petróleo e gás natural em terras públicas ou em águas *offshore* na medida do possível, inicie uma poderosa revisão de todos os contratos e práticas de permissão existentes relacionadas ao desenvolvimento de combustível fóssil em terras e águas públicas e identifique medidas que possam ser adotadas para dobrar a produção de energia eólica *offshore* até 2030.[78]

MARXISMO AMERICANO

A ordem executiva de Biden foi aprovada pelo congresso e instituiu por decreto a fundação da agenda radical do Movimento do Novo Acordo Verde.

Além de desferir golpe atrás de golpe contra o motor capitalista da economia americana, Biden em seguida tentou assegurar autoridade sem precedentes do governo federal sobre a economia privada gastando quantias inimagináveis e mergulhando a nação em dívida inconcebível, redirecionando trilhões de dólares em recursos do setor privado para suas prioridades políticas, e impondo controles reguladores sem precedentes sobre a indústria americana, não só para dar os primeiros passos no sentido de atender às demandas dos ativistas do decrescimento e seu Novo Acordo Verde, mas para reorganizar importantes aspectos da sociedade e da vida diária americana.[79]

Em 31 de março de 2021, Biden anunciou um plano de US$ 2.5 trilhões (além de US$ 1.9 trilhão já gastos em uma suposta lei de alívio para a COVID-19, dos quais apenas 9% realmente tinham relação com a COVID-19[80]), que inclui "US$ 10 bilhões para criar um 'Corpo civil Climático'; US$ 20 milhões para 'Avanço da Justiça de Equidade Racial e Ambiental'; US$ 175 bilhões em subsídios para veículos elétricos; US$ 213 bilhões para construir/equipar dois milhões de casas e edifícios; US$ 100 bilhões para novas escolas públicas e preparo de almoços 'mais verdes' nas escolas; US$ 12 bilhões para faculdades comunitárias; bilhões para eliminar 'inequidades de raça e gênero' no STEM; US$ 100 bilhões para expandir a internet de banda larga (e o controle governamental sobre ela); e US$ 25 bilhões para programas de creches governamentais". Só US$ 621 bilhões da proposta de muitos trilhões realmente vão para "infraestrutura de transporte e resiliência".[81] E, diz Biden, tem mais por vir. De fato, a revolução pode não acabar nunca. O *site* radical *Mother Jones* relatou: "A ala esquerdista do Partido Democrata alegou que o plano [de US$ 2.5 trilhões] não provê nem perto do suficiente para abordar a crise que o país enfrenta. A Representante Pramila Jayapal (D-Wash.), presidente do Cáucus Congressista Progressista, disse que o pacote 'deveria ser substancialmente maior', apontando que Biden se comprometeu com US$ 2 trilhões só para investimento climático quando era candidato".[82] E eles estão preparados com uma coisa chamada Lei THRIVE – *Transform, Heal and Renew by Investing in a Vibrant Economy* (Transformar, curar e renovar pelo investimento em uma economia vibrante)[83] O custo: US$ 10 *trilhões*![84]

E depois de tudo isso, em relação à energia, o povo vai sofrer. O maior Estado da América, a Califórnia, foi uma incubadora de experimentos ambientas de extrema esquerda. Durante o verão de 2020, as políticas climáticas da Califórnia resultaram em um abrangente blecaute. Milhões de cidadãos do Estado tiveram sua energia elétrica cortada no meio de uma onda de calor. Michael Shellenberger da *Forbes* explica: "As razões fundamentais para a Califórnia... enfrentar blecautes abrangentes pela segunda vez em menos de um ano é consequência das políticas climáticas do Estado..." ... "O preço da energia elétrica na Califórnia aumentou seis vezes mais que no restante dos Estados Unidos de 2011 a 2019 devido a sua imensa expansão de renováveis..."[85]

"Embora os custos dos painéis solares tenham diminuído dramaticamente de 2011 a 2019", escreve Shellenberger, "sua natureza pouco confiável e dependente do clima significa que eles acarretaram grandes novos custos na forma de armazenamento e transmissões para manter a eletricidade de maneira confiável. Os painéis e as fazendas de energia solar da Califórnia estavam todos desligados quando os blecautes começaram, sem ajuda disponível dos estados a Leste, onde já anoitecia... Os dois blecautes em menos de um ano são forte evidência de que as dezenas de bilhões gastos pelos californianos em renováveis têm alto custo humano, econômico e ambiental".[86]

MARXISMO AMERICANO

Em fevereiro de 2021, o Texas enfrentou uma violenta crise de energia durante uma severa tempestade de inverno. O Institute for Energy Research (IER) relata que "o atual problema energético do Texas é reminiscente dos problemas da Califórnia no verão anterior – outro Estado com um mandato de energia renovável... Essas experiências recentes provam que, durante clima extremo, painéis solares e turbinas eólicas são de pouco valor para a rede elétrica, especialmente quando recebem investimento por causa de subsídios e mandatos, à custa da confiabilidade e da resiliência da rede elétrica".[87]

O IER descreveu como a crescente dependência do Texas dos renováveis foi catastrófica. "Turbinas eólicas às vezes... produziam mais da metade da *geração* de energia do Texas. Quando a geração eólica caiu e a demanda aumentou, a geração por combustível fóssil aumentou e cobriu a lacuna de fornecimento. Entre as manhãs de 7 de fevereiro e 11 de fevereiro, a energia eólica que contribuía para o fornecimento do Estado caiu de 42 para 8%, de acordo com informações da Administração Energética. Usinas a gás produziram 43.800 MW de energia na noite de domingo, e usinas a carvão acrescentaram 10.800 MW – cerca de duas a três vezes o que normalmente geravam em seu pico de fornecimento em qualquer dia de inverno. Entre 12h de 8 de fevereiro e 16 de fevereiro, a energia eólica caiu 93%, enquanto a derivada de carvão aumentou 47%, e de gás, 450%. A energia nuclear caiu 26% devido ao desligamento de um reator, porque o sensor não conseguia determinar se o sistema estava estável – um aparato de segurança... A rede elétrica do Estado que depende cada vez mais de energia eólica e solar subsidiada, intermitente, precisa de energia de reforço para lidar com os aumentos na demanda. O gás natural ajuda, mas carvão e energia nuclear também são necessários".[88]

O IER emitiu este alerta: "Segurança e resiliência de energia são o oposto do que... Biden e outros políticos querem para nosso futuro quando defendem um 'novo acordo verde' ou coisa semelhante, indicando que os Estados Unidos devem parar de consumir hidrocarbonetos e usar fontes livres de carbono. Eles querem que a eletricidade seja quase inteiramente gerada por energia renovável e que todos os setores da economia sejam supridos apenas por eletricidade. Isso significa que, se carros, caminhões e outros veículos se tornarem todos elétricos, a maior demanda será suprida principalmente por energia renovável, que também é necessária para suprir a capacidade de hidrocarboneto que está sendo retirada – capacidade que duraria décadas, se não fosse forçada a um encerramento prematuro, e que supre cerca de 62% de nossa eletricidade".[89]

E Biden assinou uma ordem executiva em janeiro requisitando que o Departamento do Interior desenvolva um plano de conservação chamado 30 por 30, no qual o Departamento de Interior, trabalhando com os Departamentos de Agricultura e Comércio, deve proteger "pelo menos 30% de nossas terras e águas até 2030" como primeira medida para uma política de conservação ainda mais agressiva. O *site* esquerdista *Vox* caracterizou essa iniciativa como "uma abordagem transformadora de conservação da natureza". Embora os detalhes sejam poucos, você pode imaginar o tipo de energia que provavelmente será usado contra donos de propriedades privadas e áreas publicamente disponíveis e utilizadas no país. De fato, *Vox* comemora o plano como "monumental", explicando que ele "redefine o que significa 'conservação'"; direitos indígenas e soberania estão à frente e ao centro"; "fazendeiros, rancheiros e outras terras produtivas contribuirão com os 30%'; "ele vai aumentar o acesso à natureza nas comunidades de baixa renda"; e "a iniciativa também busca gerar muitos empregos".[90]

É claro, considerando os desejos desse movimento de orientação marxista, a disposição contrária à propriedade privada da burocracia federal, a interminável ingerência de sucessivas administrações, e a federalização das decisões de uso de terra e água, tudo isso marca uma catástrofe econômica e de direitos de propriedade.

Infelizmente, ciência verdadeira, experiência e conhecimento não são características dos fanáticos anticapitalistas do decrescimento. Como expliquei em *Plunder and Deceit*, sua mentalidade de orientação marxista "se... desenvolveu em uma pseudorreligião e obsessão por política pública. Na verdade, os defensores do decrescimento insistem em dizer que sua ideologia vai muito além do ambiente ou mesmo que seu ódio pelo capitalismo é um estilo de vida abrangente e uma filosofia de governo".[91] E sua influência alcança diretamente o Salão Oval e os corredores do Congresso, onde a maravilha da economia americana está se desfazendo rapidamente diante de nossos olhos.

CAPÍTULO SEIS

PROPAGANDA, CENSURA E SUBVERSÃO

Meu objetivo aqui não é reafirmar de maneira truncada o que escrevi detalhadamente em *Unfreedom of the Press*. Mesmo assim, alguma sobreposição inicial e limitada é necessária para explicar por que a mídia é agora adequada como propagandista de uma agenda antiamericana, pró-marxista – desde a Teoria Crítica da Raça e o Projeto 1619 ao movimento do decrescimento e sua guerra contra o capitalismo.

Ao escrever na revista *Jacobin*, uma publicação que se autodescreve como socialista, Steven Sherman aponta que Marx "foi jornalista durante quase toda sua vida adulta. Ele começou escrevendo para o *Rheinische Zeitung* em 1842, e fundou o próprio jornal em 1848. Sua colaboração com o *[New York] Tribune* aconteceu porque ele conheceu um editor americano, Charles Dana (que mais tarde editaria o *New York Sun*) em Colônia em 1848, e alguns anos depois, Dana pediu para Marx escrever alguns artigos para o *New York Tribune* sobre a situação na Alemanha. Acho que Marx e Engels viram o *Tribune* como um jeito de publicar suas visões e influenciar o debate com um grande número de leitores..."[1]

MARXISMO AMERICANO

Em uma entrevista com James Ledbetter, editor do *Dispatches for the New York Tribune*, um livro de 2008 com os artigos de Marx para o *Tribune*, Ledbetter explica que "a abordagem básica de Marx em sua coluna no *New York Tribune* era pegar um acontecimento que estivesse no noticiário – uma eleição, um levante, a segunda Guerra do Ópio, a eclosão de uma Guerra Civil Americana – e filtrá-lo até conseguir reduzi-lo a algumas questões fundamentais de política ou economia. E então ele fazia seu julgamento sobre essas questões. Nesse sentido, o jornalismo de Marx é semelhante a alguns textos publicados hoje nos jornais de opinião, e não é difícil ver uma linha direta entre o texto jornalístico de Marx e o tipo de redação tendenciosa sobre questões públicas que caracterizou boa parte do jornalismo político (especialmente na Europa) no século vinte".[2]

Assim, Marx abordou o jornalismo como os jornalistas modernos fazem hoje – isto é, não se prendia pelo compromisso com o verdadeiro relato das notícias. Em vez disso, seu relato dava forma às notícias a partir de suas opiniões e ideologia.

"Depois de 1848, Marx aprendeu o poder da contrarrevolução", escreve Ledbetter, "e começou a acreditar que sistemas existentes de governo e economia não poderiam ser derrubados até que um proletariado relativamente informado e organizado pudesse ser mobilizado para isso. Como ficou claro a cada ano que passava, em muitas nações essa organização estava a décadas de distância, se é que existiria".[3]

Resumindo, Marx entende o poder da comunicação de massa e a necessidade de controlá-la e formá-la para situar eventos e opiniões. Em outras palavras, o objetivo era propaganda, não informação.

"Ao ler os textos de Marx no *Tribune*, não se pode deixar de ver uma urgência, uma empolgação – quase uma impaciência – em suas descrições de algumas insurreições e crises na Europa e na Índia. Às vezes ele escrevia como se esse aumento em particular nos preços do milho, ou esse pequeno confronto com as autoridades na Grécia fossem se transformar na centelha que desencadearia a revolução. E não se pode culpar Marx por ter essa sensação; afinal, durante esse perigo, cabeças coroadas caíam na Europa e, certamente, ao menos revoluções liberais pareciam prováveis em vários cenários. Mas há certos momentos em que sua disciplina de pensamento parece deixá-lo, e ele também se torna propenso à tautologia de que a revolução só pode acontecer quando as massas estão prontas, mas não podemos saber com certeza se as massas estão prontas até que elas criem uma revolução".[4]

Ledbetter explica que Marx era, realmente, um revolucionário defendendo sua ideologia de historicismo material, mas era, antes e acima de tudo, um jornalista. "Marx é hoje ensinado como um teórico da economia; como um pensador político; e em alguma medida, como um historiador e filósofo. Cada categoria é válida; cada uma é também incompleta. O registro histórico, no entanto, sugere ao menos mais uma categoria: Marx deve ser pensado como escritor profissional, como jornalista. O volume dos Penguin Classics que editou é só uma amostra; no geral Marx produziu, com a ajuda de Engels, quase quinhentos artigos para o *Tribune,* que juntos respondem por quase sete dos cinquenta volumes da coletânea de obras dos dois homens. Acho que chegamos perto de entender a importância da retórica na obra de Marx se pensarmos nele como jornalista".[5]

O fato é que jornalistas modernos, de *New York Times* e *Washington Post* a CNN e MSNBC, e da maioria das plataformas de notícias, têm muito em comum com o Marx jornalista, como ficará evidente. Eles abandonaram o papel tradicional de um repórter e adotaram o de ativista social – abordam a maioria das grandes questões e agendas como os vários movimentos marxistas nos Estados Unidos. A transição não aconteceu do dia para a noite, foi sendo construída durante boa parte de um século.

MARXISMO AMERICANO

Na verdade, mais de meio século atrás, o falecido Richard M. Weaver, professor de Inglês na Universidade de Chicago, já mencionado anteriormente neste livro, havia comentado sobre o início do fim do jornalismo autêntico na América. Em seu livro *Ideas Have Consequences*, ele escreveu que a imprensa moderna é, na verdade, uma força altamente negativa em nossa sociedade. Ele não se opunha a uma imprensa livre, é claro, mas rejeitava o que ela havia se tornado. Weaver opinou: "Para Platão, a verdade era uma coisa viva, nunca inteiramente capturada pelos homens nem mesmo em um discurso animado e, em sua forma mais pura, certamente nunca levada ao papel. Em nosso tempo, parece ter se desenvolvido uma presunção oposta. Quanto mais uma declaração é estereotipada com firmeza, maior é a probabilidade de ela ter crédito. Era de se esperar que motores caros e poderosos como a moderna imprensa impressa fossem postos, naturalmente, nas mãos de homens de conhecimento. A fé na palavra impressa elevou o jornalismo ao nível de oráculo; porém, como é possível descrevê-los melhor do que com essa linha de *Fedro*: 'Eles parecerão ser oniscientes e, geralmente, não saberão nada; serão cansativos, detentores da reputação do conhecimento sem a realidade'".[6]

"Se a percepção da verdade é produto de um encontro de mentes", escreveu Weaver, "podemos duvidar da habilidade física do mecanismo para propagá-la, enquanto essa propagação for limitada à impressão e distribuição de histórias que forneçam 'uma resposta invariável'. E essa circunstância traz imediatamente a questão da intenção dos que comandam a imprensa. Há muitas indicações de que a publicação moderna deseja minimizar a discussão. Apesar de muitas pretensões habilidosas em contrário, ela não quer uma troca de opiniões, exceto, talvez, sobre questões acadêmicas. Em vez disso, ela incentiva os homens a lerem na esperança de que absorvam."[7]

Nisso, Weaver condena a natureza da mídia como propaganda organizada que envolve indivíduos que não são particularmente brilhantes ou informados sobre os temas a respeito dos quais eles escrevem ou falam, mas são propagandistas de pontos de vistas específicos.

Weaver alegou que "há outra circunstância que levanta graves dúvidas sobre a contribuição do jornalismo para o enfraquecimento público. Jornais sofrem forte pressão para distorcer no interesse de capturar atenção... É fato inegável que os jornais prosperam na resistência e no conflito. Basta dar uma olhada nas manchetes de algum jornal popular, muitas vezes apresentadas simbolicamente em vermelho, para notar o tipo de coisa que é considerada notícia. Por trás da grande matéria quase sempre existe uma batalha de algum tipo. Conflito, afinal, é a essência do drama, e é uma realidade que os jornais começam e prolongam embates deliberadamente; por alegação, por citação ardilosa, pela ênfase a diferenças sem importância, eles criam antagonismo onde antes não existia. E essa é uma prática lucrativa, porque a oportunidade de dramatizar uma briga é uma oportunidade de notícia. Jornalismo, no geral, gosta de ver o começo de uma disputa e lamenta seu fim. Nas publicações mais sensacionalistas, esse espírito de paixão e violência, manifestado em um certo descuido de dicção, com verbos vívidos e fortíssimos adjetivos, se esgueira para a própria linguagem. Pela atenção que dá a seus malfeitos, faz criminosos heroicos e políticos maiores que a vida..."[8]

Eu iria um passo além – a imprensa não só começa e prolonga embates, como prospera hoje com a exploração de questões e agendas que servem aos objetivos dos vários movimentos marxistas, e assim inflama e divide toda a nação ao longo de linhas ideológicas.

"Ao analisar a persistente tendência dos jornais para corromper, devo citar um trecho de James Fenimore Cooper [autor]", escreve Weaver. "Embora tenha vivido antes do advento da imprensa marrom, ele parece ter colocado a situação essencial com uma verdade e uma

MARXISMO AMERICANO

eloquência irretocáveis quando disse no *The American Democrat*: 'Como existe agora a imprensa deste país, parece ter sido expressamente criada pelo grande agente da confusão, para deprimir e destruir tudo que é bom, e elevar e avançar tudo que é mau na nação. A pouca verdade que é incentivada, normalmente é incentivada de forma grosseira, enfraquecida e deturpada por personalidades; enquanto aqueles que vivem de mentiras, falácias, hostilidades, parcialidades e armações, encontram na imprensa justamente o instrumento que os demônios teriam inventado para concretizar seus planos'".[19]

Weaver e Cooper enfatizam o que se tornaria o uso pela mídia de ataques direcionados, pessoais, contra indivíduos e sujeitos que desafiam ou rejeitam a trajetória de acontecimentos e movimentos com os quais jornalistas se comprometeram e que defendem abertamente. Isso é visto hoje em dia, por exemplo, nas implacáveis caracterizações polêmicas de indivíduos e grupos como negacionistas da mudança climática, atitudes deploráveis de Trump, supremacistas brancos etc.

Weaver comenta: "O fluxo constante de sensacionalismo, elogiado como divulgação animada do que o público quer ouvir, desencoraja a reunião de eventos do passado em um todo para reflexão. Assim, a ausência de reflexão impede o indivíduo de ter consciência de suas versões anteriores, e é altamente questionável se alguém pode ser membro de uma comunidade metafísica que não preserva essa memória. Toda conduta e conhecimento direto depende da presença do passado no presente. Não há dúvida de que essa condição da mente é um grande fator na baixa moralidade política deste tempo".[10]

É claro, todo o pensamento marxista é a limpeza da história pela purificação da existência futura – isto é, todo aquele tempo anterior deve ser rejeitado e destruído, por revolução violenta, se necessário, para abrir caminho para a sociedade marxista.

Como ficará claro, uma combinação de propaganda, pseudoeventos, ativismo social e ataques pessoais direcionados substituiu o jornalismo tradicional. Além do mais, ele promove ativamente as várias causas e os movimentos do marxista americano.

Edward Bernays, considerado o pai da propaganda moderna, escreveu em seu livro de 1928, *Propaganda*, que "propaganda é um esforço consistente, duradouro para criar ou dar forma a eventos de maneira a influenciar as relações do público com uma empreitada, uma ideia ou um grupo... Tão grande é o número de mentes que podem ser recrutadas, e tão tenazes são elas quando regimentadas, que um grupo às vezes exerce uma pressão irresistível diante da qual legisladores, editores e professores são impotentes".[11]

Bernays explicou: "A minoria [inclusive elites e ativistas] descobriu uma ajuda poderosa em influenciar maiorias. Descobriu-se que é possível moldar a mente das massas de tal forma que elas projetem sua força recém-adquirida na direção desejada. Na atual estrutura de sociedade, essa prática é inevitável. Qualquer coisa de importância social feita hoje, seja na política, em finanças, manufatura, agricultura, caridade, educação ou outros campos, deve ser feita com a ajuda de propaganda. Propaganda é o braço executivo do governo invisível".[12]

Richard Gunderman do *phys.org* aponta que "o que os textos de Bernays fornecem não é um princípio ou tradição pelo qual avaliar a adequação da propaganda, mas simplesmente um meio de formar a opinião pública para qualquer fim, benéfico ou não aos seres humanos. Essa observação levou Felix Frankfurter da Suprema Corte de Justiça a prevenir o Presidente Franklin Roosevelt contra permitir que Bernays tivesse um papel de liderança na Segunda Guerra Mundial, descrevendo-o e a seus colegas como 'envenenadores profissionais da mentalidade pública, exploradores da tolice, do fanatismo e interesse pessoal'".[13]

MARXISMO AMERICANO

Em seu livro de 1927, *Propaganda Technique in the World War*, Harold Dwight Lasswell descreve a propaganda como uma ferramenta usada pela imprensa e outros, revestida como aprendizado e sabedoria. "Propaganda é uma concessão à racionalidade do mundo moderno. Um mundo alfabetizado, um mundo leitor, um mundo escolarizado prefere avançar com base em argumentos e notícias. É sofisticada a ponto de usar impressão; e aquele que adota a impressão viverá ou morrerá pela Imprensa. Todo o aparato de erudição difundida populariza os símbolos e as formas do apelo pseudorracional; o lobo da propaganda não hesita em se fantasiar de cordeiro. Todos os homens volúveis do presente – escritores, repórteres, editores, pregadores, palestrantes, professores, políticos – são atraídos para o serviço à propaganda a fim de amplificar uma voz-mestre. Tudo é feito com o decoro e as armadilhas da inteligência, porque esta é uma época racional e exige que sua carne crua seja preparada e guarnecida por *chefs* hábeis e versados".[14]

A falecida teórica política Hannah Arendt escreveu em seu livro *As origens do totalitarismo* que "embora seja verdade que as massas são obcecadas por um desejo de fugir da realidade porque, em seu desabrigo essencial, não suportam mais seus aspectos acidentais, incompreensíveis, também é verdade que seu anseio por ficção tem alguma relação com aquelas capacidades da mente humana cuja consistência estrutural é superior à mera ocorrência. A fuga da realidade pelas massas é um veredicto contra o mundo no qual elas são forçadas a viver e no qual não podem existir, uma vez que coincidência se tornou seu mestre supremo e seres humanos precisam da constante transformação de condições caóticas e acidentais em um padrão de relativa consistência criado pelo homem. A revolta das massas contra 'realismo', senso comum, e todas as 'plausibilidades do mundo'... foi resultado de sua atomização, da perda de *status* social com o qual perderam todo o setor de relações comunais em cuja moldura o senso comum faz sentido. Na situação delas de desabrigo espiritual e social, um *insight* comedido da interdependência do arbitrário e do planejado, do acidental e do necessário, não poderia mais funcionar. A propaganda totalitária é capaz de ofender de maneira ultrajante o senso comum apenas onde o senso comum perdeu sua validade. Diante da alternativa de encarar o crescimento anárquico e a total arbitrariedade da decadência ou se curvar diante da mais rígida, fantasticamente fictícia consistência de uma ideologia, as massas provavelmente escolherão a segunda opção e se disporão a pagar por ela com sacrifícios individuais – e não por serem burras ou perversas, mas porque, no desastre geral, essa fuga confere a elas um mínimo de autorrespeito".[15]

Em outras palavras, pessoas em uma cultura ou sociedade em declínio, que deixa de ser uma sociedade unificadora e civil, e onde a justa ordem social se desfaz, são altamente suscetíveis a acreditar em ficções perigosas e segui-las, mesmo que elas as levem ao próprio fim.

"Antes de tomarem o poder e estabelecerem um mundo de acordo com suas doutrinas", escreveu Arendt, "movimentos totalitaristas conjuram um mundo mentiroso de consistência que é mais adequado às necessidades da mente humana que a própria realidade; no qual, por mera imaginação, massas desenraizadas podem sentir-se em casa e são poupadas dos intermináveis choques com a vida real e experiências reais de lidar com seres humanos e suas expectativas. A força da propaganda totalitária – antes de os movimentos terem o poder de baixar cortinas de ferro para impedir que alguém perturbe, com a mais sutil realidade, a quietude macabra de um mundo inteiramente imaginário – está em sua capacidade de isolar as massas do mundo real. Os únicos sinais que o mundo real ainda oferece à compreensão das massas desintegradas e desintegrantes – que cada novo golpe de má sorte torna mais fácil de enganar – são, por assim dizer, suas lacunas, as questões que ele não se incomoda em discutir publicamente, ou os boatos que ele não se atreve a desmentir..."[16]

E eu expliquei em *Ameritopia*, utopismo [que inclui totalitarismo] ... encontra uma plateia receptiva entre os desencantados da sociedade, os desafetos, insatisfeitos e desajustados, que não querem e não são capazes de assumir a responsabilidade por suas condições reais ou percebidas e, em vez disso, culpam seu ambiente, 'o sistema' e os outros. Eles são atraídos pelas falsas esperanças e promessas da transformação utópica e pelas críticas à sociedade existente, com a qual sua conexão é hesitante ou nula. Melhorar o quinhão dos descontentes passa a ter relação com a causa do utopismo. Além disso, depreciar e diminuir os bem-sucedidos e realizados torna-se uma tática essencial... Pela exploração das fragilidades, frustrações, invejas e iniquidades humanas, uma noção de significado e valor pessoal é criada na vida infeliz e sem rumo do descontente. Posto de maneira simples, igualdade na miséria – isto, igualdade de resultado ou conformidade – é proposta como uma empreitada justa e virtuosa. Liberdade, portanto, é inerentemente imoral, exceto onde favorece igualdade".[17]

Em adição à propaganda, ou talvez uma forma de propaganda, existe o que o falecido Daniel J. Boorstin, um bibliotecário do Congresso dos Estados Unidos e professor de História na Universidade de Chicago, chamou de "pseudoeventos" – isto é, eventos encenados pela imprensa. Boorstin explicou: "Em uma sociedade totalitária, onde as pessoas recebem uma enxurrada de mentiras, os fatos são, é claro, mal representados, mas a representação em si mesma não é ambígua. A mentira da propaganda é afirmada como se fosse verdade. Seu objetivo é levar as pessoas a acreditarem que a verdade é mais simples, mais inteligível do que realmente é... Propaganda simplifica a experiência, os pseudoeventos a complicam".[18]

Boorstin nota como a mídia usa de maneira astuta pseudoeventos para promover causas e agendas. Ele explicou que "no início, pode parecer estranho que o surgimento de pseudoeventos tenha coincidido com o crescimento da ética profissional que obriga os jornalistas a omitir edição e julgamentos pessoais de seus relatos de notícias. Mas agora é na criação de pseudoeventos que os jornalistas encontram amplo escopo para sua individualidade e imaginação criativa".[19]

De fato, somos inundados por pseudoeventos em vez de notícias reais – isto é, uma irrealidade criada pelo jornalista. Por exemplo, por vários anos, literalmente, nossa nação foi incansavelmente bombardeada pelas "notícias" de o Presidente Donald Trump ter conspirado com a Rússia para vencer a eleição em 2016. Isso provocou audiências no Congresso, uma investigação criminal e intermináveis e sucessivas matérias. Prêmios Pulitzer foram concedidos a matérias totalmente falsas. Foi, talvez, a maior farsa da história do jornalismo.

Como Boorstin observa, "Em uma sociedade democrática como a nossa – e mais especialmente em uma sociedade altamente literata, rica, competitiva e tecnologicamente avançada – o povo pode ser alvo de uma enxurrada de pseudoeventos. Para nós, liberdade de expressão, de imprensa e de divulgação inclui liberdade para criar pseudoeventos. Políticos concorrentes, jornalistas concorrentes e mídias concorrentes competem nessa criação. Disputam entre eles para oferecerem relatos e imagens do mundo atraentes e 'informativos'. São livres para especular sobre os fatos, para dar vida a novos fatos, para exigir respostas às questões que criaram. Nosso 'livre mercado de ideias' é um lugar onde as pessoas são confrontadas por pseudoeventos concorrentes e podem julgar entre eles. Quando falamos de 'informar' as pessoas, é disso que realmente falamos".[20]

Assim, parece que vivemos em dois mundos ao mesmo tempo: o mundo fictício que a mídia criou para nós, e o mundo real da nossa

MARXISMO AMERICANO

existência diária que tem pouca ou nenhuma relação com pseudoeventos. Mas, para muitos, a primeira opção pode ser envolvente. "O cidadão americano", escreveu Boorstin, "vive, portanto, em um mundo onde fantasia é mais real que a realidade, onde a imagem tem mais dignidade que seu original. Mal nos atrevemos a enfrentar nosso espanto, porque a experiência ambígua é muito agradavelmente iridescente, e porque o consolo de acreditar na realidade fabricada é muito real. Nós nos tornamos acessórios ávidos para as grandes farsas do nosso tempo. São essas farsas que encenamos contra nós mesmos".[21]

A repetição, força e abrangência dos pseudoeventos criam um apelo sedutor, tornando mais difícil discernir entre notícias e eventos reais e aqueles fabricados. E o falso frequentemente se torna mais atraente que o factual. "Pseudoeventos, por sua própria natureza, tendem a ser mais interessantes e mais atraentes que eventos espontâneos. Portanto, na vida pública americana hoje, pseudoeventos tendem banir da nossa consciência todos os outros tipos de eventos, ou, pelo menos, encobri-los. Cidadãos honestos, bem-informados, raramente notam que sua experiência de eventos espontâneos é soterrada por pseudoeventos. Mas hoje em dia, quanto mais eles se esforçam para se 'informar', mais isso tende a ser verdade".[22]

Na verdade, pseudoeventos, como propaganda, que têm a intenção de enganar, controlar e dirigir as pessoas, são fundamentais para a promoção de movimentos marxistas e totalitários. Por outro lado, são completamente destrutivos para uma sociedade livre, aberta e democrática. Boorstin explica que "na América do século dezenove, o mais extremo modernismo sustentava que o homem era feito por seu ambiente. Na América do século vinte, sem abandonar a crença de que somos feitos por nosso ambiente, também acreditamos que nosso ambiente pode ser feito quase inteiramente por nós... Mas com que finalidade? Que surpreendente seria, se os homens que fazem seu ambiente

220

e preenchem a experiência com o que bem entendem não pudessem também fazer seu Deus!..."[23]

Mais recentemente, professores de Jornalismo e outros inventaram outra base lógica para insinuar o "ativismo social" no relato dos fatos. Eles chamam isso de "jornalismo público (ou comunitário)". Como com o Marxismo Americano de maneira geral, e com a educação em particular, os jornalistas ativistas sociais, que agora povoam a grande maioria das redações da América, são seguidores de John Dewey. A maioria deles conscientemente, outros sem ter consciência. Alguns admitem abertamente, outros fingem que não. Entre outras coisas, Dewey afirmou: "Quando... digo que o primeiro objeto de um liberalismo renascente é a educação, quero dizer que sua tarefa é ajudar na produção de hábitos mentais e de personalidade, nos padrões intelectuais e morais que estão em algum lugar próximo, mesmo com os movimentos reais de acontecimentos. É, repito, a divisão entre os últimos como ocorreram externamente e a maneira de desejar, pensar e atribuir emoção e propósito à execução que é a causa básica da atual confusão mental e paralisia na ação. A tarefa educacional não pode ser realizada apenas pelo trabalho na mente do homem, sem ação que promova verdadeira mudança em situações. A ideia de que disposições e atitudes podem ser alteradas por meios meramente 'morais' concebidos como algo que penetra integralmente as pessoas é um dos antigos padrões que precisam ser mudados. Pensamento, desejo e propósito existem em um constante dar e receber de interação com condições ambientais. Mas pensamento resoluto é o primeiro passo para aquela mudança de atitude que vai levar adiante a necessária mudança em padrões mentais e de personaldiade".[24]

Assim, Dewey argumenta que "o hábito da mente" e certas formas de pensar, combinados com ativismo social, devem ser doutrinados na psique pública. Em outras palavras, o povo precisa ser doutrinado com a mentalidade ativista social.

Dewey continuou: "Resumindo, liberalismo deve agora se tornar radical, e 'radical' aqui significa percepção da necessidade de mudanças completas no conjunto de instituições e da atividade correspondente para promover a mudança. A lacuna entre o que a situação real possibilita e o estado atual propriamente dito é tão grande, que não pode ser eliminada por políticas isoladas adotadas *ad hoc*... Se radicalismo for definido como necessidade de mudança radical, então hoje qualquer liberalismo que não seja também radicalismo é irrelevante e fracassado".[25]

Portanto, medidas radicais devem ser tomadas, se e quando necessárias, para pôr em ação na sociedade ambições ideológicas. Nada de meias-medidas. Como Dewey claramente sabia, Marx também era intolerante com meias-medidas. Ele condenava o socialismo como a degradação de sua ideologia, tornando o "paraíso dos trabalhadores" uma impossibilidade.

E isso é o que anima e motiva os seguidores de Dewey na imprensa, que agora respondem pela maioria das redações. Michael Schudson, professor na Universidade da Califórnia, San Diego, escreve: "Jornalismo público, como reformas da Era Progressiva, leva adiante uma mistura não resolvida de fortalecer o povo e atribuir a elites e especialistas responsabilidade pública. Os Progressistas apoiavam tanto a iniciativa quanto o referendum, que dava poder ao povo, e o governo administrador da cidade, o que transferia o poder para profissionais. Os Progressistas enalteciam tanto as primárias diretas, dando poder ao povo, quanto um serviço civil baseado em mérito, dando poder aos qualificados pela educação. O que todas essas reformas, tanto as populistas quanto as elitistas, tinham em comum era a antipatia pelos partidos políticos e pelo partidarismo convencional. Também compartilhavam algo como a ênfase ética do jornalismo público no procedimentalismo: defender a democracia sem defender soluções políticas em particuar".[26]

Mas jornalistas nos dizem que essa abordagem não tem a ver com adotar lados políticos ou posições ideológicas, mas com solucionar problemas e servir à comunidade. Isso é bobagem. Por exemplo, em um artigo de 2016 para a *Stanford Magazine*, Theodore L. Glasser, professor de Comunicações na Universidade Stanford, revela-se. Ele escreve, em parte: "Em seu discurso de abertura impressionantemente provocativo, o documentarista Ken Burns conclamou os membros da turma de 2016 da Stanford a deixar de lado suas diferenças políticas e trabalhar juntos para derrotar Donald Trump. Sem nomeá-lo, Burns retratou Trump como inegavelmente desqualificado para a presidência. Em uma acusação que poderíamos esperar do cinegrafista esquerdista Michael Moore, o politicamente dominante Burns descartou Trump como um 'homem infantil, encrenqueiro'; uma 'pessoa que mente com facilidade'; um candidato 'que nunca demonstrou nenhum interesse em ninguém e nada além dele mesmo e seu enriquecimento'. Apesar de Burns ter dito que por décadas 'praticou de maneira diligente e manteve rigorosamente uma neutralidade consciente' em seu trabalho, 'evitando a advocacia' de muitos colegas, ele agora acredita que 'chega um momento em que eu – e vocês – não podemos mais nos manter neutros, em silêncio. Temos que nos posicionar – e falar'. Burnes mencionou jornalistas 'divididos entre uma perturbadora responsabilidade com o bom jornalismo e as grandes avaliações que o circo da mídia sempre promove', por deixarem de 'expor esse charlatão'".[27]

Glasser, escrevendo com tom de aprovação, escreve: "Mas Burns realmente quer que os jornalistas se posicionem, que abandonem, pelo menos ao lidar com Trump, seu compromisso com a neutralidade? Ele está rejeitando o ideal do repórter distante e desinteressado? Ele vislumbra uma imprensa não mais embasada nas virtudes da imparcialidade e da objetividade? Planeja produzir o próprio relato de Trump, o charlatão, algo parecido com o trabalho do lendário documentarista da CBS Edward R. Murrow, que ele mencionou de maneira aprovadora; algo, digamos, na linha da exposição de Murrow sobre o senador de Wisconsin, Joseph MacCarthy, o charlatão da década de 1950? Sim, espero, para todas as perguntas".[28]

E Glasser não está sozinho nessa mentira.

Davis Merritt, autor de *Public Journalism e Public Life*, declara: "Por sermos inevitavelmente participantes e por nossa profissão depender da continuação do sucesso da democracia, precisamos desenvolver uma filosofia funcional de participação para ajudar a vida pública a ir bem. Chamo isso de *o participante imparcial*. Adotar essa filosofia não significa abandonar o bom julgamento, justiça, equilíbrio, precisão ou verdade. Significa, no entanto, empregar essas virtudes no campo da ação, não muito longe da imprensa distante; não como concorrente, mas como participante imparcial cuja presença é necessária para que os desfechos sejam determinados de maneira justa; isto é, sob regras acatadas pelos concorrentes... A tradição que diz que jornalistas não devem atuar no reino dos valores cria mais uma desconexão entre nós (e nosso produto) e os cidadãos de maneira geral".[29]

E como a participação justa de Merritt aconteceu nas páginas de seu jornal? Aqui vai um exemplo no qual, em 8 de dezembro de 2015, ao escrever para seu jornal no Arkansas, Merritt proclamou: "Donald Trump não recebeu um único voto e tem zero delegados na Convenção Nacional Republicana, então, ainda há tempo para impedir o que poderia ser um candidato desastroso para o GOP (apelido do Partido Republicano – *Grand Old Party*) e um governo desastroso para a América. Mas é um tempo muito menor do que a nação tinha em agosto, quando essa bizarra campanha presidencial decolou em um comício imenso, ruidoso em Mobile, Alabama".[30]

É claro, Trump venceria a eleição à presidência. Mas, novamente, Merritt é um partidário cuja ideia de jornalismo público é a promoção de seu viés ideológico. De fato, ele não esconde seu ódio por Trump. "A persistência da campanha de Trump, incauta, violenta, superficial sem remorso e, muitas vezes, isenta de verdade, aterrorizou os republicanos tradicionais. Para a maioria deles, um candidato radical como Trump certamente resultaria na derrota em mais uma corrida presidencial (ver Barry Goldwater e George McGovern) e, provavelmente, na perda do Senado".[31]

Merritt adverte que relato objetivo ou imparcial, ou sua busca, pelo menos, é estéril demais para o pessoal do jornalismo público. Na verdade, a visão deles sobre melhorar a democracia e resolver problemas da comunidade é, de fato, mais sobre a promoção de sua agenda política. De qualquer maneira, Merritt e seus colegas insistem na abertura e na franqueza de sua abordagem. De fato, parecem se considerar, de forma pretensiosa, Bons Samaritanos: "Meu principal objetivo não é tentar descrever ou incentivar um conselho específico ou um conjunto de práticas", explica Merritt. "Isso seria limitar as possibilidades. Meu objetivo é estimular o pensamento, a discussão séria dentro e fora da profissão sobre o verdadeiro lugar do jornalismo na democracia. O objetivo não é dar, mesmo que eu pudesse, respostas imediatas e específicas. Jornalismo e vida pública não atingem o ponto atual de declínio rapidamente, e não se recuperam rapidamente. Essas respostas específicas terão que ser encontradas com o tempo e pela franca experimentação".[32]

Outro pregador do jornalismo público é Jay Rosen, professor de Jornalismo na Universidade de Nova York. Ele afirma que "o jornal do futuro vai ter que repensar sua relação com todas as instituições que alimenta a vida pública, de bibliotecas a universidades e cafés. Vai ter que fazer mais que 'cobrir' essas instituições quando elas produzirem notícias. Vai ter que fazer mais do que publicar seus anúncios. O jornal precisa entender que sua saúde depende da saúde de dezenas de outras agências que tiram as pessoas de seus mundos privados. Porque, quanto maior o poder de atração da vida pública, maior a necessidade do jornal. *Ruas vazias são ruins para os editores*, apesar da riqueza de notícias sobre crimes que podem gerar. Quanto mais vazias as ruas, mais vazio o jornal vai parecer para os leitores isolados em suas casas..."[33]

Como os outros, Rosen insiste em dizer que o jornalismo está morrendo, não por seu fracasso em abordar as notícias de maneira objetiva e imparcial, mas por seu fracasso em se identificar com o homem comum pelo ativismo social. De fato, Rosen ensina de maneira condescendente que "se presume-se que o público 'está ali', mais ou menos intacto, o trabalho da imprensa é fácil de definir: informar as pessoas sobre o que acontece em nome delas e no meio delas. Mas suponha que o público tenha uma existência mais fragmentada. Às vezes pode estar alerta e engajado, mas com a mesma frequência, ele luta contra outras pressões – inclusive com ele mesmo – que podem acabar vencendo essa luta. A falta de atenção aos assuntos públicos é, talvez, a mais simples delas, a atomização da sociedade é uma das mais complicadas. Dinheiro fala mais alto que o público, problemas o sobrecarrega, a fadiga se instala, a atenção falha, o cinismo cresce. Um público que tenha esse tipo de existência mais frágil sugere uma tarefa diferente à imprensa: não só informar um público que pode ou não emergir, mas melhorar as mudanças que surgirão. John Dewey, um dos meus primeiros heróis, sugeriu algo assim em seu livro de 1927, *The Public and Its Problems*".[34]

Com John Dewey como herói, Rosen passou anos lecionando para seus alunos de jornalismo, e promovendo em seminários sua abordagem ideológica da reportagem. Encoberto pela nomenclatura de jornalismo "público" ou "comunitário", descrito sem regras ou forma específica, e incentivando o abandono do jornalismo tradicional, "jornalismo público" contribuiu muito para justificar a politização quase completa e extensiva das redações – onde ativismo social em apoio a vários movimentos marxistas americanos engoliu a antiga profissão do jornalismo e a substituiu para opiniões parciais e enviesadas sobre notícias.

E Rosen, com Glasser, Merritt e a maioria da mídia são mais expostos por esse franco desprezo por Trump. Realmente, Trump, como alvo, fez mais para revelar esse movimento radical do que qualquer outro indivíduo poderia ter feito. Ao escrever no *Washington Post* durante a eleição presidencial de 2016, Rosen afirmou: "Imagine um candidato que quer *aumentar* a confusão pública sobre sua posição a respeito das coisas, de forma que os eleitores desistam de tentar se manter informados e, em vez disso, votem só com a emoção. Nessas condições, perguntar 'Qual é a sua posição, senhor?' serve aos objetivos do jornalismo, ou insere o entrevistador no plano caótico do candidato? Sei o que estão pensando, jornalistas: 'O que quer que façamos? Vamos parar de cobrir o candidato de um grande partido à presidência? Isso seria irresponsável.' É verdade. Mas essa reação provoca um curto-circuito que inflama o debate inteligente. Sob toda prática comum na cobertura de uma eleição há premissas sobre como os candidatos vão se comportar. Quero que vocês perguntem: Isso ainda é válido? Trump não se comporta como um candidato normal; ele age como um candidato sem limites. A reação dos jornalistas tem que ser se tornar eles mesmos menos previsíveis. Eles precisam encontrar novas respostas. Precisam fazer coisas que nunca fizeram. Talvez tenham até que chocar".[35]

"Eles podem precisar colaborar", escreve Rosen, "entre veículos de notícias de maneiras inusitadas. Talvez tenham que expor Trump com uma força que não se viu antes. Podem ter que correr o risco de quebrar o decoro em entrevistas e suportar terrível desconforto. Mais difícil que tudo, terão que explicar ao público que Trump é um caso especial, e que as regras normais não se aplicam."[36]

MARXISMO AMERICANO

Evidentemente, as instruções de Rosen foram seguidas de maneira agressiva e implacável. Inversamente, ao cobrir a campanha presidencial de Joe Biden e agora sua presidência, a tropa do "jornalismo público" demonstrou uma mudança dramática e total desinteresse – até uma falta de curiosidade disciplinada – nessa cobertura. A mídia hoje serve como Guarda Pretória em torno de Biden e sua agenda extremamente radical, sobre a qual escrutínio sério e concreto é praticamente inexistente.

Martin Linsky do *American Prospect*, um *website* e uma revista de advocacia autodenominados "progressistas", foi direto ao ponto: "Por um lado, o movimento [do jornalismo público] tirou do imperador o manto do distanciamento. Alguns ícones da imprensa finalmente reconheceram o que políticos, burocratas, grupos de interesse e cidadãos há muito entendiam – ou seja, a mídia é uma participante no jogo dos assuntos públicos, não uma observadora desinteressada. O que ela faz e como faz tem consequências, queiram eles assumir a responsabilidade por isso, ou não... Rosen disseca o mito do distanciamento jornalístico. Cada matéria, cada decisão sobre o que será coberto se baseia em alguma presunção (normalmente não revelada) de como o mundo deve funcionar. Rosen está certo quando diz que todas as formas de jornalismo político se baseiam em uma imagem mental de como políticos de democracia devem funcionar. Não há nenhum distanciamento nisso. (Também deve acontecer que as avaliações do estado da democracia americana, inclusive as dele mesmo, baseiem-se em uma imagem mental dos ideais democráticos.) Uma matéria sobre desigualdade de renda, por exemplo, é só uma matéria, se existir no jornal uma perspectiva de que desigualdade é ruim. O fato de uma campanha parecer mais um evento esportivo do que um debate Oxford-Cambridge é um motivo para nervosismo somente se você pensar que campanhas eram – ou deveriam ser, pelo menos – decorosas".[37]

A combinação de propaganda, pseudonotícias e ativismo social nas redações da América resultou no estado desastroso da imprensa moderna. Não há mais padrões discerníveis, tradicionais ou profissionais aplicados ao relato da notícia. Na verdade, o jornalismo, como existe hoje, percorreu o círculo completo e retornou à abordagem adotada pelo próprio Marx. Mais uma vez, como Ledbetter explicou antes: "O jornalismo de Marx parece alguns textos publicados hoje nos jornais de opinião, e não é difícil ver uma linha direta entre o texto jornalístico de Marx e o tipo de texto tendencioso sobre assuntos públicos que caracterizou boa parte do jornalismo político (especialmente na Europa) no século vinte"[38] Além disso, a influência de Marx vai muito além de seu jornalismo opinativo: a mídia americana se tornou defensora especial da ideologia marxista, ou, pelo menos, defensora daqueles que a aplicam a numerosos aspectos da sociedade.

Mas a história não acaba aqui. Na verdade, ela fica pior. O próximo passo é a progressão lógica e a progressão lógica para longe de uma sociedade aberta e livre, onde doutrinação e ativismo são fundamentais para controlar pensamento e resultados, até a repressão – isto é, o silenciamento da oposição a vozes contrárias em busca de pureza ideológica. E isso envolve atacar e cancelar pessoas que se recusam a ceder.

Em seu livro *Rules for Radicals*, Saul Alinsky, conhecido organizador de comunidade marxista, escreveu: "Uma reforma significa que massas do novo povo alcançou o ponto de desilusão que ultrapassa maneiras e valores. Não sabem o que vai dar certo, mas sabem que o sistema prevalente é autodestrutivo, frustrante e incorrigível. Eles não agem por mudança, mas não se opõem fortemente aos que o fazem. O tempo então é ideal para revolução... Lembre-se: quando você organiza o povo em torno de alguma coisa normalmente considerada como conspurcação, então, um povo organizado está em movimento. A partir daí se está a um passo curto e natural da conspurcação política, da conspurcação do Pentágono".[39]

A mídia desempenhou um papel importante para desalentar o povo e minar as instituições e tradições americanas. E pela medida de Alinsky, a revolução está agora sobre nós. Entre outras coisas, suas táticas precisam ser implantadas agora, e elas incluem "escolher o alvo, paralisá-lo, personalizá-lo e polarizá-lo". Alinsky continuou: "Em táticas de conflito há certas regras que o organizador deve sempre considerar universais. Uma é que a oposição deve ser identificada como algo e 'paralisada'... Obviamente, as táticas são inúteis, a menos que uma delas tenha um alvo ao qual dirigir os ataques... Com esse foco vem a polarização. Como indicamos anteriormente, todos os assuntos devem ser polarizados, para que haja ações consequentes".[40]

Em 2 de janeiro de 2019, Chuck Todd, âncora do *Meet the Press* da NBC forneceu um exemplo claro do que estava por vir. Ele fez uma declaração aberta à nação que incorporava e combinava todas as piores práticas e táticas discutidas anteriormente. E isso deveria abalar cada um que se importasse com liberdade de expressão e a legítima compensação de ideias como pilares de nosso país. Todd anunciou:

Esta manhã, vamos fazer uma coisa que não costumamos fazer, mergulhar em um tópico. Obviamente, isso é muito difícil, como provou o fim deste ano, na era de Trump. Vamos lançar um olhar aprofundado, seja como for, sobre um assunto que, literalmente, transforma a Terra e que não tem sido discutido com essa profundidade nos telejornais, pelo menos, a mudança climática. Mas tão importante quanto o que vamos fazer nesta hora é o que não vamos fazer. Não vamos debater mudança climática, a existência dela. A Terra está ficando mais quente. E a atividade humana é a causa principal, ponto final. Não vamos dar tempo aos negacionistas do clima. A ciência está decidida, mesmo que a opinião pública não esteja. E não vamos confundir tempo com clima. Uma onda de calor não é mais evidência da existência de mudança climática do que uma nevasca prova sua inexistência, a menos que a nevasca atinja Miami. Hoje temos conosco um painel de especialistas para nos ajudar a entender a ciência e as consequências da mudança climática e, sim, ideias para romper a paralisia política a respeito dela.[41]

Há literalmente centenas, se não milhares, de especialistas e acadêmicos que desafiaram a visão de que a Terra está aquecendo, ou de que está aquecendo devido a atividades humanas, ou que pode estar aquecendo, mas não na medida em que alarmistas anunciam, ou que está aquecendo em alguma medida, mas devido ao sol ou questões além do nosso controle, etc.. Todd considera todos eles "negacionistas" e nega a eles uma plataforma nacional onde possam compartilhar seu conhecimento versado com o público ou participar do debate sobre o assunto. É claro, Todd faz isso mesmo sem ter nenhuma *expertise*. Ele é motivado por sua lealdade ao movimento da mudança climática e insiste em defendê-lo. É claro que ele não está sozinho. De fato, não é fácil encontrar especialistas e cientistas que desafiem a narrativa da mudança climática na televisão, em programas jornalísticos ou colaborando com matérias publicadas. Mas as reportagens e os convidados que a promovem são intermináveis.[42]

A situação idêntica se aplica à Teoria Crítica da Raça e movimentos relacionados. Como Zach Goldberg demonstrou na revista *Tablet*: "Inúmeros artigos foram publicados... muitas vezes disfarçados de reportagem objetiva, em que jornalistas assumem a legitimidade das novas teorias sobre raça e identidade. Esses artigos ilustram uma nova e prevalente moralidade política sobre questões de raça e justiça que têm ganhado força no [*New York*] *Times* e no [*Washington*] *Post* – uma

MARXISMO AMERICANO

visão de mundo às vezes resumida como 'despertar' que combina as sensibilidades de profissionais brancos com educação superior e hiperliberais com elementos no nacionalismo negro e da acadêmica teoria crítica da raça".[43]

"Para alguns americanos", escreve Goldberg, "tudo isso certamente é notícia boa. Para eles, a rápida proliferação de artigos empregando as tropas da teoria crítica da raça para atribuir culpa racial no sistema americano representa um reconhecimento muito tardio de desigualdade e supremacia branca. Há muitas objeções possíveis a essa linha de argumentação: para começar, o fato de que dividir uma sociedade diversa e multiétnica em oprimidos e opressores com base na cor da pele tem levado mais frequentemente, como questão de precedente histórico, a sectarismo sangrento do que a mais justiça e igualdade. Mais ainda, as narrativas que promovem esse novo sistema de divisão racial são factualmente fraudulentas – construídas sobre premissas e presunções falsas ou enganosas – e profundamente hostis a qualquer tentativa de correção factual. Se alguém aponta, por exemplo, que relatos de supremacia branca como uma força poderosa na sociedade americana tendem a desconsiderar que alguns grupos não brancos, como nigerianos americanos, indianos americanos e asiáticos do Leste americanos têm mais equidade de renda que a pessoa branca mediana, isso é invalidado como uma microagressão racista. A mídia promoveu uma teoria do racismo que representa de maneira enganosa os fatos do mundo enquanto estigmatiza como racista qualquer esforço de criticar esses fatos".[44]

Consequentemente, a mídia se uniu aos ativistas críticos da raça, antes desprezados como defensores de um movimento radical e extremista, e ao horrendo racismo e à demonização que eles representam e adotam, ao defender com entusiasmo sua transformação centrada no marxismo da sociedade americana.

Goldberg reconhece desigualdades na sociedade americana, mas também é rejeitado por "atacar violentamente a supressão de fatos inconvenientes" por aqueles que pretendem transformar nosso país. "O que os dados apresentaram... sugere que decisões editoriais tomadas na última década em alguns dos mais poderosos veículos de mídia do mundo sobre que tipo de linguagem usar e que tipo de histórias mereciam cobertura em relação a raça – qualquer que fosse a intenção e o nível de premeditação por trás dessas decisões – promoveram um reavivamento da consciência racial entre seus leitores. Intencionalmente ou não, pela introdução e posterior repetição de um conjunto de conceitos e palavras-chave, publicações como *The New York Times* ajudaram a normalizar entre seus leitores a crença de que 'cor' é o atributo definidor de outros seres humanos. Para aqueles que adotam esse foco singular na raça, uma visão racializada do mundo torna-se teste básico de lealdade política. É preciso aderentes para ignorar a imensa diversidade entre as chamadas 'Pessoas de Cor' e 'Pessoas Não de Cor' (isto é, quem é agrupado como 'branco' de acordo com a moda ideológica prevalente). Assim, isso criou estereótipos socialmente aceitáveis, senão louváveis".[45]

É claro, a propaganda do *Times* é intencional. Como discutido anteriormente, é a mesma corporação de mídia que promove agressivamente o desacreditado Projeto 1619, que é amplamente distribuído pelo sistema público de ensino do país e, como discutido, tem como propósito a lavagem cerebral de alunos para acreditarem que a América, desde o nascimento, foi e é uma sociedade irremediavelmente racista e opressora.

Goldberg explica que "as mesmas instituições da mídia que promoveram identitarismo revisionista e a transformação radical da sociedade americana em linhas radicais poderiam, em vez disso, ter focado sua atenção e influência em melhorar a *qualidade* de vida para *todos*".[46]

Não é surpreendente que a CNN seja totalmente favorável a isso. "O [CEO] da CNN Jeff Zucker anunciou a expansão de seu nicho racial de cobertura, com planos de várias vagas novas. Delano Massey vai chefiar o nicho, e a rede está criando posições de editor sênior, redator sênior e redator de novidades e tendências. Essa equipe vai divulgar notícias e cobrir as histórias e conversas sobre raça', Zucker escreveu em um memorando. 'As dificuldades, os progressos e triunfos. O racismo sistêmico que cuja existência a maioria dos americanos agora reconhece. As últimas pesquisas, estudos e dados. Como raça se entrelaça a desigualdade nos negócios, na política, nos esportes, na mídia, moradia, serviço de saúde e educação. A falta de representação em papeis de liderança em muitas áreas. Os sinais e símbolos de racismo ainda presentes. Vozes que oferecem soluções, inspiração e liderança. Negros, brancos, latinos, asiáticos americanos, nativos americanos, multirraciais e todas as raças'".[47]

Foram-se os dias quando o Reverendo Martin Luther King Jr. declarou: "Eu tenho um sonho de que meus quatro filhos pequenos um dia vivam em uma nação onde não serão julgados pela cor de sua pele, mas pelo conteúdo de seu caráter".[48]

Tendo criado a base para a mudança revolucionária em múltiplas áreas de nossa sociedade e cultura, o banimento, cancelamento e silenciamento começaram a todo vapor. Repressão, não envolvimento; obediência, não expressão; conformidade, não independência; e subjugação, não liberdade, todos são marcas do Marxismo Americano.

Ao escrever no *City Journal*, Robert Henderson explica em seu ensaio "Tell Only Lies" (Conte apenas mentiras) "que não é mais suficiente ser ideologicamente puro, de acordo com os padrões atuais. É preciso ter mantido sempre as crenças apropriadas. É claro, esses padrões tortuosos de moral só podem levar à mentira. Em um trabalho recente intitulado 'Keeping Your Mouth Shut: Spiraling Self-Censorship in the United

States' (Mantendo a boca fechada: crescente autocensura nos Estados Unidos), os cientistas políticos James L. Gibson e Joseph L. Sutherland revelam que a autocensura entre os americanos disparou. Na década de 1950, no auge do macartismo, 13,4% dos americanos relataram que "sentiam-se menos livres que antes para falar o que pensam". Em 1987, o número chegou a 20%. Em 2019, 40% dos americanos relataram que não se sentiam livres para falar o que pensavam".[49]

"Quais são as consequências dessa autocensura contínua?", pergunta Henderson. Ele comenta que "em seu livro *The Great Terror*, o historiador britânico Robert Conquest sugere uma possível resposta. Em um trecho sobre julgamentos espetaculares soviéticos, Conquest ficou incomodado com algo: Por que pessoas inocentes confessavam crimes pavorosos, mesmo quando a maioria dos cidadãos soviéticos não acreditavam nas confissões dessas pessoas? Conquest oferece uma resposta assustadora: os cidadãos soviéticos se acostumaram de tal forma a mentir, que expressar mais uma falsidade não era grande problema. As pessoas se condicionaram a aceitar os padrões em constante mudança, e até a declarar apoio a eles".[50] Além disso, Henderson nota que "o especialista em administração Jerry B. Harvey... descreve situações nas quais indivíduos discordam de uma ideia, mas a aceitam por terem uma percepção de que outros concordam com ela. Se a honestidade sai de moda, funcionamos sob a presunção de que outros têm determinadas opiniões que, na verdade, eles não têm'.[51]

Henderson avisa: Com a mudança contínua das regras do jogo, e indivíduos perdendo empregos ou proeminência por coisas que disseram no passado, todos nos tornaremos mais adeptos de expressar mentiras. É provável que um sistema como esse selecione indivíduos predispostos a sentirem-se confortáveis com mentira. Com o tempo, só mentirosos falarão abertamente".[52]

MARXISMO AMERICANO

Faculdades e universidades da América estão entre os ambientes mais intolerantes para administradores, professores e alunos que ousam desafiar um dos vários movimentos de intersecções marxistas que dominam o *campus*. Na verdade, liberdade acadêmica e liberdade de expressão, antes consideradas bases da educação superior, não existem mais.

A intolerância e a cultura do cancelamento se espalharam em franca discriminação na contratação, promoção, concessões, bolsas e publicações de professores e alunos que não aderem à ideologia exigida pelos revolucionários do *campus*. Em 1 de março de 2021, um estudo de Eric Kaufmann do Center for the Study of Partisanship and Ideology descobriu, entre outras coisas:

"Mais de quatro em cada dez acadêmicos dos Estados Unidos e do Canadá não contratariam um apoiador de Trump...; só um em dez acadêmicos apoiam a demissão de professores controvertidos, mesmo assim, embora a maioria não apoie o cancelamento, muitos não se opõem a ele, mantendo-se isentos; acadêmicos de inclinação à direita enfrentam um nível mais alto de autoritarismo institucional e pressão dos pares; nos Estados Unidos, mais de um terço de acadêmicos conservadores e estudantes do pós-doutorado foram ameaçados com ação disciplinar por seus pontos de vista, enquanto 70% dos acadêmicos relatam um clima hostil do departamento por suas crenças; nas Ciências Sociais e Humanidades, mais de nove em cada dez acadêmicos apoiadores de Trump... dizem que não se sentiriam à vontade expressando seus pontos de vista a um colega; mais da metade dos acadêmicos conservadores norte-americanos e britânicos admitem autocensura na pesquisa e no ensino; jovens acadêmicos e alunos do pós-doutorado, especialmente nos Estados Unidos, são significativamente mais dispostos que acadêmicos mais velhos a apoiar professores controvertidos dispensados de seus postos, indicando que o problema do autoritarismo progressivo provavelmente vai piorar nos próximos anos; [e] um clima hostil colabora para dissuadir graduandos conservadores de tentarem a carreira acadêmica...”[53]

Um grande estudo de atitudes de estudantes em relação à liberdade de expressão em 2017, realizado pela Foundation for Individual Rights in Education, descobriu, em parte: “46% dos estudantes reconhecem que discurso de ódio é protegido pela Primeira Emenda, e 48% dos estudantes pensa que a Primeira Emenda não deveria proteger discurso de ódio...; 58% dos estudantes de faculdades pensa que é importante ser parte de uma comunidade no *campus* onde não sejam expostos a ideias intolerantes ou ofensivas...; nas salas de aula, 30% dos estudantes se autocensuraram por pensarem que suas palavras seriam ofensivas a outras pessoas; uma maioria de estudantes (54%) relatam autocensura na sala de aula em algum ponto desde o início da faculdade”.[54]

Infelizmente, escolas públicas de ensino fundamental e médio custeadas pelo contribuinte não escaparam da politização de pensamento e aprendizado. Na verdade, elas são agora o alvo desses esforços autoritários.

Diane Ravitch, historiadora, especialista em Política de Educação e professora na Universidade de Nova York, escreveu em seu livro de 2004 *The Language Police*: “Como outros que estão envolvidos com a educação... sempre presumi que livros didáticos se baseavam em pesquisa cuidadosa e eram projetados para ajudar as crianças a aprender alguma coisa valiosa. Pensava que as provas eram criadas para avaliar se elas haviam aprendido. O que não percebia era que materiais didáticos são agora comandados por um complicado conjunto de regras para filtrar nossa linguagem e tópicos que podem ser considerados controversos ou ofensivos. Parte dessa censura é trivial, parte dela é ridícula, e parte é de tirar o fôlego por seu poder de emburrecer o que as crianças aprendem na escola. Inicialmente, essas práticas começaram com a intenção de identificar e excluir quaisquer afirmações de preconceito consciente ou implícito contra afro-americanos, outras minorias raciais ou étnicas, e mulheres, em provas ou livros didáticos, especialmente afirmações que diminuíssem membros desses grupos. Esses esforços eram inteiramente razoáveis e justificados. No entanto, o que começou com intenções admiráveis evoluiu para uma surpreendentemente ampla e cada vez mais bizarra política de censura que foi muito além de seu escopo original e agora remove de provas e livros didáticos palavras, trechos e ideias que ninguém razoável consideraria preconceituosos no sentido habitual do termo".[55]

Como Ravitch declara corretamente: "Censura distorce o currículo de Literatura, substituindo julgamentos políticos por estéticos. Por causa do preconceito e de diretrizes de conteúdo social, editores de antologias de Literatura precisam prestar muito mais atenção à contagem correta de grupos de gênero e grupos étnicos entre seus personagens, autores e ilustrações do que à qualidade das seleções."[56]

Hoje as coisas estão muito piores. Crianças nas salas de aula de toda a América são doutrinadas com a Teoria Crítica da Raça (TCR), crianças brancas aprendem que nasceram privilegiadas e com vantagens, e alunos estudam lições preparadas pelo vergonhoso Projeto 1619 do *New York Times*; *Black Lives Matter*, uma organização abertamente marxista e frequentemente violenta que busca ativamente a eliminação do capitalismo e do sistema de governo americano, é celebrada.[57]

Mais que isso, em cada vez mais distritos escolares, professores são treinados para confrontar o privilégio branco dos alunos e ensinados a redirecionar seu conhecimento de história para acomodar a TCR. Basta dar uma olhada na internet para encontrar exemplos intermináveis. Estudantes e professores são forçados a dedicar tempo a outras ideologias intersseccionais e suas políticas, inclusive identidade de gênero e direitos de gênero.[58]

Consequentemente, em muitas áreas do país, e cada vez mais, a história americana, a sociedade civil e, para muitos, etnicidades, ancestralidades e fé religiosa familiares são desonradas e degradadas. A educação é permeada por uma ideologia de orientação marxista extremamente divisória, racista e interseccional, na qual professores e alunos são compelidos a participar e acatar sua doutrinação.[59]

E tem mais. A One UN Climate Change Learning Partnership, também conhecida como UN CC:Learn, é uma iniciativa colaborativa de 36 organizações multilaterais que trabalham juntas para ajudar países a construir o conhecimento e as habilidades que eles precisam para agir contra a mudança climática", inclusive "melhor alfabetização sobre o clima e outras habilidades cruciais para atacar esse desafio". Ela produz materiais de aprendizado e aconselhamento incentivando as escolas a doutrinarem crianças para o movimento de mudança climática.[60] Por exemplo, em um guia institucional intitulado "Why Should Schools Teach Climate Education" (Por que as escolas devem ensinar educação climática), a organização declara: "Educação sobre mudança climática oferece uma importante janela para a responsabilidade individual e social. Como educadores, as escolas não só têm um interesse em ensinar assuntos que preparem os alunos para carreiras e boas notas, mas que ensinem a eles como serem cidadãos conscientes. Ensinar sobre mudança climática significa ensinar sobre tópicos como administração ambiental e responsabilidade coletiva – ensinar aos estudantes que eles e os que os cercam têm responsabilidade com algo maior que eles mesmos. *Como suas ações afetam o ambiente? Como mudanças no ambiente então afetam os outros? Por que eles devem se importar com reciclagem ou sustentabilidade?*"[61]

A orientação continua promovendo globalismo, comunalismo e ativismo: "Mudança climática pede que consideremos o mundo além de nós. Mais que isso, pede que consideremos um tempo além do presente. Incorporar o tema ao currículo escolar só se sustenta para aproximar os alunos de suas comunidades. Engajamento civil, uma das lições mais importantes que as escolas ensinam a seus alunos, pode ser ensinado pelo engajamento do estudante com instituições locais. *Como suas comunidades atuam para ser mais sustentáveis? Que políticas os governos estão adotando, e como estudantes podem pressionar por mais?* Não é suficiente apenas ensinar aos alunos a ciência por trás da mudança climática; estudantes também precisam aprender como instituições e indivíduos lidam com problemas dessa escala, e como se encaixam naquele cenário maior. Enquanto têm uma responsabilidade de ensinar cidadania global e administração comunitária, as escolas têm motivo para ensinar sobre mudança climática".[62]

A doutrinação ideológica e, opostamente, a censura se espalharam muito além das instituições de educação formal e dos assuntos de raça e mudança climática para a América corporativa. O colunista de negócios do *New York Post* Charles Gasparino, ao escrever sobre "Como as corporações se renderam ao *wokeness* da esquerda radical", explica que "empresas funcionavam para ganhar dinheiro, vender coisas e empregar pessoas. Eram administradas por executivos que eram capitalistas orgulhosos e acreditavam nos princípios de base do país. Parece que não é mais assim. O apoio de grandes empresas à legislação de energia verde, vários decretos de justiça social e ao silenciamento de direitistas no *Twitter* tornou-se tão rotineiro, que quase não é mais notícia". Gasparino acrescenta: "As forças de esquerda se reuniram para transformar a América corporativa em algo que parece a ala progressiva do Partido Democrata. A esquerda poderia odiar o capitalismo, mas tem estado ocupada implementando ferramentas capitalistas para moldar as grandes empresas à sua vontade".[63]

E Gasparino aponta que isso está funcionando: "A maioria dos votos de acionistas hoje envolve decretos progressistas sob o disfarce do chamado investimento em Governança Social Ambiental (ESG). ESG, como é conhecido em Wall Street, é um jeito de medir tudo, da aderência de uma empresa às iniciativas de energia verde ao seu acolhimento de causas como *Black Lives Matter*". Além disso, "o investidor mediano em fundos mútuos não opina nem vota nessa vasta transformação, mesmo que seu dinheiro seja usado para propósitos políticos. O fundo está respondendo à voz da minoria que entendeu como o jogo é jogado". [64]

Realmente, um reinado de terror ideológico se espalhou por nossa sociedade e cultura, cancelando e banindo pessoas (professores, escritores, atores, executivos, repórteres etc.), personagens históricos, monumentos, filmes, *shows* de televisão, programas de rádio, livros, desenhos animados, brinquedos, outros produtos, nomes de produtos e marcas, e até palavras.[65] Até o Presidente Trump foi banido do *Twitter*, do *Facebook* e de plataformas de comunicação de mídia social alternativa. A lista é tão longa, e cresce tão rápido, que é impossível fazer uma compilação atualizada.

Essa guerra nociva e abrangente à liberdade de expressão é tão ameaçadora ao nosso país, e está transformando a sociedade americana tão rapidamente, que em 7 de julho de 2020, 150 autores de esquerda redigiram uma carta pública na *Harper's Magazine* intitulada "A Letter on Justice and Open Debate" (Uma Carta Sobre Justiça e Debate Aberto). Embora os signatários, entre eles Noam Chomsky, compartilhem muitos, se não a maioria dos objetivos dos vários movimentos de orientação marxista, e alguns tenham influenciado o pensamento de alguns de seus ativistas mais radicais, eles aparentemente também percebem que a tirania desencadeada é difícil, se não impossível de administrar, e pode inevitavelmente devorar muitos de seus arquitetos, proponentes e admiradores – como demonstram as consequências da Revolução Francesa, da Revolução Russa e da revolução comunista na China. A carta declara, em parte:

MARXISMO AMERICANO

O livre intercâmbio de informação e ideias, seiva da vida de uma sociedade liberal, torna-se diariamente mais constrito. Embora esperássemos tal coisa da direita radical, a censura também se espalha mais amplamente em nossa cultura: uma intolerância a pontos de vista opostos, uma tendência para exposição pública e ostracismo, e a propensão para dissolver questões políticas complexas em uma certeza moral que cega. Defendemos o valor do contradiscurso robusto e até cáustico de todos os lados. Mas agora é muito comum ouvir clamores por rápida e severa retribuição em resposta a transgressões perseguidas de discurso e pensamento. Mais inquietante ainda, líderes institucionais, em um espírito de controle de danos em pânico, promovem punições rápidas e desproporcionais, em vez de reformas consideradas. Editores são demitidos por publicar artigos controversos; livros são recolhidos por suposta inautenticidade; jornalistas são impedidos de escrever sobre certos tópicos; professores são investigados por citar obras de literatura em aula; um pesquisador é demitido por divulgar um estudo acadêmico revisto por pares; e os chefes de organizações são removidos por coisas que, às vezes, são só erros por descuido. Quais quer sejam os argumentos em torno de cada incidente particular, o resultado tem sido estreitar de maneira constante as fronteiras do que pode ser dito sem ameaça de represália. Já estamos pagando o preço com maior risco de aversão entre escritores, artistas e jornalistas que temem por seu ganha-pão, se afastarem-se do consenso, ou até se faltarem com o afinco suficiente ao concordar com ele.

Essa atmosfera sufocante vai acabar prejudicando as causas mais vitais de nosso tempo. A restrição de debate, seja por um governo repressivo ou por uma sociedade intolerante, invariavelmente prejudica aqueles que não têm poder e tornam todos menos capazes de participação democrática. O caminho para derrotar más ideias é pela exposição, discussão e persuasão, não pela tentativa de silenciá-las ou desejar que desapareçam. Recusamos qualquer escolha falsa entre justiça e liberdade, que não podem existir uma sem a outra. Como escritores, precisamos de uma cultura que nos permita espaço para experimentar, correr riscos e até cometer erros. Precisamos preservar a possibilidade da discórdia de boa-fé sem que haja nefastas consequências profissionais. Se não defendermos justamente aquilo de que depende nosso trabalho, não devemos esperar que o público ou o Estado o defenda por nós.[66]

É de se pensar quantos dos signatários apoiaram movimentos marxistas como Black Lives Matter. Mesmo assim, a carta que escreveram não causou impacto. De fato, desde 7 de julho de 2020, o discurso passou a sofrer um ataque ainda mais atrofiante. Por exemplo, *Big Tech* – inclusive *Google, Amazon, Facebook, Apple* e *Twitter* – estão censurando e banindo como bem entendem, usando pretextos e mais pretextos. Mais uma vez, os casos são tão numerosos e crescem tanto todos os dias, que relacioná-los aqui é impossível. Mesmo assim, alguns exemplos proeminentes são ilustrativos.

Primeiro, como reportado pelo Media Research Center (MRC), "durante uma das várias audiências do Senado sobre parcialidade *Big Tech* [em 2020], até os CEOs do *Facebook* e *Twitter* foram incapazes de citar o nome de uma só personalidade ou entidade de esquerda que tenha sido censurada em suas plataformas, quando interrogados". Além disso, "temas altamente censurados incluíam qualquer coisa relacionada a eleição, COVID-19 e a resposta a ela e declarações feitas pelo Presidente Donald Trump. No entanto, *Big Tech* encontrou razões até para censurar conservadores por coisas tão inofensivas quanto um livro infantil celebrando o sufrágio feminino".[67]

MRC reuniu uma lista dos dez mais em 2020 demonstrando as várias "ofensas" que as levaram a sancionar a livre expressão:

1. *Big Tech* remove reportagem bombástica do *New York Post* sobre Hunter Biden
2. *Twitter* censura tuíte de Trump sobre votação por correio sem precedentes
3. A página de Candace Owen no *Facebook* é desmonetizada e excluída
4. *YouTube* remove vídeo do conselheiro de Trump, Dr. Scott Atlas, sobre COVID
5. *Facebook* desmonetiza a página [do *site* satírico] *The Babylon Bee* por piada com Monty Python
6. *Twitter* remove todos os casos de memes de Joe Biden
7. *Instagram* remove estatísticas criminais do FBI, chamando-as de "discurso de ódio"
8. *YouTube* remove vídeo mostrando homem que reverteu sua cirurgia transgênero
9. *YouTube* suspense e desmonetiza a rede conservadora de notícias *One America News* (OAN)
10. *Instagram* proíbe anúncios do livro infantil da Senadora Marsha Blackburn

Em 31 de janeiro de 2021, Project Veritas lançou um vídeo que recebeu de alguém do *Facebook* no qual o CEO Mark Zuckerberg e outros executivos discutiam os "abrangentes poderes [da companhia] para censurar discurso político e promover objetivos partidários".[68]

No vídeo de 7 de janeiro, Zuckerberg é visto acusando o então Presidente Trump de subverter a república.

"É muito importante que nossos líderes políticos liderem pelo exemplo, garantam que ponhamos a nação em primeiro lugar, e o que temos visto é que o presidente [Trump] tem feito o oposto disso... O presidente [Trump] pretende usar seu tempo restante no gabinete para minar a transição de poder legal e pacífica."

Sua [de Trump] decisão de usar sua plataforma para apoiar, em vez de condenar as ações de seus apoiadores no Capitólio abalou, justamente, e perturbou as pessoas nos Estados Unidos e no mundo todo."

Zuckerberg também insinuou que os protestantes do Capitólio receberam tratamento melhor que os protestantes do *Black Lives Matter*. "Eu sei que este é um momento muito difícil para muitos de nós aqui, e especialmente para nossos colegas negros. Foi perturbador ver como as pessoas nessa turba [do Capitólio] foram tratadas, um contraste gritante com o que vimos durante protestos no início do ano [passado]".

Guy Rosen, vice-presidente de integridade do *Facebook*, descreveu como a plataforma determina discurso que considera perigoso. "Temos um sistema que é capaz de congelar comentários em casos nos quais nossos sistemas detectem que pode se tratar de uma postagem com discurso de ódio ou violência... essas são coisas que construímos nos últimos três ou quatro anos como parte de nossos investimentos no espaço de integridade de nossos esforços para proteger a eleição".

Zuckerberg elogiou Biden e sua agenda política. "Achei o discurso de posse do Presidente Biden muito bom".

"Em seu primeiro dia, o Presidente Biden já assinou uma série de Ordens Executivas para áreas com as quais nós, enquanto uma companhia, nos importamos profundamente já há algum tempo", disse Zuckerberg.

Zuckerberg continuou: "Áreas como imigração, preservação DACA, fim das restrições a viagens de países de maioria muçulmana, bem como outras Ordens Executivas sobre clima, avanço de justiça racial e equidade. Acho que todos esses passos foram importantes e positivos".

Na mesma reunião de 21 de janeiro, o chefe de assuntos globais do *Facebook*, Nick Clegg, falou sobre a reação internacional resultante da suspensão do então Presidente Trump da plataforma. "Houve muita inquietação expressa por muitos líderes no mundo todo, do Presidente do México a Alexei Navalny na Rússia, e a Chanceler Angela Merkel, entre outros, dizendo, 'bem, isso mostra que companhias privadas têm muito poder...', e concordamos com isso". "O ideal seria não tomarmos essas decisões por conta própria, mas alinhados com nossa conformidade, com regras e princípios democraticamente adotados. No momento, regras democraticamente adotadas não existem. Ainda temos que tomar decisões em tempo real".

O vice-presidente de direitos civis no *Facebook*, Roy Austin, disse que os produtos da companhia deveriam refletir seus pontos de vista sobre raça.

"Fico pensando se poderíamos ou não usar *'óculos'* para ajudar um policial branco a entender o sentimento de ser um jovem negro que é parado, revistado e preso pela polícia... Quero que toda decisão importante passe por uma lente dos direitos civis".[69]

Uma razão dada pelos executivos da *Big Tech* para censurar e banir discurso na internet *é o aumento de "crimes de ódio". No entanto, um relatório preparado para o Congresso e entregue a ele pela Administração Nacional de Telecomunicações e Informação do Departamento de Comércio (NTIA) em janeiro* – "The Role of Telecommunications in Hate Crimes" – mas, incrivelmente, não divulgado ao público, conclui que a internet não provocou mais crimes de ódio e que a *Big Tech* opera perigosamente como um oligarca tirano.

Uma cópia do relatório, que foi fornecida ao Breitbart News, conclui enfaticamente que "a evidência não mostra que durante a última década, um tempo de expansivo crescimento das comunicações eletrônicas, particularmente na internet e nos dispositivos móveis, bem como na mídia social, houve um aumento na incidência de crimes de ódio". O relatório da NTIA também emite um alerta: "Informamos que esforços para controlar ou monitorar discurso *on-line*, mesmo que pelo objetivo digno de reduzir crimes, representam sérias questões relativas à Primeira Emenda e contrariam a dedicação de nossa nação à livre expressão..."[70]

A NTIA aconselha veemente a *Big Tech* contra suas práticas tiranas: "Líderes das *tech* reconheceram que confiar apenas em equipes humanas para rever conteúdo não será suficiente, e que inteligência artificial terá que desempenhar um papel significante. Dito isso, há, é claro, importante política e limitações práticas para depender de moderação de conteúdo automatizada. De maneira interessante, muito dessa tecnologia *é desenvolvida a partir de abordagens lançadas pelo Partido Comunista da China para sufocar discussão e dissensão política.*

O relatório continua: "Considerando que todas as grandes plataformas de mídia social têm regras contra o discurso de ódio e, de fato, empregam sofisticadas abordagens de algoritmo de inteligência artificial (IA) para aplicar essas muitas vezes vagas e contraditórias regras, de um jeito também usado por regimes tiranos, é apropriado perguntar o que elas ganham com isso. Certamente, como mostra o Relatório, as plataformas não têm expectativa razoável de que sua censura ponha fim aos crimes de ódio ou mesmo os diminuam, já que não existe evidência empírica relacionando o aumento do discurso de ódio a crimes

MARXISMO AMERICANO

de ódio. Além disso, essa censura representa perigos reais para o nosso sistema político. Sob as proibições de discurso de ódio e outras regras de censura, as plataformas retiraram conteúdo que muitos consideram seriamente engajado com prementes questões políticas e sociais".[71]

Sem dúvida, a NTIA será ignorada. Essa é a natureza da tomada de decisão ideologicamente orientada. De fato, em uma audiência do Senado em novembro de 2020, os Democratas do comitê exigiram que a *Big Tech* faça mais, e mais depressa, para silenciar discursos em suas plataformas.[72]

Big Tech também empreendeu esforços extraordinários para tentar destruir uma pequena companhia, *Parler*, que ganhava rapidamente a adesão de milhões de cidadãos que, em sua maioria, não compartilhavam do viés ideológico, do partidarismo político e das práticas de censura dessas imensas companhias globais de muitos bilhões de dólares. Como colocou o *Pittsburgh Post-Gazette*: "O *site* de mídia social *Parler* foi suspenso das lojas de aplicativos do *Google* e da *Apple*, e a *Amazon* parou de fornecer à companhia seus serviços em nuvem, efetivamente matando o serviço e levando o *Parler* a mover uma ação federal contra a gigante tecnológica... A morte do *Parler* representa um assustador ataque ao discurso... A mídia social, como grande parte da mídia de notícias, tornou-se uma plataforma entre americanos que estão debandando para diferentes plataformas ao longo de linhas ideológicas às dezenas de milhares, depois das proibições. Essa não pode ser uma coisa boa para o país".[73]

O *Parler* lutou e voltou, mas os atos combinados e monopolistas da *Big Tech* para destruir uma plataforma independente foram um extraordinário ato de tirania, e muitos na mídia, diferentes da *Post-Gazette*, silenciaram ou apoiaram a ação das *Big Tech*, referindo-se constantemente ao *Parler* como uma plataforma para direitistas, supremacistas brancos, conspiradores violentos e coisas do tipo, e tudo isso é inverdade.

As preferências políticas e ideológicas das *Big Tech* também podem ser estabelecidas pelo exame das doações políticas de seus executivos e empregados, e que candidatos e partidos eles subsidiam e em quais investem. A imagem não poderia ser mais clara. O Center for Responsive Politics relata que "empregados nas gigantes de tecnologia, incluindo *Alphabet* (parente do *Google*), *Amazon*, *Facebook*, *Apple* e *Microsoft* doaram milhões a várias campanhas de Democratas no ciclo eleitoral de 2020. Empregados nas cinco companhias doaram um total de US$ 12.3 milhões para a campanha de Biden e mais milhões para Democratas em disputas importantes no Senado, como o recentemente eleito Jon Ossoff (D-Ga.) e Raphael Warnock (D-Ga.). Empregados de firmas de *big tech* foram classificados entre os grandes doadores de cada um desses Democratas. Com a maioria das doações vindo de empregados da companhia, *Alphabet* contribuiu com cerca de US$ 21 milhões para os Democratas no ciclo eleitoral de 2020, com a *Amazon* contribuindo com cerca de US$ 9.4 milhões. *Facebook*, *Microsoft* e *Apple* contribuíram com cerca de US$ 6 milhões, US$ 12.7 milhões e US$ 6.6 milhões para os Democratas, respectivamente. A maioria das contribuições para cada firma de *Big Tech* foi para candidatos Democratas, e com exceção da *Microsoft*, a campanha Biden foi o principal recipiente, com Ossof e Warnock entre as dez maiores. O principal recebedor das contribuições da *Microsoft* foi o Senate Majority PAC, o super PAC afiliado ao líder Democrata no Senado Chuck Schumer. O Democratic National Committee ficou entre os três maiores recipientes de todas as companhias".[74]

A CNBC reportou: "Dos atuais CEOs de companhias de tecnologia de grande capital, Reed Hastings da *Netflix* foi o que mais abriu a carteira. Hastings e a esposa, Patty Quillin, doaram mais de US$ 5

MARXISMO AMERICANO

milhões. A maior fatia foi para o Senate Majority PAC, um grupo que apoia candidatos Democratas nas disputas mais acirradas, como em Maine, Texas e Iowa... Entre fundos para campanhas e grupos externos, empregados de companhias de internet comprometeram 98% de suas contribuições com os Democratas, de acordo com o Center for Responsive Politics".[75]

E aí existe a relação incestuosa entre a administração Biden e *Big Tech*, na qual Biden recompensou companhias de *Big Tech* contratando, pelo menos, quatorze atuais e ex-executivos da *Apple*, *Google*, *Amazon*, *Twitter* e *Facebook* para atuar em sua equipe de transição e administração.[76]

O Partido Democrata, não só seus representantes, desempenha um papel importante e direto na promoção da censura e da repressão. Em novembro de 2020, a Representante Alexandria Ocasio-Cortez (D-NY) postou no *Twitter*: "Alguém está arquivando essas acusações falsas de Trump para quando tentarem diminuir ou negar sua cumplicidade no futuro? Prevejo uma boa probabilidade de muitos tuítes, textos e fotos apagados no futuro". Incentivado por sua declaração, foi formado um grupo chamado Trump Accountability Project (Projeto Responsabilidade de Trump). O grupo declarou: "Lembre o que eles fizeram. Não devemos permitir que grupos de seguidores lucrem com a experiência deles: aqueles que o elegeram. Os que compuseram seu estafe. Os que o patrocinaram".[77]

De fato, houve muita conversa na mídia social e na mídia em geral sobre uma lista negra com oficiais da administração de Trump e apoiadores de Trump, e sobre impedi-los de arrumar emprego no setor privado. A ex-primeira-dama Michelle Obama postou uma declaração no *Twitter* depois que vândalos invadiram o Capitol Building, exigindo que Trump fosse banido definitivamente de todas as plataformas sociais. Não é preciso dizer que muitos outros no gabinete público ou em cargos públicos fizeram a mesma coisa. E a *Big Tech* acatou.

Talvez o mais assustador e óbvio exemplo da guerra contra o discurso é uma carta de 22 de fevereiro de 2021 enviada por dois Democratas da Califórnia, Anna Eshoo e Jerry McNerney, para os chefes-executivos da *AT&T*, *Verizon*, *Roku*, *Amazon*, *Apple*, *Comcast*, *Charter*, *DISH*, *OX*, *Altice*, *Hulu e Alphabet*, exigindo saber por que a Fox News (Fox), One American News Network (OANN) e Newsmax são continuadas nas plataformas dessas corporações. As companhias receberam essencialmente a mesma carta. Os congressistas incluem uma longa lista de fontes, que são basicamente estudos "partidários" e artigos. Vou focar na carta enviada para a *AT&T*.

Os congressistas escreveram: "A desinformação na TV levou ao nosso ambiente atual de informação corrompida que radicaliza indivíduos para cometerem atos sediciosos e rejeitar as melhores práticas de saúde pública, entre outros tópicos no nosso discurso público. Especialistas notaram que o ecossistema da mídia de direita é 'muito mais suscetível... a desinformação, mentiras e meias-verdades'. Mídias de direita, como Newsmax, One America News Network e Fox News divulgaram desinformação sobre as eleições de novembro de 2020... Fox News... passou anos divulgando desinformação sobre políticos americanos.

"Essas mesmas redes também foram vetores-chave para espalhar desinformação relacionada à pandemia. Um observador da mídia encontrou mais de 250 casos de desinformação sobre COVID-19 na Fox News em um período de apenas cinco dias, e economistas demonstraram que a Fox News tem um impacto demonstrável sobre a não aderência do público às diretrizes de saúde pública..."[78]

Os congressistas deixaram de mencionar que o "observador da mídia" é o notoriamente desonesto *Media Matters*, um *site* radical, esquerdista, pró-Democratas. O *Daily Caller* descobriu que eles "não divulgam a metodologia usada para estabelecer cada caso do que identificam como desinformação da Fox News para análise independente". Ele concluiu ainda que o relatório propriamente dito era cheio de "desinformação".[79]

Os congressistas exigiram que a *AT&T* e as outras companhias fornecessem, em um prazo de duas semanas, a seguinte informação, em parte:

Que princípios morais ou éticos (inclusive aqueles relacionados a integridade jornalística, violência, informação médica e saúde pública) vocês aplicam para decidir que canais transmitir ou quando tomar medidas adversas contra um canal?

Vocês solicitam, por contratos ou outros meios, que os canais que transmitem adotem alguma diretriz de conteúdo? Se sim, por favor, forneçam uma cópia das diretrizes.

Que medidas adotaram antes, durante e no acompanhamento das eleições de 3 de novembro de 2020 e nos ataques de 6 de janeiro de 2021 para monitorar, responder e reduzir a divulgação de desinformação, incluindo o incentivo e a incitação à violência por canais que sua companhia transmite para milhões de americanos? Por favor, descreva cada medida e quando foi tomada.

Já tomaram alguma medida contra um canal por usar sua plataforma para disseminar alguma desinformação? Se sim, por favor, descreva cada atitude e quando foi tomada.

Pretende continuar transmitindo Fox News, Newsmax e OANN... agora e depois da data de renovação de algum contrato? Se sim, por quê?[80]

Essa é uma carta extraordinariamente espantosa, cuja intenção é intimidar e ameaçar organizações de radiodifusão e mídia de centro-direita, pelo único propósito de silenciar seu discurso. E praticamente ninguém das outras organizações de mídia e notícias escreveu ou falou contra isso. O motivo: concordam com isso. Mais ainda, muitos grupos de notícias, jornalistas e redatores de opinião foram os primeiros a propor a remoção de Fox, OANN e Newsmax das plataformas e estão fazendo campanha para reguladores do governo e essas plataformas as isolarem – como foi feito com o *Parler*; o que me leva de volta à mídia americana, onde comecei este capítulo.

Os movimentos interseccionais que formam a essência do Marxismo Americano são apoiados em grande parte pelo Partido Democrata e promovidos pela mídia. Disso não se pode mais duvidar. Portanto, discurso, debate e desafios às ideias centradas no marxismo *não são toleradas. O objetivo é transformação social e econômica; os meios são advocacia e ativismo social.* Oposição deve ser denunciada, caluniada e esmagada.

Na verdade, agora é obvio que a carta para essas várias corporações resultou de demandas da mídia pela eliminação de Fox, OANN e Newsmax das plataformas, que é anterior à data da carta. Em 8 de janeiro de 2021, Oliver Darcy da CNN escreveu: "E quanto às companhias de TV que fornecem plataformas para redes como Newsmax, One America News e, sim, Fox News? De algum jeito, essas companhias escaparam do escrutínio e se esquivaram completamente dessa conversa. Não deve mais ser assim. Depois do incidente de terrorismo doméstico na Colina do Capitólio na quarta-feira [6 de janeiro de 2021], é hora de as companhias de TV enfrentarem questionamento por cederem suas plataformas para empresas desonestas que lucram com a desinformação e com teorias de conspiração. Afinal, foram justamente as mentiras que Fox, Newsmax e OAN disseminaram que ajudaram os apoiadores do Presidente Trump a não acreditarem na verdade: ele perdeu uma eleição honesta e justa.[81]

"Sim, Sean Hannity, Tucker Carlson, Mark Levin e outros são responsáveis pelas mentiras que transmitem a suas plateias. Mas as companhias de TV que as levam a milhões de lares pelo país também têm alguma responsabilidade. No entanto, raramente falamos delas, se é que falamos".[82]

Perceba as táticas de Alinsky de Darcy quando ele tenta pôr em dúvida as redes de TV a cabo e certos apresentadores de televisão, inclusive eu: "Escolha o alvo, paralise-o, personalize-o e polarize-o".[83] Nem as redes, nem os apresentadores que ele menciona tiveram alguma coisa a ver com a invasão do prédio do Capitólio.

O colunista do *New York Times* Nicholas Kristof continuou de onde Darcy parou, com táticas de Alinsky e tudo, e juntou-se à campanha de remoção das plataformas. Ele escreveu: "Não podemos pedir o *impeachment* da Fox ou levar [Tucker] Carlson ou Sean Hannity a julgamento no Senado, mas há medidas que podemos tomar – imperfeitas, inadequadas, apoiadas em bases escorregadias – a fim de responsabilizar não só Trump, mas também seus companheiros de viagem na Fox, OANN, Newsmax e assim por diante".[84] Assim, Kristof exigiu em sua coluna no *Times* que "nós"– a turba adepta do marxismo – enquadrássemos essas mídias não conformes; ou seja, elas precisavam ser silenciadas.

Kristof continua: "Isso pode significar pressão sobre anunciantes para evitar patrocinadores extremistas (de qualquer inclinação política), mas o modelo de negócios da Fox News depende menos de anunciantes do que de assinaturas de pacotes a cabo. Então, o segundo passo é interpelar as companhias de TV a cabo para retirarem a Fox News dos pacotes básicos".[85]

Na verdade, o segundo passo de Kristof foi tirado do Media Matters, é óbvio.

A seguir, Kristof enquadra sua perversa ladainha tirânica de como proteger o consumidor de ter que patrocinar a Fox e, mais que isso, ter que supostamente subsidiar sua descrição preconceituosa e estereotipada de seus espectadores como racistas, violentos e antigovernistas. "A questão aqui é que, se você é como muitos americanos, você: A) não assiste à Fox News, e B) ainda subsidia a Fox News. Se você compra um pacote básico de TV a cabo, é forçado a pagar cerca de US$ 20 ao ano para a Fox News. Pode deplorar fanáticos e promotores de insurreição, mas ajuda a pagar o salário deles".[86]

Kristof então cita Angelo Carusone, o fanático e ideólogo radical que lidera a Media Matters, como uma autoridade nesse trabalho de ataque contra a mídia não conforme. "Carusone... diz que a Fox News conta com tarifas de TV a cabo inusitadamente generosas – mais que o dobro que a CNN recebe e cinco vezes o que percebe a MSNBC. Então, a Media Matters iniciou uma campanha... para as pessoas pedirem às operadoras de TV a cabo para retirarem a Fox News de seus pacotes. 'Considerando todo o dano que a Fox News causou e a ameaça que segue representando, é absolutamente necessário que elas removam a Fox News', Carusone me disse. 'Ela não é um canal de notícias. É uma operação de propaganda misturada com porcaria política. Se as pessoas querem isso, devem ser obrigadas a pagar como pagam pelo Cinemax'".[87]

Margaret Sullivan (*Washington Post*), Max Boot (*Washington Post*), Brian Stelter (CNN), Anand Giridharadas (MSNBC) e diversos outros repórteres e colunistas se reuniram em torno das mesmas ou semelhantes exigências e propagandas. E congressistas Democratas, usando seus pedestais e sua autoridade governamentais, tentam atender a elas.

De nossas escolas e entretenimento, a mídia e governo, testemunhamos o desencadeamento de ações repressivas, inclusive ameaças, censura e assassinato de personalidades, e a demanda por mais de tudo isso. Marx aprovaria.

Na verdade, banir pessoas, discurso, palavras, transmissões e acesso à mídia social; e redefinir linguagem, história, conhecimento e ciência – tudo isso está acontecendo ou é pretendido em nossa cultura e ambiente atuais – são as marcas registradas do totalitarismo. Como também é o rotineiro e não desafiado abuso de poder, e o enfraquecimento do republicanismo e do constitucionalismo pelo Presidente Biden, que legisla por meio de ordens executivas, atropelando, portanto, o equilíbrio e as checagens da constituição e do Congresso, para instituir mudança fundamental na sociedade americana sem a participação dos representantes do povo no Congresso, ou do próprio povo. Ou os esforços dos líderes do Partido Democrata no Congresso, como Presidente Pelosi e o Líder da Maioria no Senado Schumer, para ameaçar com ousadia a independência do judiciário a fim de influenciar o desfecho de decisões legais e avançar sua agenda ideológica e política; e as ações conspiratórias da liderança Democrata nos dois ramos eleitos do governo federal para alterar radicalmente o processo eleitoral no país para garantir que o Partido Democrata raramente perca seu poder de comando. Além do mais, com a menor maioria na Casa em décadas, e um Senado empatado com senadores em 50-50, eles procuram encher o Senado com vários assentos Democratas adicionais e eliminar a regra da obstrução, pretendo com isso impor mudanças radicais à nação com amplo apoio de representantes de outras partes do país.

No entanto, são os que se opõem a essa tirania que são rotulados, muitas vezes de maneira bem-sucedida, de ofensores das liberdades civis e dos direitos humanos, obstáculos ao progresso e inimigos do povo pelos *verdadeiros* ofensores, que já devoraram boa parte das instrumentalidades do Estado e da cultura e dominaram a narrativa.

Em seu livro *Doubletalk: The Language of Communism*, Harry Hodgkinson escreveu: "Linguagem era, para Marx, 'a realidade direta' do pensamento; 'ideias não existem divorciadas' dela. E para [Joseph] Stalin, 'a realidade do pensamento se manifesta na linguagem'. Palavras são ferramentas e armas, cada uma criada para uma função precisa... a linguagem do Comunismo... não é tanto um meio para explicar a um incrédulo o que significa o Comunismo, mas um arsenal de armas e ferramentas cuja intenção é produzir apoio ou dissolver oposição às políticas comunistas por parte de pessoas hostis ou indiferentes a ele. O significado de uma palavra Comunista não é o que você pensa que ela diz, mas que efeito ela pretende produzir".[88]

Além disso, escreve Hodgkinson, "para os comunistas, a maioria não tem inviolabilidade particular e é chamada a fazer, não o que quer, mas o que é 'seu dever diante do tribunal da história'. Escolher entre partes é uma 'formalidade enfadonha' da *Democracia Burguesa*... Democracia é geralmente usada com um adjetivo qualificador..."[89]

Daí o senador Marxista Bernie Sanders usar o adjetivo Socialista *Democrata*. Mesmo assim, como Sanders sabe, "para o comunista [tal frase] não é mais que um estágio essencial na estrada para o comunismo".[90]

A onda de repressão que varre nosso país não é diferente daquela dos primeiros dias das Revoluções Francesa, russa e chinesa, entre outras. Todas foram promovidas como movimentos populares e revoluções populares, cuja intenção era restabelecer o comunalismo russo ou o igualitarismo marxista. Mas aí termina a semelhança. Essas revoluções foram vendidas como movimentos de liberação, nos quais as massas ou o proletariado se levantaria contra a tirania do governo e a sociedade corrupta. Tornaram-se estados policiais genocidas. É claro, diferente desses outros governos e sociedades, a América é uma república constitucional, representativa, não uma monarquia ou outra forma de ditadura. Não há insatisfação disseminada no país. Na verdade, a maioria dos americanos é patriota e reverencia o país. Mas as forças de falsa libertação hoje são lideradas por ideólogos fanáticos e ativistas, que são os verdadeiros portadores de tirania e até totalitarismo. Eles usam propaganda, sabotagem e subversão em um esforço para desmoralizar, desestabilizar e, em última análise, destruir a sociedade e a cultura existentes. São eles que reprimem as liberdades de seus compatriotas por meio da chamada "cultura do cancelamento".

MARXISMO AMERICANO

São eles que exigem conformidade de pensamento pelo banimento da mídia social de visões diferentes; são eles que usam a falsa narrativa de "opressores e oprimidos" para estigmatizar aqueles que dizem ser parte da "cultura branca dominante" e silenciam as vozes de compatriotas; são eles que estão banindo palavras, livros, produtos, filmes e símbolos históricos; são eles que estão destruindo a carreira de questionadores e boicotando as empresas de não conformistas; são eles que estão minando a liberdade acadêmica e a curiosidade intelectual através de medo e intimidação; são eles que estão distorcendo a história americana e submetendo os estudantes a lavagem cerebral; são eles que exigem a remoção de redes de notícias das plataformas de operadores de TV a cabo e o ataque contra âncoras; e são eles que estão usando e promovendo racismo, sexismo, etarismo, etc., como armas de desunião e rebelião, enquanto alegam querer acabar com elas. Pior ainda, eles estão usando a liberdade da América para destruir a liberdade e a Constituição para destruir a Constituição. E na medida que seu veneno se espalha pela cultura, a intenção é semear dúvida sobre o país, desanimar o cidadão e enfraquecer a resistência inata e arrazoada do povo – a ponto de alcançar a aquiescência – à tirania dos movimentos domésticos inspirados no marxismo e relacionados a ele.

CAPÍTULO SETE

ESCOLHEMOS A LIBERDADE!

Frequentemente me perguntam no rádio o que "nós" vamos fazer para recuperar nosso país. Com muita frequência, o que isso significa é... o que outra pessoa vai fazer para salvar a América. Essa mentalidade é simplesmente inaceitável. Se vamos nos unir em defesa de nossa liberdade e nossos direitos inalienáveis, então, cada um de nós, em nossas posições e à nossa maneira, devemos nos envolver de maneira pessoal e direta como ativistas cidadãos no nosso destino e no destino de nosso país. Chegou a hora de retomar o que é nosso – a república americana – daqueles que pretendem destrui-la. Se esperarmos que outros resgatem a nação por nós, enquanto seguimos cuidando de nossa vida como meros observadores do que está acontecendo, ou fechamos olhos e ouvidos para os acontecimentos atuais, vamos perder essa luta. E sim, é uma luta.

Permitimos que os marxistas americanos definam quem somos enquanto povo. Eles nos difamam, caluniam nossos ancestrais e nossa história e atacam nossos documentos e princípios de base. São, em sua maioria, réprobos que odeiam o país em que vivem, e que em nada contribuíram para fazê-lo melhor. Realmente, eles vivem do suor e do esforço alheio, enquanto buscam um curso destrutivo e diabólico para nossa nação, enfraquecendo e sabotando praticamente todas as instituições de nossa sociedade. Sua ideologia e visão de mundo se baseiam nos argumentos e crenças de um homem, Karl Marx, cujas obras são responsáveis pela escravização, pelo empobrecimento, tortura e morte de milhões não relatados. Essa é uma realidade, apesar dos previsíveis protestos de alguns em nossa sociedade que adotam e avançam as ideias centrais de Marx, mas tentam se dissociar da responsabilidade de seus desfechos inevitáveis. Esses são os "idiotas úteis" que ocupam posições de influência ou liderança no Partido Democrata, na mídia, academia, cultura etc.

Mas devemos nos consolar e fortalecer com o sacrifício e a coragem de *nossos* primeiros revolucionários – Joseph Warren, Samuel Adams, John Hancock, Paul Revere e Thomas Paine, para citar alguns; e buscar energia e inspiração na sabedoria e na genialidade de George Washington, Thomas Jefferson, John Adams, James Madison, Benjamin Franklin e muitos outros. Embora eles tenham sido achincalhados e degradados por marxistas americanos e sua laia, devemos continuar celebrando esses homens, nos revigorando com eles e lembrando que juntos eles derrotaram a mais poderosa força militar na Terra e fundaram a maior e mais extraordinária nação na história da humanidade.

De fato, gerações seguintes de patriotas lutaram, com tremendo sacrifício, na Guerra Civil para pôr fim à escravidão, coisa que nenhum outro país jamais fez, e que custou centenas de milhares de vidas nos campos e cidades da América. Só em Gettysburg foram 51 mil baixas. Mas houve outras batalhas com terríveis perdas – Chickamauga, Spotsylvania, Wilderness, Chancellorsville, Shiloh, Stones River, Antietam, Bull Run (duas vezes), Fort Donelson, Fredericksburg, Port Hudson, Cold Harbor, Petersburg, Gaines's Mill, Missionary Ridge, Atlanta, Sevem Pines, Nashville, e muitas mais.

No século passado, milhões de americanos lutaram, e centenas de milhares morreram, em duas guerras mundiais. Na Primeira Guerra, cerca de quatro milhões de soldados americanos foram mobilizados para combater Alemanha, Áustria-Hungria, Bulgária e o Império Otomano, e mais de 116 mil americanos pereceram – nas batalhas de Somme, Verdun, Passchendaele, Gallipoli, Tannenberg e várias outras. Na Segunda Guerra Mundial, mais de dezesseis milhões de soldados americanos lutaram contra a Alemanha nazista, Japão e Itália, e mais de 400 mil perderam a vida – nas batalhas da Sicília, Anzio, Atlântico, Normandia, Operação Dragão, Bulge, Iwo Jima, Guadalcanal, Tarawa, Saipan, Okinawa e muitas mais.

Durante a Guerra Fria com a União Soviética, soldados americanos combateram o avanço do comunismo, inclusive na Coreia, onde comunistas apoiados por soviéticos e chineses ao norte da Península Coreana invadiram o Sul. Mais de 5.700 milhões de americanos foram engajados na guerra, e quase 34 mil perderam a vida. Quase três milhões de americanos serviram uniformizados na Guerra do Vietnã, que pretendia impedir, mais uma vez, que comunistas apoiados por soviéticos e chineses no norte daquele país dominassem o Sul. Mais de 58 mil soldados americanos perderam a vida. E houve muitas batalhas desde então, inclusive, mas não limitadas ao Irã e ao Afeganistão, e a guerra contra o terrorismo.

Diferente da ladainha dos marxistas americanos sobre a América ser uma força imperial e colonizadora, nossos soldados são nobres guerreiros que lutaram e morreram, e ainda o fazem, para proteger e libertar os oprimidos de um extremo ao outro do mundo – e independentemente de religião, cor da pele, etnia ou raça dos vitimados. E diferente de alguns de nossos inimigos, não procuramos conquistar outros países para fins de ocupação e expansão territorial.

Na América, geração após geração têm se disponibilizado a sacrificar tudo, e muitos pagaram o preço mais alto, em defesa desse país magnífico e seus princípios de base de inimigos estrangeiros. Eles acre-

MARXISMO AMERICANO

ditavam que valia a pena lutar e morrer pela América e seus princípios. E para muitos de nós, havia e há membros da família entre eles.

Mas o marxista americano recentemente teve sucesso, por meio da burocracia e das políticas do Partido Democrata, na imposição das agendas da Teoria Crítica da Raça (TCR) e da Teoria Crítica do Gênero às nossas forças armadas.[1] Soldados agora são forçados a participar de treinamentos que reforçam essas ideologias. Elas até chegaram a West Point, onde cadetes sofrem lavagem cerebral sobre "fúria branca".[2] E o Pentágono também declarou mudança climática uma prioridade de segurança nacional, o que significa que ela é uma ameaça tão grave à nossa sobrevivência quanto inimigos como China Comunista, Coreia do Norte, Irã e Rússia.[3] Enquanto isso, sucessivas administrações Democratas negaram aos nossos serviços militares os fundos necessários para manter prontidão máxima e apertaram seus orçamentos, enquanto Estados inimigos, especialmente a China Comunista, se preparam para a guerra.

No *front* doméstico, a maioria sempre viu nossa polícia como bravos e altruístas guardiões da lei, que nos protegem de criminosos e preservam a paz. Nós os admiramos e apreciamos. Eles são profissionais altamente treinados e seu trabalho é extremamente perigoso, considerando o nível de criminalidade violenta que existe em muitas regiões de nosso país. O National Law Enforcement Memorial Fund relata que "desde a primeira morte no cumprimento do dever de que se teve conhecimento em 1786, mais de 22 mil oficiais da lei foram mortos no cumprimento do dever... [Só em 2018[, foram 58.866 ataques contra agentes da lei... resultando em 18.005 ferimentos".[4]

E todos os anos no 11/9 homenageamos esses oficiais, bem como os bombeiros, pessoal de emergência e outros, que perderam a vida em atos de infinito heroísmo para salvar as pobres almas nas Torres Gêmeas e no Pentágono abatidas por terroristas da al-Qaeda. Esses homens e mulheres incríveis não mudaram. São hoje os mesmos americanos patriotas e altruístas daqueles e de outros dias.

Mas o que mudou em anos recentes, com a ascensão do Marxismo Americano e de grupos anarco-marxistas como Antifa e *Black Lives Matter*, é que os agentes da lei em todos os níveis passaram a ser brutalmente atacados. De repente, eles não fazem mais o bem. Precisam ser contidos e restritos, e o policiamento propriamente dito deve ser "reimaginado'. Somos informados que oficiais de polícia são "sistematicamente racistas", que escolhem afro-americanos e outras minorias para tratamento diferente, apesar de indiscutíveis estatísticas e evidências esmagadoras do contrário.[5] É claro, a incansável degradação e o enfraquecimento das forças policiais, a incessante desinformação da mídia sobre as forças da lei, a exploração ideológica e política de certos encontros gravados em vídeo, e os cortes no orçamento da polícia por políticos Democratas de grandes cidades desestabilizam comunidades e a confiança pública no policiamento, minando, portanto, a regra da lei e, em última análise, a sociedade civil. Se o seu objetivo é "transformar fundamentalmente" a América[6] – isto é, abolir nossa história, tradições e, por fim, nossa república – você precisa subverter o apoio à polícia. Afinal, sem a garantia da lei, a sociedade civil desmorona.

De fato, como relata o Law Enforcement Legal Defense Fund, "em grandes cidades dos Estados Unidos, aconteceu tangível despoliciamento de junho de 2020 a fevereiro de 2021, depois dos protestos contra a polícia, os depoimentos dos policiais e decisões políticas, e com prisões e abordagens em queda, os homicídios aumentaram muito nos meses seguintes ao incidente com George Floyd... No ano passado [2020], os Estados Unidos contabilizaram mais de 20 mil homicídios – o número mais alto desde 1995 e quatro vezes maior que o total de homicídios em 2019. Dados preliminares do FBI para 2021 apontam para um aumento de 25% nos homicídios – maior aumento em um único ano desde que a agência começou a publicar dados de distribuição uniforme em 1960".[7] Policiais estão se aposentando e deixando a corporação em bandos.[8] E grandes cidades estão despovoando, com as pessoas se mudando em números sem precedentes por causa do aumento na criminalidade, em grande parte.[9]

Especialmente pernicioso é o controle do Marxismo Americano sobre as salas de aula de nossas escolas públicas e faculdades, com todo apoio e a participação ativa dos sindicatos nacionais de professores – a National Education Association (NEA)[10] e a American Federation of Teachers (AFT)[11] – onde seus filhos e netos são ensinados a odiar nosso país e sofrem lavagem cerebral com propaganda racista. Se isso persistir, certamente causará a ruína da nação. Como relata o Heritage Foundation: "A disseminação de conteúdo curricular e instrução baseados na TCR (Teoria Crítica da Raça) nas escolas é superada apenas à presença da TCR na instrução pós-secundária, onde surgiu a TCR. A disseminação no nível universitário e nos artigos acadêmicos se desenvolveu ao longo de muitas décadas durante o século vinte, enquanto o efeito nas escolas K-12 em disciplinas como Estudos Sociais, História e Civismo se tornaram visíveis mais recentemente".[12]

Sem seu conhecimento, muito menos seu consentimento, distritos pelo país integraram a TCR ao currículo escolar. Duas das maiores organizações sindicais de professores do país apoiam a organização *Black Lives Matter* com a National Education Association, especificamente, pedindo o uso de material curricular do *Black Lives Matter* nas escolas K-12. O currículo é 'comprometido' com ideias como 'rede de afirmação *queer*', que não tem nada a ver com rigoroso conteúdo instrutivo, e promove ensaios racialmente carregados, como 'Open Secrets in First-Grade Math: Teaching about White Supremacy on American Currency' (Segredos abertos na matemática do primeiro ano: ensinar sobre a supremacia branca na moeda americana). Já em 2018, oficiais em pelo menos 20 importantes distritos escolares, incluindo Los Angeles e Washington, DC, promoviam conteúdo curricular do *Black Lives Matter* e a 'Semana de Ação' da organização. De acordo com uma pesquisa *Education Week* em junho de 2020, 81% dos professores, diretores e líderes distritais 'apoiam o movimento *Black Lives Matter ...*'[13]

Na verdade, "alguns sistemas escolares moveram ações civis contra os protestos perturbadores dos professores".[14] Além disso, essa ideologia baseada no marxismo se espalhou para as escolas particulares, inclusive as escolas religiosas.[15]

Porém, esse veneno foi disseminado primeiro em nossas faculdades e universidades, onde reina supremo e, por isso, pouco resta nelas de liberdade acadêmica e liberdade de expressão. Essas faixas etárias na educação foram escolhidas com cuidado. Jay Schalin do James G. Martin Center for Academic Renewal explica: "A 'longa marcha' pelas escolas foi bem-sucedida; os pensadores mais influentes em nossas escolas são radicais políticos [marxistas] decididos a transformar a nação em uma visão utópica, coletivista".[16] ... "É difícil escapar das ideias radicais nas escolas. Quanto maior o progresso na hierarquia educacional, maior a probabilidade de o indivíduo ter sido exposto a ideias extremistas – e menor é a probabilidade de ele as rejeitar. Para se chegar a uma posição influente na educação, é preciso atravessar um campo minado de cursos de graduação cuja intenção é doutrinar o ingênuo e retirar o recalcitrante".[17]

E os corporativistas da América também fazem parte disso. Na verdade, há um número grande demais de corporações comprometidas com os variados movimentos da Teoria Crítica marxista, e práticas de recursos humanos, treinamento e relacionadas ao recrutamento que as promovem para relacionar aqui. Lily Zheng, autora sobre diversidade, equidade, e consultora de inclusão, escreveu no *Harvard Business Review:* "Justiça Social Corporativa não é uma abordagem agradável que permite que todos sejam ouvidos, e por natureza ela não resulta em iniciativas que farão todo mundo feliz. O primeiro passo que muitas companhias deram ao apoiar publicamente o *Black Lives Matter* por meio de declarações públicas e doações é um exemplo disso: um compromisso com um posicionamento, mesmo que ele aliene determinadas populações de consumidores, empregados e parceiros comerciais. A companhia precisa decidir se aceita perder a fidelidade de certos grupos (digamos, supremacistas brancos ou departamentos de polícia), já que aceitar o dinheiro desses grupos seria contraria sua estratégia de Justiça Social Corporativa".[18]

Essas corporações também buscam os favores e a conspiração com o Partido Democrata usando sua força financeira para ajudar a criar uma máquina política unipartidária.[19] A guerra recente que travaram juntos contra o legislativo Republicado da Geórgia é um dos muitos exemplos.[20]

Além disso, a mídia social, incluindo *Facebook/Instagram*, *Twitter*, *Google/YouTube*, que já foram considerados o antídoto para o papel oligopolista da mídia corporativa como propagandistas do Partido Democrata e locutores do "ativismo social" e do "progressismo", e acolhidos como locais abertos e públicos para a comunicação, tornaram-se um estratagema autocrata. Uma dura lição foi aprendida, especialmente no último ano: a *Big Tech* é, na verdade, um oligopólio em si mesma, na qual alguns poucos bilionários censuram, suspendem, eliminam e editam postagens, vídeos e comentários que ofendem ou desafiam a ortodoxia do Partido Democrata, dos vários movimentos marxistas, os autoritários da pandemia do coronavírus etc. O bilionário do *Facebook*, Mark Zuckerberg, até contribuiu com centenas de milhões de dólares em concessões na última eleição para aumentar o comparecimento às urnas em redutos do Partido Democrata nos principais Estados indecisos.[21]

O que pode ser feito em relação a esses ataques contra nossa liberdade, nossas famílias e o país? É claro, não tenho todas as respostas. Para começar, eu avisei há alguns anos, em *Liberty and Tiranny*, que "precisamos nos engajar mais nos assuntos públicos... Isso vai exigir uma nova geração... de ativistas, mais numerosa, mais astuta e mais articulada que antes, que queira sufocar a contrarrevolução estadista".[22] Temos que agarrar todas as oportunidades para tomar de volta nossas instituições concorrendo ao gabinete, procurando indicações ao gabinete e ocupando as profissões – inclusive a academia, o jornalismo e os negócios – com patriotas que possam fazer a diferença. Devemos tomar para nós a missão de ensinar a nossos filhos e netos sobre a magnificência de nosso país, nossa constituição e o capitalismo, e os males do marxismo e das pessoas e organizações que o promovem. Precisamos explicar a eles por que é importante apoiar e respeitar nossa polícia e as forças armadas, que nos protegem de criminosos e inimigos estrangeiros.

Dada a urgência do momento, porém, isso não chega nem perto do suficiente. Na verdade, o destino de nosso país está nas *suas* mãos e em *vocês* se tornarem ativistas fortes e eloquentes por nossa nação e nossa liberdade. Embora nosso futuro pareça sombrio, às vezes, não devemos nos render a esse inimigo interno, nem agora, nem nunca.

Para não esquecermos, em 19 de dezembro de 1776, quando a Guerra Revolucionária parecia perdida, e o moral do exército de George Washington era o mais baixo possível, Thomas Paine escreveu *The American Crisis, Nº 1*, que começava assim:

ESTES são os tempos que põem à prova a alma dos homens. O soldado de verão e o patriota ensolarado vão, nesta crise, evitar servir a seu país; mas aquele que o defender agora, merece o amor e a gratidão de homem e mulher. Tirania, como o inferno, não é fácil de derrotar; porém, temos conosco esse consolo, o de que quanto mais duro o conflito, mais glorioso o triunfo. O que temos por muito pouco, não valorizamos; é só a importância que dá a tudo seu valor. O Céu sabe como pôr um preço adequado nos bens; e seria estranho, realmente, se um artigo tão celestial quanto LIBERDADE não fosse altamente valorizado.[23]

E Paine convocou todos os americanos a se unir na luta contra a tirania:

Não chamo alguns, mas todos: não neste ou naquele Estado, mas em todos: levantem-se e nos ajudem; encostemos ombros à roda; melhor ter força excessiva, que insuficiente, quando um objetivo tão grandioso está em jogo. Que seja dito ao mundo no futuro que, no auge do inverno, quando nada além de esperança e virtude podiam sobreviver, a cidade e o país, alarmados com um perigo comum, avançaram para enfrentá-lo e rechaçá-lo.[24]

Na noite de 25 de dezembro de 1776, Washington ordenou que as palavras de Paine fossem lidas para suas tropas exaustas antes da Batalha de Trenton, que, é claro, eles venceriam. O panfleto de Paine não só encheu de energia os homens de Washington, como se espalhou rapidamente pelas colônias, despertando e eletrizando o povo.

Nosso desafio hoje é igualmente crucial e urgente e, em muitos aspectos, mais complicado. Não pedimos esse confronto, mas ele está aqui. E, na verdade, como nos dias iniciais da Guerra Revolucionária, estamos perdendo. Infelizmente, boa parte do país foi surpreendida inativa e continua apática. O que deve ser entendido é que os vários movimentos associados ao marxismo estão constantemente agitando, pressionando, ameaçando, dominando e até causando tumulto para alcançar seus fins, para os quais não há contrapressão efetiva ou sustentada, ou agitação – isto é, reação. Isso tem que mudar hoje.

Isso é um chamado à ação!

O tempo de agir é agora. Cada um de nós precisa reservar um tempo na rotina diária para ajudar a salvar o país. Temos que ser táticos e ágeis em nossas respostas ao Marxismo Americano e seus múltiplos movimentos. E precisamos organizar, mobilizar, boicotar, protestar, falar, escrever e mais – e, onde for apropriado, devemos usar as estratégias e táticas de Marx contra ele. Em outras palavras, temos que nos tornar os novos "ativistas comunitários". Mas, diferente dos marxistas, nossa causa é o *patriotismo*.

Aqui vão algumas estratégias importantes que devemos usar:

BOICOTE, DESINVESTIMENTO, SANÇÕES (BDS)

Sem dúvida o movimento de Boicote, Desinvestimento e Sanções, ou BDS, parece familiar, uma vez que tem sido usado por inimigos extremistas para tentar destruir economicamente o Estado de Israel. Os elementos operacionais desse movimento, no entanto, podem ser adotados por patriotas americanos contra corporações, outras organizações, doadores etc., que financiam ou apoiam, de outra forma, movimentos marxistas em nosso país.

BOICOTES envolvem a retirada de apoio para mídia corporativa, *Big Tech*, outras corporações, Hollywood, instituições esportivas, culturais e acadêmicas engajadas na promoção do Marxismo Americano e seus vários movimentos.

Campanhas de DESINVESTIMENTO pressionam bancos, corporações, governos locais e estaduais, instituições religiosas, fundos de pensão etc. a retirar investimentos e apoio aos vários movimentos marxistas.

MARXISMO AMERICANO

Campanhas de SANÇÕES pressionam governos locais e estaduais para encerrar subsídios fiscais e outras formas de apoio para instituições ligadas a vários movimentos e políticas marxistas; e a proibição do ensino e da doutrinação da Teoria Crítica da Raça (TCR), Teoria Crítica de Gênero etc., de escolas públicas financiadas pelo dinheiro de impostos.

Além disso, marxistas americanos são litigiosos, estão sempre movendo toneladas de processos em jurisdições e tribunais escolhidos a dedo, além de impetrarem diversas ações administrativas em burocracias federais e estaduais, a fim de colher informação sobre ações do governo e oponentes políticos, bem como soterrar burocratas com petições de busca. Patriotas americanos devem fazer a mesma coisa. Informação sobre como entrar com pedidos com base na Lei de Liberdade de Informação junto ao governo federal podem ser encontradas em FOIA.gov. Todos os Estados têm regras de liberdade de informação, que você pode encontrar com facilidade na internet. Além disso, uma lista parcial de grupos legais conservadores e liberais pode ser encontrada em https://conservapedia.com/Conservative_legal_groups, e procedimentos para fazer reivindicações contra os governos federal e estadual podem ser encontrados em https://www.usa.gov/complaint-against-government. Além disso, se você conseguir informações sobre a natureza político-partidária de organizações específicas de base marxista, também pode contestar o *status* fiscal favorável conferido a ela registrando queixas no Internal Revenue Service (IRS).

De maneira geral, onde for viável, devemos instituir *nosso* movimento BDS contra as influências do Marxismo Americano, adotar o tipo de abordagem Cloward e Piven de sobrecarregar "o sistema", derrubar o sistema, depois culpar o sistema, e assumir o controle do sistema – mas nesse caso, o sistema é aquele criado e instituído pelos movimentos de base marxista.

Além disso, a *Rules for Radicals #13* (Regras para radicais n° 13) de Saul Alinsky deve ser usada, onde for apropriado: "Escolha o alvo, paralise-o, personalize-o e polarize-o".[25] Alinsky escreveu, em parte: "Obviamente, as táticas são inúteis, a menos que se tenha um alvo contra o qual dirigir os ataques".[26]

Lembre-se também que os números têm força. Os sindicatos de professores, Antifa, BLM e outros sabem disso. Nós também temos que saber.

Aqui vão algumas táticas específicas para ação, que não devem ser vistas como uma lista abrangente:

EDUCAÇÃO

Em todos os distritos escolares da América, comitês locais de ativistas comunitários precisam se organizar, como alguns já estão fazendo. Entre outras coisas, eles devem se envolver em praticamente todos os aspectos da educação pública local. Não podemos mais deixar a educação de nossas crianças e o bem-estar de nossa comunidade para "os profissionais". Como aprendemos, especialmente desde a pandemia, a burocracia educacional não tem os maiores interesses de nossas crianças como prioridade, e as consequências dessa desatenção são desastrosas. O que deve ser feito?

1. Os comitês da comunidade devem garantir que membros participem de todas as reuniões dos conselhos escolares para garantir que o interesse do público e dos alunos é atendido, não os interesses de monopólio dos sindicatos de professores, ativistas marxistas e outros interesses especiais. Com isso, estou sugerindo que centenas de ativistas patriotas apareçam e sejam ouvidos em cada reunião de escola ao longo do ano. As

MARXISMO AMERICANO

salas de aula e as escolas precisam ser retomadas pela comunidade.

2. A natureza e as práticas furtivas dos sistemas escolares locais devem ter fim. Comitês da comunidade devem examinar o currículo, os livros didáticos, o treinamento do professor e os materiais de seminários da sala de aula, o contrato dos professores com o distrito escolar e os orçamentos da escola. Onde houver resistência dos conselhos ou administração em garantir transparência, o que é provável, os ativistas devem usar procedimentos de liberdade de informação local e estadual e outras ferramentas legais para obter a informação. Persistência é a chave. Se for necessário, procure os serviços de um advogado da comunidade local que se disponha a ajudar voluntariamente a obter as informações. Embora possa haver a necessidade de procurar grupos legais nacionais para ter ajuda, o objetivo aqui é criar uma presença local permanente e uma voz dos comitês da comunidade em seu sistema escolar para enfrentar e monitorar os conselhos escolares, os burocratas da educação e os sindicatos que têm liberdade e controle total sobre a educação até aqui.

3. Comitês da comunidade devem insistir em contratos com os sindicatos dos professores que impeçam os professores de usar salas de aula e abusar da liberdade acadêmica para fazer proselitismo ou doutrinar os alunos sobre TCR, Teoria Crítica de Gênero, ou outros movimentos dentro da órbita marxista que têm sido repentinamente impostos aos estudantes. Chega de lavagem cerebral com seus filhos sobre ódio racista e desprezo pelo país deles. Professores são pagos para ensinar, e quando falamos em ensinar, nos referimos a aprendizado objetivo, factual, científico, matemático. Além disso, os administrado-

res de escolas devem ser avisados de que você espera que eles garantam que os professores que supervisionam e o conteúdo do curso sejam apropriados. Por exemplo, aos alunos deve ser ensinada História como foi escrita por historiadores de verdade, não o amplamente condenado e desacreditado Projeto 1619 – que é alimento da TCR. Se eles não conseguem, ou não querem controlar essa questão com pulso firme, devem ser removidos.

4. Advogados particulares e grupos legais estão se unindo em processos contra o treinamento e o ensinamento da TCR em escolas públicas, alegando discriminação com base em raça e cor, além de sexo, gênero e religião, violando o Ato dos Direitos Civis de 1964, e o Título VI e o Título IX das Emendas da Educação de 1972, e a criação de um ambiente educacional hostil baseado em discurso discriminatório e a perpetuação de estereótipos raciais.27 Comitês da comunidade, grupos de pais e outros ativistas patriotas devem mover suas ações contra tantos sistemas escolares que praticam e impõem o racismo da TCR e outras ideologias relacionadas ao marxismo quanto for possível. O *site Legal Insurrection*, fundado e administrado pelo Professor William Jacobson, oferece alguns recursos úteis em relação a TCR em escolas K-12 aqui: https://criticalrace. org/k-12/. Parents Defending Education é uma de várias organizações *grassroots* que também podem fornecer assistência. Elas podem ser encontradas aqui: https://defendinged.org/.

5. Nos Estados onde há legislaturas e governadores simpáticos, os comitês de comunidade devem incentivá-los a aprovar leis que impeçam a doutrinação de estudantes e o treinamento de professores na ideologia de várias organizações relacionadas ao marxismo, inclusive a TCR. Alguns Estados, mas nem per-

MARXISMO AMERICANO

to do suficiente, aprovaram essas leis. Procuradores-gerais de Estados simpáticos deveriam ser incentivados a usar proteções constitucionais e de direitos civis federais e estaduais contra distritos escolares e sindicatos de professores que imponham doutrinação racista aos professores e estudantes. Além disso, patriotas americanos deveriam exigir que a lei estadual requeresse o ensino de Civismo nas escolas, os princípios de base na Declaração da Independência e Constituição etc. Sistemas escolares recebem significativos fundos estaduais, e esse é outro meio de contê-los.

6. Em muitas comunidades, uma grande parte dos impostos sobre propriedade são direcionados para o financiamento do sistema escolar local, e a maioria desses fundos é usada para compensar professores. Se os sistemas escolares se negam a responder aos comitês de comunidade e ao público, e se os sindicatos de professores continuam promovendo suas agendas políticas e ideológicas, os comitês de comunidade a que me refiro devem organizar uma revolta do contribuinte. A experiência do Movimento da Festa do Chá serve como excelente orientação. Embora os sindicatos de professores em alguns Estados tenham o poder de greve, o poder de capital é uma ferramenta importante e subutilizada na luta pelo controle sobre as escolas públicas.

7. Comitês de comunidade devem exigir concorrência na educação. A questão é o que é mais importante para os alunos individualmente e para o público, não para membros entrincheirados em conselhos escolares, sindicatos de professores e a burocracia educacional. Esse triunvirato sempre se opõe à escolha de escola, inclusive escolas autônomas, *vouchers* para escolas particulares e paroquiais etc., porque se opõem à con-

corrência. Pais e outros contribuintes devem insistir para que o dinheiro dos impostos siga o estudante, especialmente agora, dada a radicalização e politização de nossos sistemas de ensino público, e o abuso de poder demonstrado por muitos sindicatos de professores durante a pandemia do coronavírus.

8. Comitês de comunidade devem desenvolver e treinar possíveis candidatos a concorrer para conselhos de escolas locais, ou apoiar aqueles que compartilham de seu compromisso com a verdadeira reforma da educação. Isso já começou em algumas comunidades.

9. Espera-se que comitês de comunidade sejam estabelecidos e floresçam por todo o país, tornando possível o compartilhamento de informação e táticas entre eles.

10. Também há medidas que você pode tomar, juto com outros grupos ou fundações legais sem fins lucrativos, respeitando as atividades políticas e outras atividades da National Education Association (NEA) ou American Federation of Teachers (AFT) e seus afiliados locais e estaduais, que são sindicatos setoriais *públicos* que recebem subsídios fiscais e outros benefícios do governo.28 Entre eles, solicitar junto à IRS a restituição de seus impostos. Além disso, às vezes esses sindicatos e outros grupos relacionados criam organizações isentas de impostos. As restituições federais das organizações isentas de impostos (Form990s) ficam disponíveis no *site* da organização. A IRS também aceita reclamações contra organizações isentas de impostos por descumprimento de seu *status* fiscal federal, inclusive sindicatos de professores, em muitos casos. É possível encontrar informação aqui: https://www.irs.gov/charities-non-profits/irs-complaint-process-tax-exempt-organizations.

MARXISMO AMERICANO

A educação superior apresenta o próprio conjunto de dificuldades e desafios. Ela é o solo fértil do Marxismo Americano, onde professores marxistas radicais comandam o espetáculo. De fato, as faculdades e universidades mais subversivas devem ser submetidas ao tipo de movimento BDS que seus alunos e graduados frequentemente promovem contra os outros. Há oportunidades para reação real.

1. Em primeiro lugar, qualquer pai que sustenta financeiramente os estudos do filho em uma faculdade ou universidade precisa tentar, pelo menos, exercer algum controle sobre as decisões do filho a respeito de que escola frequentar. Temos muitas escolhas, e a decisão é se a escolha vai ser sábia. Assim, os pais devem conhecer muito bem a reputação da escola de liberdade acadêmica, liberdade de expressão, educação tradicional e coisas do tipo, ou se ela é uma estufa de radicalismo e intolerância marxistas. Mais que isso, mesmo que você não ajude financeiramente, um pai ainda deve usar sua influência para ajudar a dirigir e orientar as decisões do filho. Além do mais, se seu filho foi aceito em uma escola da Ivy League, você não deve se deixar hipnotizar pelo nome e pela reputação passada. Por exemplo, entre os fundadores mais ardentes da TCR havia professores de Direito na Harvard e na Stanford. Como discutido anteriormente, a ideologia da Teoria Crítica (TC) de base marxista devorou nossas faculdades e universidades e deu origem a numerosos movimentos radicais na academia, que se espalharam por nossa sociedade. Mais uma vez, o *site Legal Insurrection* fornece um banco de dados muito útil e abrangente de atividade da TCR em *campi* de faculdades e universidades, que pode ser encontrado aqui: https://legalinsurrection.com/tag/college-insurrection/.

2. Faculdades e universidades conduzem constantes campanhas para angariar fundos, nas quais procuram os graduados em busca de apoio financeiro. Algumas dessas instituições angariam valores altos de doações. Esse é um caminho fácil para eliminar uma fonte de financiamento de uma escola que é solo fértil para o Marxismo Americano. De fato, campanhas devem ser lançadas para informar graduados e doadores em potencial de que devem negar seu apoio para certas faculdades ou universidades que se dedicam a silenciar liberdade acadêmica e livre discurso, promover o marxismo, e que fazem parte da cultura do cancelamento. Também há escolas, embora sejam poucas, que devem ser apoiadas por sua abordagem tradicional de uma educação na área de Humanas, como a Hillsdale College e a Grove City, entre outras.

3. É preciso virar o jogo contra as faculdades e universidades mais radicais. Várias devem ser escolhidas como exemplos, selecionadas especialmente para campanhas do tipo BDS, isto é boicotadas pelos pais, alunos e doadores; desinvestidas de dólares do setor privado; e sancionadas por campanhas de pressão sobre governos locais e estaduais, bem como sobre corporações para que interrompam o apoio dado a essas escolas.

4. Legislativos estaduais são as fontes governamentais primárias de financiamento para faculdades e universidades, e em alguns casos a fonte primária – isto é contribuintes estaduais. No entanto, pouco fazem para influenciar ou monitorar quanto desses fundos são gastos nesses *campi*. Faculdades e universidades se tornaram impérios, insistem em imunidade contra monitoramento e supervisão independentes, enquanto usam a liberdade concedida a essas instituições pela Primeira Emenda e a doutrina da liberdade acadêmica para silenciar vozes não con-

MARXISMO AMERICANO

formes – sejam elas de professores, alunos, oradores externos etc. Passou da hora de pressionar legislativos e governadores para que tomem medidas imediatas para conter os aspectos despóticos dessas instituições – que usam sua liberdade para destruir a nossa.

Por exemplo, a academia é superpovoada por professores radicais, muitos deles pregando sedição, como foi muito discutido anteriormente. Também mostrei que em uma pesquisa com centenas de professores de faculdades e universidades em 2006, "80% eram solidamente de esquerda, com bem mais da metade desses de extrema esquerda... um em cada cinco professores das Ciências Sociais se identificou como 'marxista'".[29] Isso foi há quinze anos; imagine quanto isso é muito pior hoje em dia. Além disso, em meu livro *Plunder and Deceit*, comentei que estudos mostravam que "há... uma rede incestuosa de graduados nos principais departamentos em diferentes áreas que contratam ex-alunos conhecidos na medida em que progridem para posições superiores em departamentos de outras faculdades e universidades"[30] para garantir e promover pensamento ideológico de grupo entre o corpo docente.

A maneira corrupta como professores de faculdades e universidades subsidiadas por dinheiro do contribuinte são recrutados, contratados, pagos e efetivados precisa ser interrompida pelos legislativos estaduais. Na verdade, a prática da "efetivação" deve ser completamente eliminada. Não há base legítima ou racional para o extremo desequilíbrio ideológico e político de professores de faculdade e universidade em numerosos departamentos. Além do mais, não há uma boa razão para os contribuintes pagarem marxistas para ensinarem gerações de estudantes a odiarem seu país, protegê-los de avaliação e responsabilidade, e fornecer a eles segurança de emprego vitalício com a efetivação. Esse conluio acadêmico é livre para progredir incansavelmente com suas causas ideológicas e efetivamente controlar os *campi* de faculdades e universidades da América. São eles e seus administradores que destruíram a liberdade acadêmica e a liberdade de expressão. Realmente, se liberdade acadêmica e liberdade de expressão realmente existissem nesses *campi*, os poucos professores que não seguem a ideologia da maioria, e até ousam questioná-la, não seriam ameaçados, submetidos à cultura do cancelamento, e não teriam a carreira arruinada. Estudantes e grupos de estudantes que desafiam os marxistas do *campus* não seriam assediados e violentamente atacados.[31] Palestrantes convidados de todos os pontos de vista seriam bem-vindos, e palestrantes pró-americanos não seriam recebidos aos gritos e expulsos do *campus* por turbas furiosas. Discursos de abertura seriam mais representativos da sociedade maior.[32]

Com tantos departamentos de faculdades e universidades da América se tornando moinhos de doutrinação orientada para o marxismo, não é surpreendente que políticos Democratas como o Senador Bernie Sanders tenham proposto faculdade gratuita e eliminação de empréstimos estudantis como forma de incentivar mais jovens a frequentar faculdades e universidades.[33] A administração Biden propôs mais bilhões em gastos e concessões para a educação superior, e promete muito mais no futuro.[34] E mesmo assim, ainda não é suficiente, com os custos, gastos e mensalidades das faculdades disparando além de tudo que é razoável.[35]

Além disso, apesar do enorme gasto em dólares do contribuinte para subsidiar essas escolas, seu parentesco ideológico parece imunizar a maioria delas contra supervisão e inspeção regularizadas, constantes e amplas, certamente por Democratas que controlam o Congresso e o legislativo de vários Estados. Mas legislativos estaduais que não apoiam a transformação dessas instituições e seus preços exorbitantes devem começar imediatamente a retirar financiamento futuro dessas

MARXISMO AMERICANO

escolas e exigir prestação de contas acadêmicas e financeiras. Mais uma vez, o poder econômico é um meio crucial para conter essas instituições cada vez mais fora de controle.

5. Como a administração Biden está dando cobertura para faculdades e universidades que aceitam dezenas de milhões de dólares em subsídios e doações do exterior,[36] inclusive da China Comunista, que estabeleceu "Confucius Institutes" por toda a academia americana, e apesar de ação recente do Senado intensificando controles sobre esses fundos,[37] os legislativos estaduais deveriam pressionar para obrigar essas escolas a relatar o recebimento desses fundos, e depois proibi-los. China e outros países estão usando esses financiamentos para comprar propaganda favorável e de apoio e estágios para seus regimes repressivos. Se faculdades e universidades se recusarem a obedecer, legislativos estaduais devem retirar ainda mais seu financiamento.

6. Não esqueça que você pode usar leis estaduais de liberdade de informação para obter todo tipo de informações de e sobre universidades públicas, e o FOIA federal vale para o Departamento de Educação, onde, sem dúvida, existem informações adicionais sobre essas escolas.

Finalmente, os alunos, obviamente, têm voz sobre a própria educação. Se um professor está abusando de seu papel e transformando a sala de aula em seminário regular de doutrinação em apoio aos muitos movimentos relacionados ao marxismo, o estudante deve exigir que a faculdade ou universidade reembolse seus custos; junte-se com estudos de mentalidade semelhante e proteste na administração da escola contra a propaganda do professor; e talvez até considere litígio na área comercial por propaganda enganosa, fraude etc.

CORPORAÇÕES

Any Rand observou: "A maior culpa dos industrialistas modernos não é a fumaça que sai das chaminés de suas fábricas, mas a poluição na vida intelectual deste país, que permitiram, ajudaram e apoiaram".[38] Muito verdadeiro.

Por razões discutidas anteriormente, e por mais bizarro que possa parecer, muitas corporações importantes adotaram o BLM[39], outro movimento de orientação marxista e agendas relacionadas à TC, e os esquemas eleitorais enganosos do Partido Democrata.[40] Em uma campanha de repressão, muitos procuram frear o livre discurso, censurar opiniões e crenças não conformes e banir ou boicotar indivíduos, grupos, outros negócios menores, normalmente, que não acatam a nova ortodoxia, e até legislativos estaduais Republicanos. Além disso, estão doutrinando suas forças de trabalho com a ideologia de vários movimentos marxistas como uma condição de contratação.[41] É claro, Donald Trump proibiu o governo federal de usar TCR em seu treinamento e de negociar com empresas que usam TCR e rejeitou esforços do Partido Democrata e seus grupos substitutos para eviscerar as leis eleitorais anteriores à eleição de 2020.[42]

Essas companhias agora se associaram abertamente com o Partido Democrata contra o Partido Republicano, negando apoio a este e apoiando mais candidatos daquele.[43] De fato, Joe Biden era, sem dúvida, o candidato deles para presidente.[44] E Biden contratou diversos executivos entre esses grupos.[45] Além disso, CEOs corporativos são ativistas e propagandistas dessas causas, organizando petições, cartas e outros esforços públicos politicamente motivados, e até fundamentando o sucesso corporativo em conquistas do ativismo social.[46]

No entanto, enquanto apontam virtudes aqui, muitas dessas corporações negociam com o mais perigoso inimigo da América, o regime genocida da China Comunista.[47] Estão expandindo seus laços com a China, ou tentando entrar no mercado chinês, e silenciam sobre as horríveis violações de direitos humanos naquele país,[49] inclusive a retirada forçada de órgãos,[50] sua massiva rede de campos de concentração e tortura, estupro e assassinato de muçulmanos uigures, entre outros grupos minoritários.[52]

Novamente, o que pode ser feito?

1. Cada um de nós, e nosso círculo de amigos, associados e vizinhos, pode praticar o que chamo de "comércio patriótico" – isto é, tornar-se um consumidor patriota informado. Juntos, temos enorme poder econômico. Seja comprando pequenos produtos e serviços todos os dias, ou tomando grandes decisões financeiras que mudam vidas, cada um de nós precisa dedicar um tempo a determinar se o indivíduo ou a companhia com quem pretende fazer negócios compartilha de suas visões de mundo. Se sim, ou se são neutros e não se envolvem em política, devemos apoiá-los. Se não, não devemos negociar com eles e devemos até organizar boicotes contra eles como parte de nossos movimentos BDS. Boicotar é algo que os marxistas americanos e seus aliados e seguidores faz há décadas, e temos que reagir. Na verdade, eles aumentaram muito essas atividades nos últimos anos.[53]

    Além disso, você deve apoiar economicamente empresas que são atacadas, mas se recusam a descer a essas táticas de massa, comprando seus produtos e serviços. Por exemplo, quando o CEO da Goya disse palavras de apoio sobre o Presidente Trump, sua empresa foi boicotada pelas brigadas marxistas. Mas a reação de americanos patriotas foi rápida e profunda, e eles se uniram em apoio à companhia e compraram tantos produtos da Goya, que as prateleiras da loja ficaram vazias.[54] A lição aprendida é que, além de boicotar companhias no nível pessoal e coletivo, devemos apoiar também empresas pró-americanas.

Além disso, usar a mídia social para expor, pressionar e organizar protestos contra corporações politicamente e ideologicamente hostis (mais sobre *Big Tech* posteriormente); comparecer às reuniões de acionistas em grandes grupos e se fazer ouvir (isso inclui mídia corporativa e empresas *Big Tech*). O Free Enterprise Project (FEP) "propõe resoluções de acionistas, envolve CEOs corporativos e membros do conselho em reuniões de acionistas, faz petições à Securities and Exchange Commission (comissão de segurança e câmbio) (SEC) por orientação interpretativa, e patrocina campanhas de mídia efetivas para criar os incentivos para que as corporações permaneçam focadas em suas missões", e pode ajudar em seus esforços. A FEP pode ser encontrada aqui: https://nationalcenter.org/programs/free-enterprise-project. Outros grupos também servem. Você pode fazer parte de campanhas patrióticas orientadas para acionistas.

Pressione legisladores estaduais para investigarem essas corporações, particularmente aquelas que têm negócios na e com a China Comunista, e insista para que retirem todos os fundos de pensão do Estado e outros fundos dessas companhias.

Como você sabe que corporações se aliaram a grupos e causas marxistas, como o movimento TCR, ou estão de outra forma envolvidas em outras questões políticas ou policiais com as quais você não concorda? É claro, a internet disponibiliza muita informação que pode conter esses dados, como prospectos corporativos (as corporações costumam se vangloriar de seu "ativismo social"). Também existem organizações que acompanham e classificam companhias com base em suas atividades políticas e ideológicas – inclusive *2ndVote*, encontrada aqui: https://www.2ndvote.com, e o *site* da *Open-Secrets* rastreia doações, aqui: https://www.opensecrets.org. É só digitar o nome da companhia. E mais, o Media Research Center acompanha os patrocinadores corporativos dos programas das maiores redes de notícias, que podem ser encontrados aqui: https://www.mrc.org/conservatives-fight-back.

Na medida do possível, você também deve comprar bens e serviços de empresas menores, *startups* ou comércios de bairro com menor probabilidade para se envolver nos vários movimentos de base marxista, em vez de grandes corporações internacionais, *Amazon*, ou grandes lojas atacadistas que estão cada vez mais alinhadas com esses movimentos.

2. Apoio ao capitalismo de livre mercado não deve mais ser confundido com defender oligarquia corporativa e capitalismo clientelista. Grandes corporações entraram no negócio de ativismo social e se alinharam a movimentos de base marxista e ao Partido Democrata.55 Portanto, que vivam sob o punho de aço dos novos parceiros e arquem com as consequências. Quando nossos aliados no governo implantam políticas fiscais e regulatórias, devemos insistir para que segreguem o tratamento das corporações oligárquicas dos pequenos e médios negócios. Os interesses daquelas não se alinham aos interesses destes ou ao nosso interesse de preservar a república. Por exemplo, vimos como Google, Facebook, Twitter, Apple etc. se uniram em um esforço ousado para destruir o iniciante Parler, censurar o ex-presidente Trump, encobrir o escândalo Hunter Binden antes da eleição, impor lockdowns contra o

coronavírus e banir opiniões científicas e de especialistas que diferiam das dos burocratas do governo, e usar técnicas de supressão para estigmatizar e silenciar discurso e debate que não apoiavam e não apoiam como matérias de política e polícia. Também vimos centenas de corporações se unirem contra o legislativo Republicano na Geórgia e seus esforços para reformar judicialmente o sistema eleitoral do Estado – como trabalharam com o Partido Democrata e seu empenho para estabelecer por lá o comando unipartidário. Essas corporações enviaram cartas, petições, declarações públicas, e algumas até instituíram boicotes econômicos, inclusive a Major League Baseball, que tirou seu All-Star Game de Atlanta.56

Portanto, quando legislativos estaduais controlados pelos Democratas, ou Democratas no Congresso se voltarem contra seus novos aliados corporativos e, por exemplo, propuserem significativos aumentos de impostos às corporações, não devemos mover um dedo para impedir. Em vez disso, devemos insistir que pequenos e médios negócios, que não estão envolvidos na promoção da agenda dos marxistas americanos ou do Partido Democrata, devem ser protegidos. De fato, quando for apropriado, devemos insistir em ações antitruste contra grandes corporações que usam sua influência não só para anular concorrentes (como as *Big Tech*), mas para apoiar políticas e leis que minam nosso país. E se as leis antitruste existentes não são adequadas, devem ser atualizadas. Além disso, legislaturas estaduais simpáticas devem ser pressionadas para avançar sobre as *Big Tech*, uma vez que Estados não carecem de recursos estatutários, como a Flórida demonstrou.[57]

3. As empresas de mídia e tecnologia estão entre as maiores oligarquias corporativas da nação. Elas demonstraram muitas e

muitas vezes o uso de sua influência corporativa para reprimir, censurar e propagandear em nome de ativismo social, movimentos baseados no marxista e do Partido Democrata. A grande mídia usa sua influência corporativa para tentar destruir organizações de notícias e opinião não conformes (por exemplo, A CNN da *AT&T* defende repetidamente a exclusão do Canal Fox News da plataforma e o banimento de seus âncoras), e, é claro, as *Big Tech* fazem a mesma coisa contra empresas menores de mídia social. Vamos lembrar que quando a TV a cabo e, posteriormente, a mídia social foram desenvolvidas, elas foram celebradas por fornecerem *mais* opiniões e opções para os novos consumidores. Em vez disso, aquisições e consolidação corporativas levaram a relativamente poucos corporativistas controlando o conteúdo e a distribuição de informação pelo país. Isso é simplesmente intolerável.

Com respeito a *Big Tech*, se você usa mídia social, deve encontrar alternativas para os oligarcas corporativos. Não sou conhecedor de tecnologia. No entanto, sei o suficiente para sugerir algumas opções: fóruns de comunidade do *Parler*, *MeWe* e *Discord*. *Rumble*, *Vimeo* e *Bitchute*. E o motor de busca *DuckDuckGo*. E há outros que você pode encontrar na internet. Além disso, você pode monitorar as atividades de censura dos oligopolistas das *Big Tech* usando o FreeSpeech-America Project do Media Research Center e seu *site Censortrack*, neste endereço: https://censortrack.org/.

No entanto, a causa-raiz para o poder e o abuso das *Big Tech* remonta à proteção conferida a elas pelo Congresso em 1996 na Seção 230 do Communications Decency Act (Ato de Decência nas Comunicações). Como explica Rachel Bovard do Conservative Partnership Institute (CPI): Ele "protege as companhias *Big Tech* contra processos motivados pelo conteúdo postado pelos usuários em seus *sites*. A lei também cria um escudo de responsabilidade para as plataformas 'restringir acesso ou disponibilidade de material que o provedor ou usuário considere... questionável, seja ou não esse material constitucionalmente protegido'".[58] Ela acrescenta: "Um punhado de companhias *Big Tech* controlam agora o fluxo da maior parte da informação em uma sociedade livre, e para isso têm a ajuda e o incentivo de políticas do governo. Dizer que são apenas companhias privadas exercendo seus direitos da Primeira Emenda é uma visão reducionista que ignora que elas estão em posição privilegiada para isso – são imunes a imputação de responsabilidades às quais outros atores da Primeira Emenda, como jornais, estão sujeitos – e também que essas decisões de moderação de conteúdo acontecem em uma escala extraordinária e sem paralelos".[59] Assim, quando Republicanos voltarem a controlar o Congresso e a presidência, terão que ser agressivamente pressionados para que excluam a Seção 230 de imunidade para as *Big Tech*, coisa que o Presidente Trump tentou fazer, mas foi impedido pelo próprio partido.

E mais, a interferência do bilionário do *Facebook*, Mark Zuckerberg, nas eleições e a tentativa de manipulá-la, inclusive a eleição presidencial de 2020, com centenas de milhões em contribuições direcionadas, bem como a manipulação de algoritmos pelo *Google* precisam ser investigadas e consideradas ilegais no nível federal e no estadual.[60] Você pode procurar legisladores estaduais simpáticos e registrar queixas contra corporações que fazem contribuições desse tipo junto a várias agências federais e estaduais e, novamente, aparecer nas reuniões de acionistas dessas empresas e se fazer ouvir.

Com respeito à grande mídia e sua guerra contra o livre discurso e mídias concorrentes, grandes corporações abocanharam muitas plataformas de mídia importantes. Já mencionei que a *AT&T* é dona da CNN. *Comcast* tem a NBC. Uma lista parcial de outras empresas pode ser encontrada em *Investopedia.com*.[61] A ausência de autopoliciamento e supervisão dessas corporações, e seu apoio ao Partido Democrata e a grupos de base marxista e suas agendas contribuíram, de fato, para destruir o propósito de uma imprensa livre, aberta e competitiva. Portanto, nossos esforços BDS devem ser direcionados, também, para essas novas organizações e seus controladores corporativos. Devemos torná-las tão irrelevantes quanto for possível nos recusando pessoalmente a usá-las, incentivando família, amigos e associados a boicotá-las, e comparecendo a suas reuniões de acionistas, onde suas políticas, seu ativismo social ideológico e a destruição da liberdade de imprensa são desafiados.

Além disso, nossa lealdade, inclusive a hábitos de audiência e leitura, deve ser direcionada para o número cada vez maior de jornalistas e *sites* de notícias independentes que são muito mais confiáveis que os canais da grande mídia. Vários desses *sites on-line* fazem jornalismo original e reportam notícias reais, e outros ajudam a separar novas matérias e agregá--las. Uma lista parcial pode ser encontrada aqui: https://www.libertynation.com/top-conservative-news-sites. Além disso, também há canais a cabo, entre eles Fox News, Fox Business, One America News Network, Newsmax TV, Sinclair Broadcasting e outras plataformas de divulgação de notícias em desenvolvimento; e um punhado de jornais, inclusive, mas não só *New York Post, Washington Examiner, Washington Times etc.*

4. Ligas de esportes profissionais e times também são corporações de muitos milhões de dólares. Certas ligas, inclusive a National Basketball Association (NBA), bem como times e jogadores, apoiam, por exemplo, o movimento BLM, mas ganham muito dinheiro fazendo negócios com um regime comunista genocida na China. Quando for apropriado, as ligas e os times podem ser submetidos a protestos em suas sedes corporativas ou nos estádios onde jogam. O esporte profissional tem uma vasta influência na cultura. Até hoje, não houve reação. Mais que isso, considerando o papel da Major League Baseball na transferência do All-Star Game da Geórgia para o Colorado, devemos pressionar os Republicanos no Congresso pelo fim de sua isenção especial das leis antitruste.

CLIMA

Como foi discutido anteriormente, o movimento de "mudança climática" (antes esfriamento global e aquecimento global) é um movimento anticapitalista, de decrescimento, que vai empobrecer os americanos. No fundo, ele é uma guerra de base ampla contra seus direitos de propriedade, liberdade e estilo de vida. Mais amplamente, é um ataque contra o sistema econômico mais bem-sucedido que a humanidade conhece, e expande imensamente o poder da burocracia federal, dos políticos e de instituições internacionais/globais para administrar, ditar e controlar infinitos aspectos de nossa sociedade e economia por meio de regulações e mandatos disfarçados de saúde e segurança pública, ar limpo, água limpa e até segurança nacional. Comparados a isso, os abusos de poder que vimos e vivemos, por governos estaduais incautos e tirânicos no trato da pandemia do coronavírus, e as lamentáveis violações de liberdades civis e religiosas, vão parecer coisas sem importância.

Escrevi em *Liberty and Tiranny* anos atrás, "com a ajuda de uma mídia maleável e solidária, o Estadista usa ciência questionável, representações errôneas e medo para promover pânico ambiental e de saúde pública, porque percebe que, em uma emergência de saúde real e disseminada, o público espera que o governo aja de maneira agressiva para abordar a crise, apesar das limitações tradicionais da autoridade governamental. Quanto mais sombria a ameaça, mais liberdade o povo normalmente se dispõe a ceder. A autoridade do governo torna-se parte da moldura social de referência, só para ser ampliada durante a próxima 'crise'".[62]

Como expliquei mais minuciosamente, a patologia envolve "previsões urgentes... feitas por 'especialistas' escolhidos a dedo, que a mídia aceita sem ceticismo ou investigação independente e transforma em uma cacofonia de medo. Em seguida, agentes públicos aderem ao clamor para demonstrar que estão tomando as medidas para reduzir os perigos. Novas leis são implantadas, ou regulações são promulgadas, supostamente para limitar a exposição da população ao novo 'risco'".[63]

De fato, o embaixador especial de Biden para o clima, John Kerry, ressaltou que não vai haver limite ou fim para o estreitamento de nossas liberdades em nome da mudança climática, que é real para todos os movimentos de origem marxista na América. Kerry declarou: "Só quero lembrar a todos que isso vai depender de termos ou não algumas tecnologias inovadoras, algumas inovações transformadoras, em primeiro lugar, mas mesmo que não tenhamos nada, ainda temos que tirar o dióxido de carbono da atmosfera. Então, esse é um desafio maior do que muita gente percebeu até agora".[64]

A reação vai exigir resposta legal e administrativa. Você pode acessar uma rede de grupos de política estadual, alguns deles encontrados aqui: https://www.property-rts.org, que podem fornecer orientação política e referências legais. Você também pode usar leis federais e estaduais de liberdade de informação e entrar em contato diretamente com grupos legais potencialmente úteis (*links* fornecidos anteriormente).

Sempre que for apropriado, pode-se processar entidades governamentais, privadas e sem fins lucrativos que interferem de maneira tortuosa no uso de sua propriedade ou degradam o valor de mercado de sua propriedade.[65] Você pode entrar diretamente com requerimentos FOIA pedindo informações à Environmental Protection Agency (EPA), ao Departamento do Interior e outras agências federais para pesquisar suas atividades e responsabilizá-las,[66] bem como para retardar processos e atividades regulatórios. E mais uma vez, procuradores-gerais solidários podem ser incentivados a mover processos contra ações federais, como no ataque ilegal de Biden contra o gasoduto Keystone XL.[67]

Quando os Republicanos recuperarem a maioria na Casa e no Senado e ganharem a presidência, devem ser pressionados pela eliminação do *status* especial de isenção fiscal concedido a grupos ambientais, uma vez que eles não são fundações beneficentes não partidárias; e pela eliminação de sua autoridade especial estatutária para processar em nome do povo, uma vez que seu principal objetivo é eviscerar nosso sistema econômico, direitos à propriedade privada e princípios republicanos. Por muito tempo, esses grupos tiveram uma política confortável e um relacionamento legal com os burocratas no Departamento do Interior, no Departamento de Agricultura, na Agência de Proteção Ambiental e em outros departamentos e agências federais.

ANTIFA, *BLACK LIVES MATTER* E ARRUACEIROS

A negligência do governo federal ao não abrir investigações e mover ações contra Antifa, BLM e outras organizações terroristas domésticas pelo caos que desencadearam e pelos bilhões de dólares em prejuízo que causaram em comunidades americanas é escandalosa.[68] Ademais, o tratamento diferenciado dispensado por agentes federais da lei a indivíduos com base em suas crenças políticas é escandaloso.[69]

No entanto, governantes honrados podem agir para proteger seus cidadãos, inclusive fortalecendo suas leis contra essa violência e contra arruaceiros. Na Flórida, o Governador Ron DeSantis instituiu medidas que "aumentam as penas para crimes existentes cometidos durante uma reunião violenta, e protege os policiais das comunidades e as vítimas desses tipos de atos. A lei também cria crimes específicos para intimidação em grupo e intimidação cibernética, para garantir que a Flórida não se torne um lugar acolhedor para aqueles que querem impor sua vontade sobre civis inocentes e policiais por meio de mentalidade de turba. Crimes de intimidação em grupo e intimidação cibernética tornam-se contravenções de primeiro grau".[70] Governantes e legisladores estaduais pelo país devem ser pressionados pela adoção de leis semelhantes.

Mas os cidadãos não precisam esperar pelo governo em todos os níveis para agir. Existem processos civis privados que podem ser movidos contra essas organizações e arruaceiros, dependendo dos estatutos de cada Estado, que atacam as finanças desses grupos e indivíduos e, espera-se, ajudam a compensar as vítimas pelos danos sofridos. Possíveis causas de ação podem incluir: infringir de maneira intencional perturbação emocional, interferir de maneira tortuosa em contratos, invasão de terra e bens móveis, e conversão de propriedade. Processos civis RICO estaduais e federais são possíveis nos casos mais extremos, especialmente com as mesmas organizações aparecendo no local de protestos violentos.[71]

Além disso, você pode pedir ao IRS para rever ou investigar questões financeiras relacionadas a organizações como BLM, que você pode encontrar em artigos de jornais, fontes *on-line* etc. Por exemplo, foram levantadas questões sobre as operações interligadas [72] do BLM e transparência.[73]

Mais que isso, se você conseguir ver as placas do carro de um manifestante fugindo do local de um protesto violento, denuncie o número ao departamento de polícia local. Seus olhos, ouvidos e os vídeos do seu celular são importantes ferramentas no combate ao crime.

POLÍCIA

A polícia é atacada pela Antifa, pelo BLM, por grupos anarco-marxistas, criminosos violentos, políticos democratas, a mídia etc. De fato, desde o surgimento do BLM e da cobertura da mídia simpatizante, a visão positiva da polícia sofreu uma redução, particularmente entre minorias.[74] Porém, apesar de a polícia ser agora acusada de maneira rotineira na mídia de racismo contra afro-americanos e outras minorias, a evidência simplesmente não sustenta essas acusações.[75] Além do mais, 81% dos americanos negros querem preservar a presença da polícia local em suas comunidades, e muitos querem uma presença ainda maior.

Mesmo assim, como consequência dessa guerra contra a polícia, crimes violentos na América estão aumentando, especialmente em nossas maiores cidades.[76] E cidadãos cumpridores da lei pagam um preço pessoal alto. No entanto, em vez de enfrentar a turma, seus facilitadores e os que se conformam com ela, o que se intensifica é a guerra contra a polícia.

Existes supostos esforços de reforma a caminho que têm, na verdade, o objetivo de tirar dos policiais e dos departamentos de polícia a capacidade de proteger o cidadão, inclusive iniciativas legais que exporiam os policiais a dano pessoal e falência financeira. Entre outras coisas, Democratas no Congresso e seus seguidores radicais estão pressionando para, essencialmente, eliminar imunidade qualificada e submeter os policiais a intermináveis processos; reduzir as exigências para mover processos criminais contra policiais; promover investigações locais e estaduais de policiais; manter um banco de dados federal sobre todos os policiais; baixar o padrão legal para determinar o uso justificado de força de "razoável" para "necessário"; e limitar a transferência de equipamento de "estilo militar" para forças policiais.[77]

O resultado de tudo isso: em todo o país, o recrutamento e a permanência de agentes de polícia despencaram.[78] A fina linha azul está se rompendo. E a sociedade civil está mergulhando no caos. Portanto, além de apoiar policiais e departamentos de polícia como for possível, inclusive falando por eles, nosso apoio também é necessário de algumas maneiras específicas. Eu tenho uma sugestão, além das muitas que você também pode ter:

Se a lei estadual permitir, não há motivo para os policiais não moverem ações civis contra indivíduos que os ataquem fisicamente, e até contra organizações por trás de protestos violentos que resultem em policiais agredidos ou feridos, como Antifa e BLM. Há vários fatores que precisam ser considerados, inclusive a habilidade de identificar os indivíduos e as associações, bem como a relação causal. Mas policiais e seus sindicatos devem consultar um bom advogado para analisar a lei e os fatos.79 Você pode ajudar fornecendo assistência financeira especificamente dirigida para a representação legal de policiais que movem esses processos entrando em contato com sua agência de polícia local, com a associação beneficente da sua polícia local, o Fundo de Defesa Legal da Polícia encontrado em https://policedefense.org; A Associação Nacional de Organizações de Polícia em https://www.napo.org; a Ordem Fraternal de Polícia em https://fop.net; e outros grupos semelhantes.

Dizem que o General George S. Patton falou: "Nunca diga às pessoas como fazer coisas. Diga a elas o que fazer, e elas o surpreenderão com sua engenhosidade". Então, a esse ponto, forneci algumas ideias concretas e sugestões sobre como agir, mas essa não é, de jeito nenhum, uma lista exaustiva de possíveis ações ou áreas de ação. No fim, cabe a *você* decidir a melhor maneira de ajudar de forma ativa a salvar nossa república, e que papel *você* vai escolher. Dito isso, Patton também declarou: "Nenhuma boa decisão jamais foi tomada em uma cadeira giratória".

Embora este seja o fim do livro, é o começo de um novo dia.

NÓS ESCOLHEMOS LIBERDADE!
PATRIOTAS DA AMÉRICA, UNAM-SE!

*Em memória amorosa
de Barney Levin*

NOTAS

CAPÍTULO UM: ESTÁ AQUI

1. Mark R. Levin, *Ameritopia: The Unmaking of America* (Nova York: Threshold Editions, 2012), 3.
2. Andrew Mark Miller, "cofundador do *Black Lives Matter* diz que objetivo do grupo é 'tirar Trump'," *Washington Examiner*, 20, jun. 2020, https://www.washingtonexaminer.com/news/black-lives-matter-co-founder-says-groups-goal-is-to-get-trump-out (22, abr. 2021).
3. Jason Lange, "Estafe de Biden doa para grupo que paga fianças na Mineápolis destruída por tumultos", Reuters, 30, mai. 2020, https://www.reuters.com/article / us-minneapolis-police-biden-bail/ biden-staff-donate-to-group-that -pays-bail-in-riot-torn-minneapolis-idUSKBN2360SZ (22, abr. 2021).
4. Levin, *Ameritopia*, 7.
5. Ted McAllister, "Thus Always to Bad Elites," *American Mind*, 16 mar, 2021, https://americanmind. org/salvo/thus-always-to-bad-elites/ (22, abr. 2021).
6. Ronald Reagan, "Encroaching Control (The Peril of Ever Expanding Government)," em *A Time for Choosing: The Speeches of Ronald Reagan 1961-1982*, eds. Alfred A. Baltizer e Gerald M. Bonetto (Chicago: Regnery, 1983), 38.

CAPÍTULO DOIS: CRIAR TURBAS

1. Mark R. Levin, *Ameritopia: The Unmaking of America* (Nova York: Threshold Editions, 2012), 6-7.
2. Ibid., 7-8.
3. Ibid., 16.
4. Julien Benda, *The Treason of the Intellectuals* (New Brunswick: Transaction, 2014), 2
5. Ibid., 2-3.
6. Capital Research Center, "What Antifa Really Is," 21, dez. 2020, https:// capitalresearch.org/article/is-antifa-an-idea-or-organization/ (6, abr. 2021).
7. Scott Walter, "The Founders of Black Lives Matter," *First Things,* 29, mar. 2021, https://www.firstthings.com/

MARXISMO AMERICANO

web-exclusives/2021/03/the -founders-of-black-lives-matter (6, abr. 2021).

8. Levin, *Ameritopia*, 11.

9. Ibid., 13.

10. Jean-Jacques Rousseau, *Discourse on the Origin and Foundations of Inequality Among Men*, ed. e trad. Donald A. Cress (Indianapolis: Hackett, 2012), 45.

11. Ibid., 87.

12. G. W. F. Hegel, *Elements of the Philosophy of the Right*, trad. S. W. Dyde (Mineola, NY: Dover, 2005), 133.

13. Karl Marx e Friedrich Engels, *The Communist Manifesto* (London: Soho Books, 2010), 36.

14. Ibid., 23.

15. Ibid., 42.

16. Eric Hoffer, *The True Believer: Thoughts on the Nature of Mass Movements* (Nova York: HarperPerennial, 2010), 12.

17. Ibid., 69.

18. Ibid., 75.

19. Ibid., 76.

20. Ibid.

21. Ibid., 74.

22. Ibid., 80.

23. Ibid., 80-81.

24. Ibid., 85.

25. Ibid., 85-86.

26. Ibid., 87.

27. Tyler O'Neill, "Hacked Soros Documents Reveal Some Big Dark Money Surprises," PJ Media, 19, ago. 2016, https://pjmedia.com/news-and -politics/tyler-o-neil/2016/08/19/ hacked-soros-documents-reveal-some -big-dark-money-surprises-n47598 (6, abr. 2021).

28. Hoffer, *The True Believer*, 98.

29. Ibid., 140.

30. Hannah Arendt, *The Origins of Totalitarianism* (Nova York: Harcourt, 1976), 307.

31. *Frontiers in Social Movement Theory*, ed. Aldon D. Morris e Carol McClurg Mueller (New Haven: Yale University Press, 1992), x.

32. William A. Gamson, "The Social Psychology of Collective Action," in *Frontiers in Social Movement Theory*, 56. Professor Gamson leciona Sociologia na Boston College e codirige o Media Research and Action Project: https://www.bc.edu/ bc-web/schools/mcas/departments / sociology/people/affiliated-emeriti/ william-gamson.html (6, abr. 2021).

33. Ibid.

34. Ibid., 57.

35. Ibid., 74.

36. Debra Friedman e Doug McAdam, "Collective Identity and Activism: Networks, Choices and the Life of a Social Movement," in *Frontiers in Social Movement Theory*, 157. Professor McAdam é atualmente professor (emérito) de Ray Lyman Wilbur em Sociologia na Stanford University: https://sociology.stanford.edu/people/ douglas-mcadam (6, abr. 2021).

37. Ibid.

38. Ibid., 169-70.

39. Bert Klandermans, "The Social Construction of Protest and Multiorganizational Fields," em *Frontiers in Social Movement Theory*, 99-100. Professor Klandermans é professor de Sociologia na Universidade Livre de Amsterdã, Holanda: https://research.vu.nl/en/persons/ bert-klandermans (6, abr. 2021).

40. Aldon D. Morris, "Political Consciousness and Collective Action," em *Frontiers in Social Movement Theory*, 351-52. Professor Morris é professor de Leon Forrest em Sociologia e Estudos Afro-Americanos na Northwestern University: https://sociology.

northwestern.edu/people/faculty /core/ aldon-morris.html (6, abr. 2021).

41. Ibid., 357-58.

42. Ibid., 370.

43. Ibid.

44. Ibid.

45. Ibid., 371.

46. Ibid.

47. Ibid.

48. Ibid.

49. Ibid.

50. Ibid.

51. Frances Fox Piven e Richard Cloward, *The Breaking of the American Social Compact* (Nova York: New Press, 1967), 267.

52. Ibid., 269.

53. Ibid., 287, 288.

54. Ibid., 289.

55. Recomendações da Unidade de Força-Tarefa Biden-Sanders, "Combating the Climate Crisis and Pursuing Environmental Justice," https://joebiden .com/ wp-content/uploads/2020/08/ UNITY-TASK-FORCE-RECOM MENDATIONS.pdf (6, abr. 2021).

56. Piven e Cloward, *The Breaking of the American Social Compact*, 289.

57. Ibid.

58. Ibid., 290.

59. Ibid.

60. Ibid., 291.

61. Ibid.

62. Ibid.

63. Ibid., 291-92.

64. Nicholas Fondacaro, "ABC, NBC Spike 'Mostly Peaceful' Protests Leaving $2 Billion in Damages," mrcNewsBusters, 16, set. 2020, https:// www.newsbusters.org/blogs/nb/ nicholas-fondacaro/2020/09/16/abc-nbc -spike-mostly-peaceful-protests-leaving-2-billion (6, abr. 2021).

65. Piven e Cloward, *The Breaking of the American Social Compact*, 292.

66. Ibid., 292-93.

67. Frances Fox Piven, "Throw Sand in the Gears of Everything," *Nation*, 18, jan. 2017, https://www.thenation. com/article/archive/throw -sand-in-the-gears-of-everything/ (6, abr. 2021).

68. Ibid.

69. Ibid.

70. Ibid.

71. Allan Bloom, *The Closing of the American Mind* (Nova York: Simon & Schuster, 1987), 26.

72. Ibid., 55, 56.

73. Ibid., 58.

CAPÍTULO TRÊS: ODEIA A AMÉRICA, LTDA.

1. Felicity Barringer, "The Mainstreaming of Marxism in U.S. Colleges," *New York Times*, 29, out. 1989, https://www.nytimes. com/1989/10/25 /us/education-the-mainstreaming-of-marxism-in-us-colleges.html (7, abr. 2021).

2. Ibid.

3. Ibid.

4. Ibid.

5. Herbert Croly, "The Promise of American Life," em *Classics of American Political and Constitutional Thought*,

vol. 2, eds. Scott J. Hammond, Kevin R. Harwick, e Howard L. Lubert (Indianápolis: Hackett, 2007), 297.

6. Ibid., 313.

7. Herbert D. Croly, *Progressive Democracy* (Londres: Forgotten Books, 2015), 38-39.

8. Statista, "Percentage of the U.S. Population who have completed four years of college or more from 1940 to 2019," https://www.statista. com /statistics/184272/educational-

attainment-of-college-diploma-or-higher -by-gender/ (7, abr. 2021).

9. Ibid.

10. John Dewey, *Individualism Old and New* (Amherst, NY: Prometheus Books, 1999), 51.

11. John Dewey, *Democracy and Education* (Simon & Brown, 2012), 234.

12. Ibid., 239, 240, 245.

13. John Dewey, "Ethical Principles Underlying Education," publicado em *The Early Works*, vol. 5, *1882-1898: Early Essays*, ed. Jo Ann Boydston (Carbondale, Ill.: Southern Illinois University Press, 2008), 59-63.

14. John Dewey, "What Are the Russian Schools Doing?" *New Republic*, 5, dez. 1928, https://newrepublic. com/article/92769/russia-soviet -education-communism (7, abr. 2021).

15. Ibid.

16. Ibid.

17. Mark R. Levin, *Unfreedom of the Press* (Nova York: Threshold Editions, 2019), Capítulo 6.

18. Richard M. Weaver, *Ideas Have Consequences* (Chicago: University of Chicago Press, 1948), 2.

19. Ibid.

20. Ibid., 5.

21. Ibid.

22. Ibid., 5-6.

23. Ibid., 6.

24. Ibid., 85.

25. Madeleine Davis, "New Left," *Encyclopaedia Britannica*, https://www.britannica.com/ topic/New-Left (7, abr. 2021).

26. Ibid.

27. *A-Z Guide to Modern Social and Political Theorists*, eds. Noel Parker e Stuart Sun (Londres: Routledge, 1997), 238.

28. Herbert Marcuse, *One Dimensional Man* (Boston: Beacon Press: 1964), 3.

29. Ibid.

30. Ibid., 4.

31. Herbert Marcuse, "The Failure of the New Left?" in *New German Critique* 18 (outono, 1979), https://www. marcuse.org/herbert/pubs/70spubs/ Marcuse1979FailureNewLeft. pdf (7, abr. 2021).

32. Barringer, "The Mainstreaming of Marxism in U.S. Colleges."

33. Ibid.

34. Ibid.

35. Richard Landes, *Heaven on Earth: The Varieties of the Millennial Experience* (Oxford: Oxford University Press, 2011), 12, 13.

36. Ibid., 13.

37. Ibid.

38. Ibid., 14.

39. Ibid., 17.

40. BBC, "Historical Figures, Vladimir Lenin," http://www.bbc. co.uk/history/historic_figures/ lenin_vladimir.shtml (7, abr. 2021).

41. BBC, "Historical Figures, Mao Zedong," http://www.bbc. co.uk/history/historic_figures/ mao_zedong.shtml (7, abr. 2021).

42. BBC, "Historical Figures, Pol Pot," http://www.bbc.co.uk/history/historic_ figures/pot_pol.shtml (7, abr. 2021).

43. Lois Weis, "For Jean Anyon, my colleague and friend," *Perspectives on Urban Education*, University of Pennsylvania, https://urbanedjournal. gse.upenn.edu/archive/volume-11- issue-1-winter-2014/jean-anyon-my- colleague-and-friend (7, abr. 2021).

44. Jean Anyon, *Marx and Education* (Nova York: Routledge, 2011), 7

45. Ibid., 7, 8.

46. Raymond Aron, *The Opium of the Intellectuals* (New Brunswick, NJ: Transaction, 1957), 94.

47. Anyon, *Marx and Education*, 8-9 (citando Marx e Engels).

48. Jeffry Bartash, "Share of union workers in the U.S. falls to a record low in 2019," *Marketwatch*, 31, jan. 2020, https://www.marketwatch.com/story/share-of-union-workers-in-the-us-falls-to-a-record-low-in-2019-2020-01-22 (8, abr. 2021).

49. Richard Epstein, "The Decline of Unions Is Good News," Ricochet, 28, jan. 2020, https://ricochet.com/717005/archives/the-decline-of-unions-is-good-news/ (8, abr. 2021).

50. Anyon, *Marx and Education*, 9-10 (citando Marx).

51. Aron, *The Opium of the Intellectuals*, 94-95.

52. Anyon, *Marx and Education*, 11.

53. Ibid., 12-13 (citando Marx).

54. Lance Izumi, "Why Are Teachers Mostly Liberal?" Pacific Research Institute, 3, abr. 2019, https://www.pacificresearch.org/why-are-teachers-mostly-liberal/ (8, abr. 2021).

55. Alyson Klein, "Survey: Educator's Political Leanings, Who They Voted For, Where They Stand on Key Issues," *Education Week*, 12, dez. 2017, https://www.edweek.org/leadership/survey-educators-political-leanings-who-they-voted-for-where-they-stand-on-key-issues/2017/12 (8, abr. 2021).

56. Anyon, *Marx and Education*, 19.

57. Ibid., 35.

58. Ibid., 36-37.

59. Ibid., 96-97.

60. Ibid., 97.

61. Ibid., 98.

62. Ibid., 99.

63. Ibid.

64. Ibid., 99-100.

65. Ibid., 100-101.

66. Ibid., 103-4.

67. Jean Anyon, *Radical Possibilities: Public Policy, Urban Education, and a New Social Movement* (Nova York: Routledge, 2014), 140-41.

68. John M. Ellis, *The Breakdown of Higher Education* (Nova York: Encounter Books), 30, 31.

69. Ibid., 31.

CAPÍTULO QUATRO: RACISMO, GENDERISMO E MARXISMO

1. Uri Harris, "Jordan B. Peterson, Critical Theory, and the New Bourgeoisie," *Quillette*, January 17, 2018, https://quillette.com/2018/01/17/jordan-b-peterson-critical-theory-new-bourgeoisie/ (8, abr. 2021).

2. Ibid.

3. Ibid.

4. Ibid.

5. Ibid.

6. Ibid.

7. Ibid.

8. Ibid.

9. Jonathan Butcher e Mike Gonzalez, "Critical Race Theory, the New Intolerance, and Its Grip on America," Heritage Foundation, 7, dez. 2020, https://www.heritage.org/civil-rights/report/critical-race-theory-the-new-intolerance-and-its-grip-america (8, abr. 2021).

10. George R. La Noue, "Critical Race Training or Civil Rights Law: We Can't Have Both," Liberty & Law, 4, nov. 2020, https://lawliberty.org/critical-race-theory-or-civil-rights-law-we-cant-have-both/ (8, abr. 2021).

11. Ibid.

12. Thomas Sowell, *Intellectuals and Society* (Nova York: Basic Books, 2011), 468.

13. Ibid., 469.

301

14. Ibid.

15. Ibid.

16. Herbert Marcuse, *One-Dimensional Man: Studies in the Ideology of Advanced Industrial Society* (Boston: Beacon Press, 1991), 256-57.

17. Faith Karimi, "What critical race theory is–and isn't," CNN, 1, out. 2020, https://www.cnn.com/2020/10/01/us/critical-race-theory-explainer-trnd/index.html (8, abr. 2021).

18. Ibid.

19. Richard Delgado e Jean Stefancic, *Critical Race Theory* (Nova York: New York University Press, 2017), 3.

20. Ibid., 8.

21. Ibid.

22. Ibid., 9.

23. Ibid.

24. Ibid., 10, 11.

25. Ibid., 8.

26. "Thomas Sowell Hammers 'Despicable' Derrick Bell; Compares to Hitler," Breitbart, 7, mar. 2012, https://www.breitbart.com/clips/2012/03/07/sowell%20on%20bell/ (entrevista de vídeo datada de 24, mai. 1990) (8, abr. 2021).

27. Thomas Sowell, *Inside American Education: The Decline, the Deception, the Dogmas* (Nova York: Free Press, 1993), 154.

28. Derrick A. Bell, "Brown v. Board of Education and the InterestConvergence Dilemma," Harvard Law Review, 11, jan. 1980, https://harvardlawreview.org/1980/01/brown-v-board-of-education-and-the -interest-convergence-dilemma/ (8, abr. 2021).

29. Derrick A. Bell, "Who's Afraid of Critical Race Theory?" University of Illinois Law Review, 23, fev. 1995, https://sph.umd.edu/sites/default/files/files/Bell_Whos%20Afraid%20of%20CRT_1995UIllLRev893.pdf (8, abr. 2021), 901.

30. Ibid.

31. Steve Klinsky, "The Civil Rights Legend Who Opposed Critical Race Theory," RealClearPolitics, 12, out. 2020, https://www.realclear politics.com/articles/2020/10/12/the_civil_rights_legend_who_opposed_critical_race_theory_144423.html (8, abr. 2021).

32. Ibid.

33. Ibid.

34. Ibid.

35. Delgado e Stefancic, *Critical Race Theory*, 45, 46.

36. Butcher e Gonzalez, "Critical Race Theory, the New Intolerance, and Its Grip on America."

37. Robin DiAngelo, *White Fragility* (Boston: Beacon Press, 2018), 28.

38. Delgado e Stefancic, *Critical Race Theory*, 29.

39. Chris Demaske, "Critical Race Theory," First Amendment Encyclopedia, https://www.mtsu.edu/first-amendment/article/1254/critical-race-theory, (9, abr. 2021).

40. Delgado e Stefancic, *Critical Race Theory*, 125.

41. Ibid., 127, 128.

42. Ibid., 132, 133.

43. Butcher e Gonzalez, "Critical Race Theory, the New Intolerance, and Its Grip on America."

44. Ozlem Sensoy e Robin DiAngelo, *Is Everyone Really Equal?* (Nova York: Teachers College Press, 2017), xii.

45. Ibid., vii.

46. Ibid., xxi, xxii, xxiii, xxiv.

47. Ibid., xxiv.

48. "Critical Race Training In Education," Legal Insurrection Foundation, https://criticalrace.org/ (9, abr. 2021).

49. Krystina Skurk, "Critical Race Theory in K-12 Education," RealClearPublicAffairs, 12, jul, 2020, https://www.realclearpublicaffairs.com/articles/2020/07/16/critical_race_theory_in_k-12_education_498969.html (9, abr. 2021).

50. Ibid.

51. Ibid.

52. Peter W. Wood, *1620: A Critical Response to the 1619 Project* (Nova York: Encounter Books, 2020), 1 (citando Jake Silverstein, *New York Times Magazine*).

53. Ibid., 4.

54. Ibid., 5.

55. Ibid., 6.

56. "We Respond to the Historians Who Critiqued the 1619 Project," *New York Times Magazine*, 20, dez. 2019, https://www.nytimes.com/2019/12/20/magazine/we-respond-to-the-historians-who-critiqued-the-1619-project.html (9, abr. 2021).

57. Ibid.

58. Ibid.

59. Ibid.

60. Adam Serwer, "The Fight Over the 1619 Project Is Not About Facts," *Atlantic*, 23, dez. 2019, https://www.theatlantic.com/ideas/archive/2019/12/historians-clash-1619-project/604093/ (9, abr. 2021).

61. Mark R. Levin, *Unfreedom of the Press* (Nova York: Threshold Editions, 2019), capítulo 6.

62. Glenn Garvin, "Fidel's Favorite Propagandist," *Reason*, mar. 2007, https://reason.com/2007/02/28/fidels-favorite-propagandist/ (9, abr. 2021).

63. Zach Goldberg, "How the Media Led the Great Racial Awakening," *Tablet*, 4, ago. 2020, https://www.tabletmag.com/sections/news/articles /media-great-racial-awakening (9, abr. 2021).

64. Ibid.

65. Ibid.

66. Ibid.

67. Ibid.

68. Ordem Executiva 13950, "Combating Race and Sex Stereotyping," 22, set. 2020, https://www.federalregister.gov/documents/2020/09/28/2020-21534/combating-race-and-sex-stereotyping (9, abr. 2021).

69. Ibid.

70. Ibid.

71. "Executive Order on Advancing Racial Equity and Support for Underserved Communities Through the Federal Government," 20, jan. 2021, https://www.whitehouse.gov/briefing-room/presidential-actions/2021/01/20/executive-order-advancing-racial-equity-and-support-for-underserved-communities-through-the-federal-government/ (9, abr. 2021).

72. Bradford Betz, "What is China's social credit system?" Fox News, 4, mai., 2020, https://www.foxnews.com/world/what-is-china-social-credit-system (9, abr. 2021).

73. Ibid.

74. Comissão Consultiva do Presidente 1776, "The 1776 Report," jan. 2021, https://ipfs.io/s/5NfySn fTk7ucdEoWXshkNUXn3dseBA 7ZVrQMBfZey (9, abr. 2021).

75. Ibid.

76. MSNBC, 19, jan. 2021.

77. Delgado e Stefancic, *Critical Race Theory*, 154, 155.

78. Patrisse Cullors, "Trained Marxist Patrisse Cullors, Black Lives Matter BLM," YouTube, jun. 2020, https://www.youtube.com/watch?v=1noL h25FbKI (9, abr. 2021).

79. https://www.dailywire.com/news/fraud-blm-co-founder-patrisse-cullors-blasted-over-real-estate-buying-binge.

80. Mike Gonzalez, "To Destroy America," *City Journal*, 1, set. 2020, https://www.city-journal.org/marxist-revolutionaries-black-lives-matter (9, abr. 2021).

81. Ibid.

82. Scott Walter, "A Terrorist's Ties to a Leading Black Lives Matter Group," Capital Research Center, 24, jun. 2020, https://capitalresearch.org/article/a-terrorists-ties-to-a-leading-black-lives-matter-group/ (9, abr. 2021).

83. Gonzalez, "To Destroy America."

84. Laura Lambert, "Weather Underground," *Encyclopaedia Britannica*, https://www.britannica.com/topic/Weathermen (9, abr. 2021).

85. "Celebrating four years of organizing to protect black lives," Black Lives Matter, 2013, https://drive.google.com/file/d/0B0pJEX ffvS0uOHdJREJn Z2JJYTA/view (9, abr. 2021).

86. Karl Marx, *Manifest of the Communist Party* (Marxists.org), https://www.marxists.org/archive/marx/works/1848/communist-manifesto/ch02.htm (9, abr. 2021), Capítulo 2.

87. Lindsay Perez Huber, "Using Latina/o Critical Race Theory (LATCRIT) and Racist Nativism to Explore Intersectionality in the Education Experiences of Undocumented Chicana College Students," Educational Foundations, inverno-primavera 2010, https://files.eric.ed.gov/fulltext/EJ885982.pdf (9, abr.2021), 77, 78, 79.

88. Ibid., 79, 80.

89. Ibid., 80, 81.

90. Jean Stefancic, "Latino and Latina Critical Theory: An Annotated Bibliography," California Law Review, 1997, 423.

91. Rodolfo F. Acuna, Occupied America: A History of Chicanos (Nova York: Pearson, 1972), 1.

92. Abby Budiman, "Key findings about U.S. immigrants," Pew Research Center, 20, ago. 2020, https://www.pewresearch.org/fact-tank/2020/08/20/key-findings-about-u-s-immigrants/ (9, abr. 2021).

93. Ricardo Castro-Salazar e Carl Bagley, *Navigating Borders: Critical Race Theory Research and Counter History of Undocumented Americans* (Nova York: Peter Lang, 2012), 4.

94. Ibid., 5.

95. Ibid., 27.

96. Ibid., 26, 27.

97. Ibid., 27.

98. Ibid., 37.

99. Robert Law, "Biden's Executive Actions: President Unilaterally Changes Immigration Policy," Center for Immigration Studies, 15, mar. 2021, https://cis.org/Report/Bidens-Executive-Actions-President-Unilaterally-Changes-Immigration-Policy (9, abr. 2021).

100. Ashley Parker, Nick Miroff, Sean Sullivan, e Tyler Pager, "'No end in sight': Inside the Biden administration's failure to contain the border surge," *Washington Post*, 20, mar. 2021, https://www.washingtonpost.com/politics/biden-border-surge/2021/03/20/21824e94-8818-11eb-8a 8b-5cf82c3dffe4_story.html (9, abr. 2021).

101. Ibid.

102. Ruth Igielnik e Abby Budiman, "The Changing Racial and Ethnic Composition of the U.S. Electorate," Pew Research Center, 23, set. 2020, https://www.pewresearch.

org/2020/09/23/the-changing-racial-and-ethnic-composition-of-the-u-s-electorate/ (9, abr. 2021).

103. Jim Clifton, "42 Million Want to Migrate to U.S.," Gallup, 24, mar. 2021, https://news.gallup.com/opinion/chairman/341678/million-migrate.aspx (9, abr. 2021).

104. Scott Yenor, "Sex, Gender, and the Origin of the Culture Wars," Heritage Foundation, 30, jun. 2017, https://www.heritage.org/gender/report /sex-gender-and-the-origin-the-culture-wars-intellectual-history (9, abr. 2021).

105. Veronica Meade-Kelly, "Male or Female? It's not always so simple," UCLA, 20, ago. 2015, https://newsroom.ucla.edu/stories/male-or -female (9, abr. 2021).

106. Kadia Goba, "He/she could be they in the new Congress," Axios, 2, jan. 2021, https://www.axios.com/congress-gender-identity-pronouns-rules-40a4ab56-9d5c-4dfc-ada3-4a683882967a.html (9, abr. 2021).

107. Russell Goldman, "Here's a list of 58 gender options for Facebook users," ABC News, 13, fev. 2014, https://abcnews.go.com/blogs/headlines/2014/02/heres-a-list-of-58-gender-options-for-facebook-users/ (9, abr. 2021).

108. "Executive Order on Preventing and Combating Discrimination on the Basis of Gender Identity or Sexual Orientation," Casa Branca, 20, jan. 2021, https://www.whitehouse.gov/briefing-room/presidential-actions/2021/01/20/executive-order-preventing-and-combating-discrimination-on-basis-of-gender-identity-or-sexual-orientation/ (9, abr. 2021).

109. "Joe Biden's War on Women," National Review, 25, jan. 2021, https://www.nationalreview.com/2021/01/joe-bidens-war-on-women/ (9, abr. 2021).

110. Ibid.

111. "Transgender Children & Youth: Understanding the Basics," Human Rights Campaign, https://www.hrc.org/resources/transgender-children-and-youth-understanding-the-basics (9, abr. 2021).

112. Michelle Cretella, "I'm a Pediatrician. How Transgender Ideology Has Infiltrated My Field and Produced Large-Scale Child Abuse," Daily Signal, 3, jul. 2017, https://www.dailysignal.com/2017/07/03/im-pediatrician-transgender-ideology-infiltrated-field-produced-large-scale-child-abuse/ (9, abr. 2021).

113. Ibid.

114. Christine Di Stefano, "Marxist Feminism," Wiley Online Library, 15, set. 2014, https://onlinelibrary.wiley.com/doi/abs/10.1002/9781118474396.wbept0653 (9, abr. 2021).

115. Sue Caldwell, "Marxism, feminism, and transgender politics," *International Socialism*, 19, dez. 2017, http://isj.org.uk/marxism-feminism-and-transgender-politics/ (9, abr. 2021).

116. Ibid.

117. Natalie Jesionka, "Social Justice for toddlers: These new books and programs start the conversation early," *Washington Post*, 18, mar. 2021, https://www.washingtonpost.com/lifestyle/2021/03/18/social-justice-antiracist-books-toddlers-kids/ (9, abr. 2021).

118. Ibid.

119. "Sexual Ideology Indoctrination: The Equality Act's Impact on School Curriculum and Parental Rights," Heritage Foundation, 15, mai. 2019, https://www.heritage.org/civil-society/report/sexual-ideology-indoctrination-

CAPÍTULO CINCO: FANATISMO DA "MUDANÇA CLIMÁTICA"

the-equality-acts-impact-school-curriculum-and (9, abr. 2021).

1. George Reisman, *Capitalism* (Ottawa, IL: Jameson Books, 1990), 19.

2. F. A. Hayek, *The Fatal Conceit: The Errors of Socialism* (Chicago: University of Chicago Press, 1988), 6, 7.

3. Milton Friedman, *Capitalism and Freedom* (Chicago: University of Chicago Press, 2002), 7, 8.

4. Ibid., 9.

5. Ibid., 10.

6. Reisman, 77.

7. Ibid.

8. Federico Demaria, Francois Schneider, Filka Sekulova, e Joan Martinez-Alier, "What Is Degrowth? From Activist Slogan to a Social Movement," *Environmental Values* 22, no. 1 (2013), 192.

9. Ibid., 194.

10. Ibid.

11. Mark R. Levin, *Plunder and Deceit* (Nova York: Threshold Editions, 2015), 112; Demaria, Schneider, Sekulova, e Martinez-Alier, "What is Degrowth?"

12. Mackenzie Mount, "Green Biz, Work Less to Live More," Sierra Club, 6, mar. 2014, https://contentdev.sierraclub.org/www/www/sierra/2014 -2-march-april/green-biz/work-less-live-more (10, abr. 2021).

13. "Serge Latouche," famouseconomists.net, https://www.famouseconom ists.net/serge-latouche (10, abr. 2021).

14. Serge Latouche, Farewell to Growth (Cambridge: Polity Press, 2009), 89.

15. Ibid., 90-91.

16. Ibid., 31, 32.

17. George A. Gonzalez, "Urban Sprawl, Climate Change, Oil Depletion, and Eco-Marxism," em *Political Theory and Global Climate Change*, ed. Steve Vanderheiden (Cambridge, MA: MIT Press, 2008), 153.

18. Ibid.

19. Giorgos Kallis, *In Defense of Degrowth: Opinions and Minifestos* (Bruxelas: Uneven Earth Press, 2017), 10.

20. Ibid., 12.

21. Ibid., 13, 14.

22. Ibid., 71.

23. Ibid., 72.

24. Ayn Rand, *Return of the Primitive: The Anti-Industrial Revolution* (Nova York: Meridian, 1998), 280, 281.

25. Ibid., 282.

26. Ibid., 285.

27. Ibid.

28. Timothy W. Luke, "Climatologies as Social Critique: The Social Construction/Creation of Global Warming, Global Dimming, and Global Cooling," em *Political Theory and Global Climate Change*, ed. Steve Vanderheiden (Cambridge, MA: MIT Press, 2008), 128.

29. Ibid., 145.

30. Rand, *Return of the Primitive*, 277.

31. Ibid., 278.

32. Luke, "Climatologies as Social Critique," 145.

33. Karl Marx e Friedrich Engels, *The Communist Manifesto* (Londres: Soho Books, 2010) 21.

34. Rand, *Return of the Primitive*, 285, 286.

35. David Naguib Pellow, *What Is Critical Environmental Justice?* (Cambridge, R.U.: Polity Press, 2018), 4.

36. Ibid., 4, 5.

120. Ibid.

121. Ibid.

37. Ibid., 18.

38. Ibid., 18-19.

39. Ibid., 22.

40. Ibid., 23.

41. "Declaration of Independence: A Transcription," https://www. archives .gov/founding-docs/ declaration-transcript (10, abr. 2021).

42. Pellow, *What Is Critical Environmental Justice?*, 26, 30.

43. Ibid., 30, 31.

44. "The Margarita Declaration on Climate Change," 15-18, jul. 2014, https://redd-monitor.org/2014/08/08/ the-margarita-declaration-on-climate- change-we-reject-the-implementation- of-false-solutions-to-climate-change- such-as-carbon-markets-and- other-forms-of-privatization-and- commodification-of-life/ (10, abr. 2021).

45. Hayek, *The Fatal Conceit*, 8.

46. "A Declaração de Margarita sobre Mudança Climática."

47. Thomas Sowell, *The Quest for Cosmic Justice* (Nova York: Touchstone, 1999), 99.

48. Ibid., 131, 132.

49. "A Declaração de Margarita sobre Mudança Climática."

50. Ibid.

51. Reisman, *Capitalism*, 63.

52. Ibid., 65.

53. Ibid.

54. Ibid., 71.

55. Ibid.

56. "There is no climate emergency," Carta para o Secretário Geral das Nações Unidas, 23, set. 2019, https:// clintel.nl/wp-content/uploads/2019 /09/ ecd-letter-to-un.pdf (10, abr. 2021).

57. Ibid.

58. Ibid.

59. Ian Pilmer, "The Science and Politics of Climate Change," em *Climate Change: The Facts*, ed.

Alan Moran (Woodsville, NH: Stockade Books, 2015), 10, 11.

60. Ibid., 21.

61. Ibid., 24, 25.

62. Patrick J. Michaels, "Why climate models are failing," em *Climate Change: The Facts*, 27.

63. Richard S. Lindzen, "Global warming, models and language," em *Climate Change: The Facts*, 38.

64. Robert M. Carter, "The scientific context," in *Climate Change: The Facts*, 81.

65. Ibid., 82.

66. H. Res. 109, 116° Cong. (2019-2020), https://www.congress. gov/bill /116th-congress/house- resolution/109 (10, abr. 2021).

67. Milton Ezrati, "The Green New Deal and the Cost of Virtue," *Forbes*, 2, fev. 2019, https://www.forbes. com/sites/miltonezrati/2019/02/19 / the-green-new-deal-and-the-cost-of- virtue/?sh=6fe12ccd3dec (10, abr. 2021).

68. Ibid.

69. Ibid.

70. Ibid.

71. Kevin Dayaratna e Nicolas Loris, "A Glimpse of What the Green New Deal Would Cost Taxpayers," *Daily Signal*, 25, mar. 2019, https://www. dailysignal.com/2019/03/25/a-glimpse- of-what-the-green-new-deal-would- cost-taxpayers/ (10, abr. 2021).

72. Douglas Holtz-Eakin, Dan Bosch, Ben Gitis, Dan Goldbeck, e Philip Rossetti, "The Green New Deal: Scope, Scale, and Implications," American Action Forum, 25, fev. 2019, https:// www.americanaction forum.org/ research/the-green-new-deal-scope- scale-and-implications / (10, abr. 2021).

73. "Paris Agreement," nov. 2015, https://unfccc.int/files/meetings/

paris_nov_2015/application/pdf/paris_agreement_english_.pdf (10, abr. 2021).

74. "U.S. Declares China committing 'genocide' against Uighurs," Associated Foreign Press, 19, jan. 2021, https://www.msn.com/en-au /news/world/us-declares-china-committing-genocide-against-uighurs/ar-BB1cTEIz (10, abr. 2021).

75. Ibid.

76. Barbara Boland, "Biden: China's Genocide of Uighurs Just Different Norms," *American Conservative*, 28, fev. 2021, https://www.theamericanconservative.com/state-of-the-union/biden-chinas-genocide-of-uighurs-just-different-norms/ (10, abr. 2021).

77. Brian Zinchuk, "This is the executive order killing Keystone XL, citando as razões pelas quais Biden fez isso," *Toronto Star*, 20, jan. 2021, https:// www.thestar.com/news/canada/2021/01/20/this-is-the-executive-order-killing-keystone-xl-citing-the-reasons-why-biden-did-it.html (10, abr. 2021).

78. "Fact Sheet: President Biden Takes Executive Actions to Tackle the Climate Crisis at Home and Abroad, Create Jobs, and Restore Scientific Integrity Across Federal Government," Casa Branca, 27, jan. 2021, https://www.whitehouse.gov/briefing-room/statements-releases/2021/01/27/fact-sheet-president-biden-takes-executive-actions-to-tackle-the-climate-crisis-at-home-and-abroad-create-jobs-and-restore-scientific-integrity-across-federal-government/ (10, abr. 2021).

79. Megan Henney, "Progressives pressure Biden to pass $10T green infra-structure, climate justice bill," FoxBusiness, 30, mar. 2021, https://www.foxbusiness.com/economy/progressives-pressure-biden-green-infra structure-climate-justice-bill (10, abr. 2021).

80. "Pork wrapped in a stimulus," *Washington Times*, 9, mar. 2021, https://www.washingtontimes.com/news/2021/mar/9/editorial-democrats-corona virus-stimulus-91-percen/ (10, abr. 2021).

81. Brad Polumbo, "9 Crazy Examples of Unrelated Waste and Partisan Spending in Biden's $2 Trillion 'Infrastructure' Proposal," Foundation for Economic Education, 31, mar. 2021, https://fee.org/articles/9-crazy-examples-of-unrelated-waste-and-partisan-spending-in-biden-s-2t-infrastructure-proposal/ (10, abr. 2021).

82. Katelyn Caralle, "AOC leads left's claim $2 trillion infrastructure bill is NOT enough," *Daily Mail*, 31, mar. 2021, https://www.msn.com/en-us/news/politics/aoc-leads-lefts-claim-dollar2-trillion-infrastructure-bill-is-not-enough/ar-BB1far2x (10, abr. 2021).

83. "Recognizing the duty of the Federal Government to implement an agenda to Transform, Heal, and Renew by Investing in a Vibrant Economy ('THRIVE')," S. Res.____, MUR21083, https://www.markey.senate.gov/imo/media/doc/(2.8.2021)%20THRIVE.pdf (10, abr. 2021).

84. Collin Anderson, "Progressives Push Biden to Include $10 Trillion Climate Plan in Infrastructure Package," *Washington Free Beacon*, 31, mar. 2021, https://freebeacon.com/policy/progressives-push-biden-to-include-10-trillion-climate-plan-in-infrastructure-package/ (10, abr. 2021).

85. Michael Shellenberger, "Why California's Climate Policies Are Causing Electricity Blackouts," *Forbes*, 15, ago. 2020, https://www.forbes.com/sites/michaelshellenberger/2020/08/15/

why-californias-climate-policies-are-causing-electricity-black-outs/?sh=43991d831591 (10, abr. 2021).
86. Ibid.
87. "Understanding the Texas Energy Predicament," Institute for Energy Research, 18, fev. 2021, https://www.instituteforenergyresearch.org/the-grid/understanding-the-texas-energy-predicament/ (10, abr. 2021).
88. Ibid.

89. Ibid.
90. Benji Jones, "The Biden administration has a game-changing approach to nature conservation," *Vox*, 7, mai. 2021, https://www.vox.com/2021/5/7/22423139/biden-30-by-30-conservation-initiative-historic.
91. Mark R. Levin, *Plunder and Deceit* (Nova York: Threshold Editions, 2015), 111.

CAPÍTULO SEIS: PROPAGANDA, CENSURA E SUBVERSÃO

1. "Marx the Journalist, an Interview with James Ledbetter," *Jacobin*, 5, mai. 2018, https://www.jacobinmag.com/2018/05/karl-marx-journalism-writings-newspaper (11, abr. 2021).
2. Ibid.
3. Ibid.
4. Ibid.
5. Ibid.
6. Richard M. Weaver, *Ideas Have Consequences* (Chicago: University of Chicago, 1948), 87-88.
7. Ibid., 88.
8. Ibid., 88, 89.
9. Ibid., 89-90.
10. Ibid., 101.
11. Edward Bernays, *Propaganda* (Brooklyn: IG, 1928), 52, 53.
12. Ibid., 47-48.
13. Richard Gunderman, "The manipulation of the American mind–Edward Bernays and the birth of public relations," Phys.org, 9, jul. 2015, https://phys.org/news/2015-07-american-mindedward-bernays-birth.html (11, abr. 2021).
14. Harold Dwight Lasswell, *Propaganda Technique in the World War* (Boston: MIT Press, 1927), 221.
15. Hannah Arendt, *The Origins of Totalitarianism* (Orlando: Harcourt, 1968), 352.

16. Ibid., 353.
17. Mark R. Levin, *Ameritopia* (Nova York: Threshold Editions, 2012), 7, 8.
18. Daniel J. Boorstin, *The Image: A Guide to Pseudo-Events in America* (Nova York: Vintage Books, 1961), 35.
19. Ibid.
20. Ibid.
21. Ibid., 37.
22. Ibid.
23. Ibid., 182, 183.
24. John Dewey, *Liberalism and Social Action* (Amherst, NY: Prometheus Books, 1935), 65-66.
25. Ibid., 66.
26. Michael Schudson, "What Public Journalism Knows about Journalism but Doesn't Know about 'Public'" *The Idea of Public Journalism*, ed. Theodore L. Glasser (Nova York: Guilford Press, 1999), 123.
27. Theodore Glasser, "The Ethics of Election Coverage," *Stanford Magazine*, out. 2016, https://stanfordmag.org/contents/the-ethics-of-election-coverage (11, abr. 2021).
28. Ibid.
29. Davis "Buzz" Merritt, *Public Journalism and Public Life: Why Telling the News Is Not Enough* (Nova York: Routledge, 1998), 96, 97.

30. Davis Merritt, "Stop Trump? But who will bell the cat?" Wichita Eagle, 8, dez. 2018, https://www.kansas.com/opinion/opn-columns-blogs/article48524730.html (11, abr. 2021).

31. Ibid.

32. Merritt, *Public Journalism and Public Life*, 7.

33. Jay Rosen, *What Are Journalists For?* (New Haven, CT: Yale University Press, 1999), 20.

34. Ibid., 19-20.

35. Jay Rosen, "Donald Trump Is Crashing the System. Journalism Needs to Build a New One," *Washington Post*, 13, jul. 2016, https://www.washing tonpost.com/news/in-theory/wp/2016/07/13/donald-trump-is-crashing -the-system-journalists-need-to-build-a-new-one/ (11, abr. 2021).

36. Ibid.

37. Martin Linsky, "What Are Journalists For?" *American Prospect*, 14, nov. 2001, https://prospect.org/features/journalists-for/ (11, abr. 2021).

38. "Marx the Journalist, an Interview with James Ledbetter," *Jacobin*, 5, mai. 2018, https://www.jacobinmag.com/2018/05/karl-marx-journalism-writings-newspaper (11, abr. 2021).

39. Saul D. Alinsky, *Rules for Radicals: A Pragmatic Primer for Realistic Radicals* (Nova York: Vintage Books, 1971), xxii, xxiii.

40. Ibid., 130, 131, 133.

41. Chuck Todd, *Meet the Press*, 30, dez. 2018, https://www.nbcnews.com/meet-the-press/meet-press-december-30-2018-n951406 (11, abr. 2021).

42. "Global Warming," mrcNewsBusters, https://www.newsbusters.org/issues-events-groups/global-warming (11, abr. 2021).

43. Zach Goldberg, "How the Media Led the Great Racial Awakening," *Tablet*, 4, ago. 2020, https://www.tabletmag.com/sections/news/articles /media-great-racial-awakening (11, abr. 2021).

44. Ibid.

45. Ibid.

46. Ibid.

47. Ted Johnson, "CNN Announces Expansion of Team Covering Race Beat," *Deadline*, 13, jul. 2020, https://deadline.com/2020/07/cnn-jeff-zucker-race-beat-1202984234/ (11, abr. 2021).

48. Martin Luther King Jr., "I Have a Dream," 1963, *Encyclopaedia Britannica*, https://www.britannica.com/topic/I-Have-A-Dream (11, abr. 2021).

49. Robert Henderson, "Tell Only Lies," *City Journal*, 27, dez. 2020, https://www.city-journal.org/self-censorship (11, abr. 2021).

50. Ibid.

51. Ibid.

52. Ibid.

53. Eric Kaufmann, "Academic Freedom in Crisis: Punishment, Political Discrimination, and Self-Censorship," Center for the Study of Partisanship and Ideology, 1, mar. 2021, https://cspicenter.org/wp-content/uploads/2021/03/AcademicFreedom.pdf (11, abr. 2021).

54. Kelsey Ann Naughton, "Speaking Freely: What Students Think about Expression at American Colleges," Foundation for Individual Rights in Education, out. 2017, https://d28htnjz2elwuj.cloudfront.net/wp-content/uploads/2017/10/11091747/survey-2017-speaking-freely.pdf (11, abr. 2021).

55. Diane Ravitch, *The Language Police: How Pressure Groups Restrict What Students Learn* (Nova York: Vintage, 2003), 3-4.

56. Ibid., 160.

57. Krystina Skurk, "Critical Race Theory in K-12 Education," RealClearPublicAffairs, https://www.realclearpublicaffairs.com/articles/2020/07/16/cr itical_race_theory_in_k-12_education_498969.html (11, abr. 2021); Max Eden, "Critical Race Theory in American Classrooms," *City Journal*, 18, set. 2020, https://www.city-journal.org/critical-race-theory-in-american-classrooms (11, abr. 2021).

58. Todd Starnes, "Parents furious over school's plan to teach gender spectrum, fluidity," Fox News, 15, mai. 2015, https://www.foxnews.com/opinion/parents-furious-over-schools-plan-to-teach-gender-spectrum-fluidity (11, abr. 2021).

59. Charles Fain Lehman, "American High Schools Go Woke," *Washington Free Beacon*, 30, nov. 2020, https://freebeacon.com/campus/american-high-schools-go-woke/ (11, abr. 2021).

60. UN Climate Change Learning Platform, https://www.uncclearn.org / (11, abr. 2021).

61. Allison Graham, "Why Should Schools Teach Climate Education?" Medium.com, 12, jul. 2018, https://medium.com/uncclearn/why-should-schools-teach-climate-education-f1e101ebc56e (11, abr. 2021).

62. Ibid.

63. Charles Gasparino, "How corporations surrendered to hard-left woke-ness," *New York Post*, 13, fev. 2021, https://nypost.com/2021/02/13/how-corporations-surrendered-to-hard-left-wokeness/ (11, abr. 2021).

64. Ibid.

65. Brooke Kato, "What is cancel culture? Everything to know about the toxic online trend," *New York Post*, 10, mar. 2021, https://nypost.com/article/what-is-cancel-culture-breaking-down-the-toxic-online-trend/ (11, abr. 2021).

66. "A Letter on Justice and Open Debate," Harper's Magazine, 7, jul. 2020, https://harpers.org/a-letter-on-justice-and-open-debate/ (11, abr. 2021).

67. Heather Moon, "Top 10 Worst Cases of Big Tech Censorship in 2020," mrcNewsBusters, 4, jan. 2021, https://www.newsb usters.org/blogs /free-speech/heather-moon/2021/01/04/top-10-worst-cases-big-tech-censorship-2020 (11, abr. 2021).

68. "FACEBOOK INSIDER LEAKS: Hours of Video of Zuckerberg & Execs Admitting They Have 'Too Much Power' ... FB Wants to 'Work ... with [Biden] on Some of Their Top Priorities'... 'Biden Issued a Number of Exec Orders ... We as a Company Really Care Quite Deeply About'", Project Veritas, 31, jan. 2021, https://www.projectveritas.com/news/facebook-insider-leaks-hours-of-video-of-zuckerberg-and-ex ecs-admitting-they/ (11, abr. 2021).

69. Ibid.

70. Allum Bokhari, "Exclusive: Unreleased Federal Report Concludes 'No Evidence' that Free Speech Online 'Causes Hate Crimes,'" Breitbart, 3, mar. 2021, citando "The Role of Information and Communication Technologies in Hate Crimes: An Update to the 1993 Report," U.S. Department of Commerce, https://www.slideshare.net/AllumBokhari/ntia-hate-crimes-report-january-2021/1 (11, abr. 2021).

71. Ibid.

72. Emily Jacobs, "Democrats demand more censorship from Big Tech bosses," *New York Post*, 18, nov. 2020, https://nypost.com/2020/11/18/democrats-use-big-tech-hearings-to-demand-more-censorship/ (11, abr. 2021).

73. "The War on Free Speech," *Pittsburgh Post-Gazette*, 26, jan. 2021, https://www.post-gazette.com/opinion/editorials/2021/01/26/The-war-on-free-speech-Parler-Social-Media-technology/stories/202101140041 (11, abr. 2021).

74. Krystal Hur, "Big tech employees rally behind Biden campaign," Opense crets.org, 12, jan. 2021, https://www.opensecrets.org/news/2021/01 /big-tech-employees-rally-biden/ (11, abr. 2021).

75. Ari Levy, "Here's the final tally of where tech billionaires donated for the 2020 election," CNBC, 2, nov. 2020, https://www.cnbc.com/2020/11/02/tech-billionaire-2020-election-donations-final-tally.html (11, abr. 2021).

76. Chuck Ross, "Biden Has Ties to 5 Major Tech Companies," *Daily Caller*, 10, jan. 2021, https://dailycaller.com/2021/01/10/biden-big-tech-apple-facebook-trump-parler/ (11, abr. 2021).

77. Ryan Lizza, Daniel Lippman, e Meridith McGraw, "AOC wants to cancel those who worked for Trump. Good luck with that, they say," *Politico*, 9, nov. 2020, https://www.politico.com/news/2020/11/09 /aoc-cancel-worked-for-trump-435293 (11, abr. 2021).

78. Representantes Anna G. Eshoo e Jerry McNerney, "Carta de 22 de fevereiro de 2021 para Mr. John T. Stankey," https://mcnerney.house.gov/sites/mcnerney.house.

gov/files/McNerney-Eshoo%20 TV%20Misinfo%20 Letters%20 -%202.22.21.pdf (11, abr. 2021).

79. Andrew Kerr, "Media Matters Study on Fox News 'Misinformation' Is Riddled with Misrepresentations, Flagged Objectively True Statements," *Daily Caller*, 22, fev. 2021, https://dailycaller.com/2021/02/22 / media-matters-fox-news-disinformation/ (11, abr. 2021).

80. Eshoo e McNerney, "Carta de 22 de fevereiro de 2021 para Mr. John T. Stankey."

81. Tom Elliot, "Now CNN's @ oliverdarcy is going after cable companies for carrying Fox News," Twitter, 8, jan. 2021 (screenshot of @oliver darcy), https://twitter.com/tomselliott/status/1347465189252341764?lan g=en (11, abr. 2021).

82. Ibid.

83. Alinsky, *Rules for Radicals*, 130.

84. Nicholas Kristoff, "Can We Put Fox News on Trial with Trump?" *New York Times*, 10, fev. 2021, https://www.nytimes.com/2021/02/10/opinion/fox-news-accountability.html (11, abr. 2021).

85. Ibid.

86. Ibid.

87. Ibid.

88. Harry Hodgkinson, *Double Talk: The Language of Communism* (Londres: George Allen & Unwin, 1955), v, vi.

89. Ibid., 44

90. Ibid., 122.

CAPÍTULO SETE : ESCOLHEMOS A LIBERDADE!

1. J. Christian Adams, "Read the Shocking Pentagon Training Materials Targeting Conservatives in the Military," PJ Media, 22, mar. 2021, https://pjmedia.com/

jchristianadams/2021/03/22/read-the-pentagon -training-materials-targeting-conservatives-in-the-military-n1434071 (22, abr. 2021); "Reversing Trump, Pentagon to release new transgender policy," Associated Press, 31, mar. 2021, https://www.foxnews.com/us/reversing-trump-pentagon-new-transgender-policy (22, abr. 2021).

2. Charles Creitz, "Rep. Waltz slams West Point 'White rage' instruction: Enemy's ammo 'doesn't care about race, politics,'" Fox News, 8, abr. 2021, https://www.foxnews.com/politics/rep-michael-waltz-slams-west -point-white-rage-instruction-enemys-ammo-doesnt-care-about-race-politics (22, abr. 2021).

3. Aaron Mehta, "Climate change is now a national security priority for the Pentagon," *DefenseNews*, 27, jan. 2021, https://www.defensenews.com/pentagon/2021/01/27/climate-change-is-now-a-national-security -priority-for-the-pentagon/ (22, abr. 2021).

4. "Facts and Figures," National Law Enforcement Officers Memorial Fund, https://nleomf.org/facts-figures (22, abr. 2021).

5. Jeffrey James Higgins, "Enough of the lying–just look at the data. There's no epidemic of racist police officers killing black Americans," *Law Enforcement Today*, 26, jun. 2020, https://www.lawenforcement today.com/systematic-racism-in-policing-its-time-to-stop-the-lying/ (22, abr. 2021).

6. Victor Davis Hanson, "Obama: Transforming America," RealClearPolitics, 1, out. 2013, https://www.realclearpolitics.com/articles/2013/10/01/obama_transforming_america_120170.html (22, abr. 2021).

7. "Less Policing = More Murders," Law Enforcement Legal Defense Fund, http://www.policedefense.org/wp-content/uploads/2021/04/Depolicing _April14.pdf (22, abr. 2021).

8. George Thomas, "Demoralized and Demonized: Police Departments Face 'Workforce Crisis' as Officers Leave in Droves," CBN News, 9, set. 2020, https://www1.cbn.com/cbnnews/us/2020/september/demoralized-and-demonized-police-departments-face-workforce-crisis-as-officers-leave-in-droves (22, abr. 2021).

9. Jack Kelly, "Cities Will See Citizens Flee, Fearing Continued Riots and the Reemergence of Covid-19," *Forbes*, 2, jun. 2020, https://www.forbes.com/sites/jackkelly/2020/06/02/cities-will-see-citizens-flee-fearing-continued-riots-and-the-reemergence-of-covid-19/?sh=627a0593d30d (22, abr. 2021).

10. Dave Huber, "National Education Association reps show support for abortion, 'white fragility,'" College Fix, 13, jul.2019, https://www.the collegefix.com/national-education-association-reps-show-support-for-abortion-white-fragility/ (22, abr. 2021).

11. Ashley S. Boyd e Janine J. Darragh, "Teaching for Social Justice: Using All American Boys to Confront Racism and Police Brutality," American Federation of Teachers, primavera 2021, https://www.aft.org/ae/spring2021/boyd_darragh (22, abr. 2021).

12. Jonathan Butcher e Mike Gonzalez, "Critical Race Theory, the New Intolerance, and Its Grip on America," Heritage Foundation, 7, dez. 2020, https://www.heritage.org/sites/default/files/2020-12/BG3567.pdf (22, abr. 2021), 15.

13. Ibid., 16.

14. Ibid., 18.

15. Jackson Elliott, "Parents too afraid to oppose critical race theory in schools, says activist," *Christian Post*, 25, jan. 2021, https://www.christianpost.com/news/parents-too-afraid-to-oppose-crt-in-schools-says-activist.html (22, abr. 2021).

16. Jay Schalin, "The Politicization of University Schools of Education: The Long March through the Education Schools," James G. Marin Center for Academic Renewal, fev. 2019, https://files.eric.ed.gov/fulltext/ED594180.pdf (22, abr. 2021), 1.

17. Ibid., 94.

18. Lily Zheng, "We're Entering the Age of Corporate Social Justice," Harvard Business Review, 15, jun. 2020, https://hbr.org/2020/06/were-entering-the-age-of-corporate-social-justice (22, abr. 2021).

19. Dan McLaughlin, "The Party in Power Is Directing a Corporate Conspiracy against Its Political Opposition," *National Review*, 13, abr. 2021, https://www.nationalreview.com/2021/04/the-party-in-power-is-directinga-corporate-conspiracy-against-its-political-opposition/ (22, abr. 2021).

20. Zachary Evans, "Amazon, Google Join Hundreds of American Corporations in Signing Letter Opposing Voting Limits," *National Review*, 14, abr. 2021, https://www.nationalreview.com/news/amazon-google-join-hundreds-of-american-corporations-in-signing-letter-opposing-voting-limits/ (22, abr. 2021).

21. Phill Kline, "How Mark Zuckerberg's $350 million threatens democracy," *Washington Examiner*, 21, out. 2020, https://www.msn.com /en-us/news/politics/how-mark-zuckerbergs-dollar350-million-threatens-democracy/ar-BB1afARG (22, abr. 2021); J. Christian Adams, "The Real Kraken: What Really Happened to Donald Trump in the 2020 Election," PJ Media, 2, dez. 2020, https://pjmedia.com/jchristian adams/2020/12/02/the-real-kraken-what-really-happened-

to-donald -trump-in-the-2020-election-n1185494 (22, abr. 2021).

22. Mark R. Levin, Liberty and Tyranny (New York: Threshold Editions, 2009), 195.

23. Thomas Paine, The American Crisis, ed. Steve Straub, The Federalist Papers Project, https://thefederalistpapers.org/wp-content/uploads/2013/08/The-American-Crisis-by-Thomas-Paine-.pdf (22, abr. 2021) 5.

24. Ibid., 8.

25. Saul D. Alinsky, Rules for Radicals: A Pragmatic Primer for Realistic Radicals (Nova York: Vintage Books, 1971), 130.

26. Ibid., 131.

27. Sam Dorman, "Nevada charter school's students were instructed to link aspects of their identity with oppression: Lawsuit," Fox News, 23, dez. 2020, https://www.foxnews.com/us/lawsuit-nevada-race-christianity-william-clark (22, abr. 2021); Chris F. Rufo, tweet, January 20, 2021, https://twitter.com/realchrisrufo/status/1352033792458776578?lang=en (22, abr. 2021).

28. Jeff Archer, "Complaints Point Up 'Murky' Areas in Union Activism," *Education Week*, 1, nov. 2000, https://www.edweek.org/teaching -learning/complaints-point-up-murky-areas-in-union-activism/2000/11 (25, abr. 2021); Dave Kendrick, "Landmark Sues Fla., N.J. Unions for Tax Violations," National Legal and Policy Center, 17, jan. 2005, https://nlpc.org/2005/01/17/landmark-sues-fla-nj-unions-tax-violations / (25, abr. 2021).

29. John M. Ellis, *The Breakdown of Higher Education* (Nova York: Encounter Books, 2020), 30, 31.

30. Mark R. Levin, *Plunder and Deceit* (Nova York: Threshold Editions, 2015), 87, 88.

31. Alana Mastrangelo, "Top 10 Craziest Attacks on Campus Conservatives of 2019," Breitbart, 1, jan. 2020, https://www.breitbart.com/tech/2020/01/01/top-10-craziest-attacks-on-campus-conservatives-of-2019/ (22, abr. 2021).

32. Spencer Brown, "Conservative Voices Once Again Excluded from Commencement Season," Young America's Foundation, 16, jun. 2020, https://www.yaf.org/news/conservative-voices-once-again-excluded-from-commencement-season/ (22, abr. 2021).

33. Anya Kamenetz e Eric Westervelt, "Fact-Check: Bernie Sanders Promises Free College. Will It Work?" NPR, 17, fev. 2016, https://www.npr.org/sections/ed/2016/02/17/466730455/fact-check-bernie-sanders-promises-free-college-will-it-work (22, abr. 2021).

34. Lilah Burke, "A Big Budget from Biden," *Inside Higher Education*, 12, abr. 2021, https://www.insidehighered.com/news/2021/04/12/bidens-proposed-budget-increases-funding-pell-hbcus-research (22, abr. 2021).

35. Stuart Shepard e James Agresti, "Government Spending on Education Is Higher than Ever. And for What?" Foundation for Economic Education, 1, mar. 2018, https://fee.org/articles/government-spending-on-education-is-higher-than-ever-and-for-what/ (22, abr. 2021).

36. Winfield Myers, "Time to End Hostile Powers' Influence Operations at American Universities," *American Spectator*, 16, fev. 2021, https://spectator.org/confucius-institute-foreign-influence-american-universities/ (22, abr. 2021).

37. Christian Nunley, "Senate approves bill to tighten controls on China-funded Confucius Institutes on U.S. university campuses," CNBC, 5, mar. 2021, https://www.cnbc.com/2021/03/05/us-senate-approves-bill-against-china-funded-confucius-institutes.html (22, abr. 2021).

38. Ayn Rand, *Return of the Primitive: The Anti-Industrial Revolution* (Londres: Meridian, 1970), 283.

39. Aaron Morrison, "AP Exclusive: Black Lives Matter opens up about its finances," Associated Press, 23, fev. 2021, https://apnews.com/article/black-lives-matter-90-million-finances-8a80cad199f54c0c4b9e74283d27366f (22, abr. 2021).

40. Wendell Husebo, "200 Companies Oppose Voter ID Laws–Many Require IDs for Use of Service," Breitbart, 5, abr. 2021, https://www.breitbart.com/politics/2021/04/05/200-companies-oppose-voter-id-laws-many-require-ids-for-use-of-service/ (22, abr. 2021).

41. Joanna Williams, "The racism racket: Diversity training in the workplace and beyond is worse than useless," Spiked, 9, abr. 2021, https://www.spiked-online.com/2021/04/09/the-racism-racket/ (22, abr. 2021).

42. Megan Fox, "Trump Bans Companies That Use 'Critical Race Theory' from Getting Govt. Contracts," PJ Media, 23, set. 2020, https://pjmedia.com/news-and-politics/megan-fox/2020/09/23/trump-bans-companies-that-use-critical-race-theory-from-getting-govt-contracts-n958223 (22, abr. 2021).

43. Lachlan Markay, "Republican leaders raked in sizable donations from grassroots supporters," *Axios*, 18, abr. 2021, https://news.yahoo.com/republican-leaders-raked-sizable-donations-210114067.html (22,

abr. 2021); Alex Gangitano, "Tom Cotton: Chamber of Commerce is 'a front service for woke corporations,'" Hill, 16, mar. 2021, https://www.msn .com/en-us/news/politics/tom-cotton-chamber-of-commerce-is-a-front-service-for-woke-corporations/ar-BB1eEhPz (22, abr. 2021).

44. Neil Munro, "New York Times: Wall Street Backs Joe Biden," Breitbart, 9, ago. 2020, https://www.breitbart.com/2020-election/2020/08/09 /new-york-times-wall-street-backs-joe-biden/ (22, abr. 2021).

45. Chuck Ross, "Biden Has Ties to 5 Major Tech Companies," *Daily Caller*, 10, jan. 2021, https://dailycaller.com/2021/01/10/biden-big-tech-apple-facebook-trump-parler/ (22, abr. 2021).

46. Michael Bloomberg, "US CEOs sign statement against 'discriminatory' voting laws," AFP, 14, abr. 2021, https://www.yahoo.com/lifestyle/us -ceos-sign-statement-against-145620338.html (25, abr. 2021); Sophie Mann, "CEOs answer the call of the woke by pivoting to 'stakeholder' capitalism," *Just the News*, 24, abr. 2021, https://justthenews.com/politics-policy/finance/hold-ceos-answer-call-woke-changing-their-goals -and-pivoting-stakeholder (25, abr. 2021).

47. "Here Are the Fortune 500 Companies Doing Business in Xinjiang," ChinaFile, 2, out. 2018, https://www.chinafile.com/reporting-opin ion/features/here-are-fortune-500-companies-doing-business-xinjiang (25, abr. 2021).

48. Tom Mitchell, Thomas Hale, e Hudson Lockett, "Beijing and Wall Street deepen ties despite geopolitical rivalry," *Financial Times*, 26, out. 2020, https://www.ft.com/content/8cf19144-b493-4a3e-9308-183bbcc6e76e (25, abr. 2021).

49. Houston Keene, "Companies ripping Georgia do business in China, silent on human rights violations," Fox Business, 1, abr. 2021, https:// www.foxbusiness.com/politics/georgia-bill-criticized-delta-apple-coca -cola -silent-china-uyghur-genocide (25, abr. 2021).

50. Saphora Smith, "China forcefully harvests organs from detainees, tribunal concludes," NBC News, 18, jun. 2019, https://www.nbcnews.com/news/world/china-forcefully-harvests-organs-detainees-tribunal-concludes-n1018646 (25, abr. 2021).

51. Emma Graham-Harrison, "China has built 380 internment camps in Xinjiang, study finds," *Guardian*, 23, set. 2020, https://www.theguardian.com/world/2020/sep/24/china-has-built-380-internment-camps-in-xinjiang-study-finds (25, abr. 2021).

52. Alex Winter, "LIVING HELL: China has locked up 8 MILLION people in terrifying 're-education' camps in last six years, leaked docs reveal," *U.S. Sun*, 18, set. 2020, https://www.the-sun.com/news /us-news/1495061/china-document-8-million-training-detention-camps/ (25, abr. 2021).

53. "Church leaders seek Home Depot boycott on Georgia voting law," *Canadian Press*, 21, abr. 2021, https://www.msn.com/en-ca/money/topstories/church-leaders-seek-home-depot-boycott-on-georgia-voting-law/ar-BB1fRzT0 (25, abr. 2021).

54. Evie Fordham, "Goya 'buy-cott' begins as customers load up on product after Trump backlash," Fox Business, 12, jul. 2020, https://www.foxbusiness.com/markets/goya-food-sales-trump-controversy (25, abr. 2021).

55. Mann, "CEOs answer the call of the woke by pivoting to 'stakeholder' capitalism."

56. John Binder, "Wall Street, Corporations Team Up with Soros-Funded Group to Pressure States Against Election Reforms," Breitbart, 13, abr. 2021, https://www.breitbart.com/politics/2021/04/13/wall-street-corpor ations-team-up-with-soros-funded-group-to-pressure-states-against-election-reforms/ (25, abr. 2021).

57. David Aaro, "Ron DeSantis pushes bill aimed to take power away from Big Tech," Fox News, 16, fev. 2021, https://www.foxnews.com /tech/desantis-pushes-bill-to-aimed-to-take-power-away-from-big-tech (25, abr. 2021).

58. Rachel Bovard, "Section 230 protects Big Tech from lawsuits. But it was never supposed to be bulletproof," *USA Today*, 13, dez. 2020, https://www.usatoday.com/story/opinion/2020/12/13/section-230-big-tech-free-speech-donald-trump-column/3883191001/ (25, abr. 2021).

59. Ibid.

60. John Solomon, "Zuckerberg money used to pay election judges, grow vote in Democrat stronghold, memos reveal," *Just the News*, 20, out. 2020, https://justthenews.com/politics-policy/elections/memos-show-zuckerberg-money-used-massively-grow-vote-democrat-stronghold (25, abr. 2021); Libby Emmons, "BREAKING: Project Veritas exposes Google manager admitting to election interference," *Post Millennial*, 19, out. 2020, https://thepostmillennial.com/breaking-project-veritas-exposes-google-manager-admitting-to-election-influence (25, abr. 2021).

61. Diferentemente da maioria das corporações relacionadas, as plataformas de notícias da Fox, como o Fox News Channel, no qual apresento um programa aos domingos, e o Fox Business Channel, foram criadas, não adquiridas pela Fox.

62. Levin, *Liberty and Tyranny*, 114.

63. Ibid., 115.

64. Maydeen Merino, "'Net Zero Is Not Enough': John Kerry Says We Need to Remove Carbon Dioxide from the Atmosphere," *Daily Caller*, 22, abr. 2021, https://dailycaller.com/2021/04/22/john-kerry-remove-carbon-atmosphere-leaders-summit-climate-change/ (25, abr. 2021).

65. "The Government Is on My Property. What Are My Rights?" Owners' Counsel of America, 11, abr. 2016, https://www.ownerscounsel.com/the-government-is-on-my-property-what-are-my-rights/ (25, abr. 2021).

66. Wilson P. Dizard, "Lamberth finds EPA in contempt for e-document purge," GCN, 25, jul. 2003, https://gcn.com/articles/2003/07/25/lamberth-finds-epa-in-contempt-for-edocument-purge.aspx (25, abr. 2021).

67. Melissa Quinn, "21 states sue Biden for revoking Keystone XL pipeline permit," CBS News, 18, mar. 2021, https://www.cbsnews.com/news /keystone-pipeline-21-states-sue-biden/ (25, abr. 2021).

68. Teny Sahakian, "NY Times ignores 18 deaths, nearly $2 billion in damage when bashing GOP bills targeting rioters," Fox News, 23, abr. 2021, https://www.foxnews.com/us/ny-times-ignores-18-deaths-nearly-2-billion-dollars-in-damage-when-bashing-gop-bills-targeting-rioters (25, abr. 2021).

69. Josh Gerstein, "Leniency for defendants in Portland clashes could

affect Capitol riot cases," *Politico*, 14, abr. 2021, https://www.politico.com/news/2021/04/14/portland-capitol-riot-cases-481346 (25, abr. 2021).

70. "Governor Ron DeSantis Signs Hallmark Anti-Rioting Legislation Taking Unapologetic Stand for Public Safety," comunicado de imprensa do Gabinete do Governador, 19, abr. 2021, https://www.flgov.com/2021/04/19/what-they-are-saying-governor-ron-desantis-signs-hallmark-anti-rioting-legislation-taking-unapologetic-stand-for-public-safety/ (25, abr. 2021).

71. "Racketeer Influenced and Corrupt Organizations (RICO) Law," Justia .com, https://www.justia.com/criminal/docs/rico/ (25, abr. 2021).

72. Meira Gebel, "The story behind Thousand Currents, the charity that doles out the millions of dollars Black Lives Matter generates in donations," *Insider*, 25, jun. 2020, https://www.insider.com/what-is-thousand-currents-black-lives-matter-charity-2020-6 (25, abr. 2021).

73. Morrison, "AP Exclusive: Black Lives Matter opens up about its finances"; "Black Lives Matter Global Network Foundation," Influence Watch, https://www.influencewatch.org/non-profit/black-lives-matter-foundation/ (25, abr. 2021).

74. N'dea Yancy-Bragg, "Americans' confidence in police falls to historic low, Gallup poll shows," *USA Today*, 12, ago. 2020, https://www.usatoday.com/story/news/nation/2020/08/12/americans-confidence-police-falls-new-low-gallup-poll-shows/3352910001/ (25, abr. 2021).

75. John R. Lott, "Data Undercuts Myth of 'Racism' in Police Killings," RealClearPolitics, 22, abr. 2021, https://www.realclearpolitics.com/articles/2021/04/22/data_undercuts_myth_of_racism_in_police_killings_145640.html (25, abr. 2021); John R. Lott e Carlisle E. Moody, "Do White Police Officers Unfairly Target Black Suspects?" SSRN, 3, jun. 2020, https://papers.ssrn.com/sol3/papers.cfm?abstract_id=2870189 (25, abr. 2021); Ryan Saavedra, "Mac Donald: Statistics Do Not Support the Claim of 'Systemic Police Racism,'" *Daily Wire*, 3, jun. 2020, https://www.dailywire.com/news/mac-donald-statistics-do-not-support-the-claim-of-systemic-police-racism (25, abr. 2021).

76. Jason Johnson, "Why violent crime surged after police across America retreated," *USA Today*, 9, abr. 2021, https://www.usatoday.com/story/opinion/policing/2021/04/09/violent-crime-surged-across-america-after-police-retreated-column/7137565002/ (25, abr. 2021).

77. Morgan Phillips, "'Justice in Policing Act': What's in the Democratic police reform bill," Fox News, 8, jun. 2020, https://www.foxnews.com/politics/justice-in-policing-act-whats-in-the-democratic-police-reform-bill (25, abr. 2021).

78. Luke Barr, "US police agencies having trouble hiring, keeping officers, according to a new survey," ABC News, 17, set. 2019, https://abcnews.go.com/Politics/us-police-agencies-trouble-hiring-keeping-officers-survey/story?id=65643752 (25, abr. 2021).

79. Lieutenant Dan Marcou, "You can sue: Cops' legal recourse against assailants and others," Police1.com, 8, jun. 2016, https://www.police1.com/legal/articles/you-can-sue-cops-legal-recourse-against-assailants-and-others-YWtiK8fzBSZBNwfc/ (25, abr. 2021).

LIVROS DE MARK R. LEVIN

Mark. R. Levin

LIVROS DE

MARK R. LEVIN

Liberdade e Tirania
Imprensa (Im)parcial
Men in Black
Rescuing Sprite
Ameritopia
The Liberty Amendments
Plunder and Deceit
Rediscovering Americanism

Livros para mudar o mundo. O seu mundo.

Para conhecer os nossos próximos lançamentos
e títulos disponíveis, acesse:

🌐 www.**citadel**.com.br

📘 /**citadeleditora**

📷 @**citadeleditora**

🐦 @**citadeleditora**

▶️ Citadel – Grupo Editorial

Para mais informações ou dúvidas sobre a obra,
entre em contato conosco por e-mail:

✉️ contato@**citadel**.com.br